Bijbelselect

BIJBELSELECT

Golden Classics

ontroerende
spannende
vrolijke
schokkende
mooie
raadselachtige
aangrijpende
en
verrassende teksten
uit de bijbel

1997

Nederlands Bijbelgenootschap, Haarlem
Katholieke Bijbelstichting, 's-Hertogenbosch

Bijbelselect is samengesteld uit teksten uit de Groot Nieuws Bijbel.

1e druk NBG 763/10M-97

Ontwerp omslag: Rick Vermeulen/Inízio, Rotterdam
Illustratie omslag: John Martin, The Last Judgement, Tate Gallery, Londen
Ontwerp typografie: Chris van Egmond BNO/Casparie Heerhugowaard

Bijbelselect
ISBN 90 6126 763 3
NUGI 634

Woord vooraf

De bijbel is niet zomaar een boek! Het is het boek van het volk van Israël, het boek van Joden en christenen.
Van het begin af aan heeft het alle eeuwen door mensen geboeid, getroost en geïnspireerd.
De bijbel is een boek dat gaat over de mens in zijn wereld, over zijn verhouding tot God en de goden, over recht en onrecht.
De naam Bijbelselect betekent niet dat de bijbel het bezit is van een selecte groep mensen. Nee, de naam slaat op het feit dat in deze uitgave die gedeelten uit de bijbel *geselecteerd = uitgekozen* zijn die een goede weergave zijn van de inhoud. De verhalen over het eeuwige gesprek tussen God en mens, over goed en kwaad, over onderdrukking en bevrijding, over oorlog en vrede, over liefde en haat, over armoede en rijkdom, over mislukking en ondergang, over altijd weer nieuwe hoop.
De uitgekozen gedeelten waarin men die bijbelse thema's kan terugvinden, bevatten ongeveer een vijfde deel van de complete bijbel. Ze zijn heel goed zelfstandig te lezen, en al te grote overgangen worden opgevangen door verbindende teksten. Behalve de bijbelse thema's komen ook alle bijbelse genres aan bod zoals profetieën, wijsheidsteksten, liefdespoëzie, brieven enzovoort.
Kortom, een uitgave die een goede selectie is uit een duizendjarige wereldliteratuur.

Inhoud

Oude Testament

Genesis

Exodus

1 SAMUËL

2 SAMUËL

1 KONINGEN

2 KONINGEN

Deuterocanonieke boeken

Nieuwe Testament

1 Tessalonicenzen

1 Petrus

Openbaring

Oude Testament

Genesis

Gods scheppend spreken

In het begin schiep God de hemel en de aarde.
De aarde was onherbergzaam en verlaten. Een watervloed bedekte haar en er heerste diepe duisternis. De wind van God joeg over het water.
Toen zei God: 'Er moet licht zijn!' En er was licht. God zag hoe mooi het licht was en hij scheidde het licht van de duisternis. God noemde het licht dag en de duisternis nacht. Het werd avond en het werd ochtend, één dag was voorbij.
Toen zei God: 'Er moet in het water een koepel zijn die de watermassa's scheidt.' Zo gebeurde het ook: God maakte een koepel over de aarde en scheidde zo het water onder de koepel van het water erboven. De koepel noemde God hemel. Het werd avond en het werd ochtend, de tweede dag was voorbij.
Toen zei God: 'Al het water onder de hemel moet naar één plaats stromen, zodat een deel van de aarde droogvalt.' En zo gebeurde het. Het drooggevallen gebied noemde God land en het samengestroomde water zee. En God zag hoe mooi het was. 'Er moet veel groen op het land komen,' zei hij, 'planten die zaad vormen en bomen die vruchten dragen.' En zo gebeurde het. Er kwam veel groen op, allerlei zaadgewassen en vruchtbomen. En God zag hoe mooi het was. Het werd avond en het werd ochtend, de derde dag was voorbij.
Toen zei God: 'Er moeten lichten komen aan de hemelkoepel om de dag van de nacht te scheiden, om de feestdagen aan te geven en het verloop van dagen en jaren. Zij zullen aan de hemelkoepel staan om de aarde licht te geven.' En zo gebeurde het: God maakte de beide grote lichten, de zon om over de dag te heersen en de maan om over de nacht te heersen; ook maakte hij de sterren. God gaf hun een plaats aan de hemelkoepel om de aarde te verlichten, om dag en nacht te beheersen, het licht van de duisternis te scheiden. En God zag hoe mooi het was. Het werd avond en het werd ochtend, de vierde dag was voorbij.
Toen zei God: 'Het water moet vol leven zijn, laat het krioelen van dieren! En boven de aarde, langs de hemelkoepel, moeten vogels vliegen.' God schiep de grote zeedieren en alles wat er maar in het water leeft; het krioelde van de dieren. Ook schiep hij de vogels. En God zag hoe mooi het was. God gaf hun zijn zegen en zei: 'Breng veel jongen voort, laat het water van de zee vol leven zijn en het land vol vogels.' Het werd avond en het werd ochtend, de vijfde dag was voorbij.

Toen zei God: 'Op het land moet leven ontstaan: tamme en wilde dieren, grote en kleine.' En zo gebeurde het: God maakte allerlei wilde en tamme dieren, grote en kleine. En God zag hoe mooi het was.
Toen zei God: 'Laten we mensen maken! Mensen die ons evenbeeld zijn, die op ons lijken. Zij zullen zeggenschap hebben over de vissen in de zee, over de vogels in de lucht, over de dieren op het land, de tamme en de wilde, de grote en de kleine.' God schiep de mens als het evenbeeld van zichzelf. Hij schiep de mens: man en vrouw. God gaf hun zijn zegen en zei: 'Breng veel nakomelingen voort om de aarde te bevolken. Jullie moeten de aarde aan je onderwerpen, je krijgt zeggenschap over de vissen in de zee, over de vogels in de lucht, over alle dieren op het land.' Hij voegde eraan toe: 'Jullie mogen het zaad van alle planten op de aarde, de vruchten van alle bomen eten. Maar de vogels en de dieren op het land, de grote en de kleine, geef ik gras en bladeren als voedsel.' En zo gebeurde het. God keek naar alles wat hij gemaakt had, het was erg mooi. Het werd avond en het werd ochtend, de zesde dag was voorbij.
Zo werden de hemel en de aarde voltooid, en alles wat zij bevatten. Op de zevende dag was God klaar met alles wat hij gemaakt had, op de zevende dag hield hij op met al zijn werk. God gaf de zevende dag zijn zegen en maakte er een bijzondere dag van. Want op die dag, toen hij zijn schepping voltooid had, hield hij op met al zijn werk.
Dit is de geschiedenis van de hemel en de aarde. Zo heeft God ze geschapen.

Genesis 1:1-2:4a

Leven en dood, goed en kwaad

In Eden, in het oosten, legde God, de Heer, een tuin aan en plaatste daar de mens die hij gevormd had. Hij liet er allerlei mooie bomen met heerlijke vruchten groeien. In het midden van de tuin stonden twee bomen: de vruchten van de ene boom konden de mens het eeuwige leven geven, die van de andere boom inzicht in goed en kwaad.
God, de Heer, plaatste de mens in de tuin van Eden om die te bewerken en te onderhouden. Hij zei tegen de mens: 'Je mag eten van alle bomen in de tuin, alleen niet van de boom die inzicht geeft in goed en kwaad. Wanneer je daarvan eet, zul je sterven.'
De slang was het slimste dier dat God, de Heer, gemaakt had. Hij zei tegen de vrouw: 'God heeft zeker gezegd dat jullie van geen enkele boom in de tuin de vruchten mogen eten?' De vrouw antwoordde: 'We mogen van alle bomen in de tuin eten, behalve

van de boom in het midden van de tuin. God heeft gezegd dat we die boom zelfs niet mogen aanraken, want anders zouden we sterven.' Maar de slang zei: 'Sterven? Je zult helemaal niet sterven! Integendeel, God weet dat jullie de ogen open zullen gaan zodra je ervan eet. Dan zul je aan hem gelijk zijn en inzicht hebben in goed en kwaad.' De vrouw zag dat er heerlijke vruchten aan de boom hingen. Ze zagen er aanlokkelijk en veelbelovend uit: door ervan te eten zou je verstandig kunnen worden! Daarom plukte ze wat vruchten van de boom en at ervan; ook gaf ze wat aan haar man en hij at er eveneens van. Toen gingen hun de ogen open, ze ontdekten dat ze naakt waren. Daarom bonden ze vijgenbladeren om hun heupen.
Bij het opsteken van de avondwind hoorden ze God, de Heer, door de tuin lopen en zij verborgen zich voor hem tussen de bomen. God, de Heer, riep de mens: 'Waar ben je?' 'Toen ik u in de tuin hoorde,' antwoordde de man, 'werd ik bang, omdat ik naakt ben. Daarom heb ik me verborgen.' 'Wie heeft je verteld dat je naakt bent?' vroeg hij. 'Heb je soms de vruchten gegeten van de boom die ik je verboden had?' 'De vrouw die u mij gegeven hebt,' antwoordde de man, 'die heeft mij van die vruchten laten eten.' Toen vroeg God, de Heer, aan de vrouw: 'Waarom heb je dat gedaan?' 'De slang heeft me bedrogen,' antwoordde ze, 'daarom heb ik ervan gegeten.'
De man noemde zijn vrouw Eva: Leven, omdat zij de moeder van al het menselijke leven is geworden. God, de Heer, maakte kleren van dierenhuiden voor de man en zijn vrouw en deed hun die aan. Toen dacht hij: 'De mens is aan ons gelijk geworden, hij heeft nu inzicht in goed en kwaad. Ik wil verhinderen dat hij ook nog de vruchten van de levensboom plukt. Want als hij die eet, zal hij voor altijd leven.' Daarom stuurde God, de Heer, hem weg uit de tuin van Eden om de grond te gaan bewerken waaruit hij gemaakt was. Hij joeg de mens weg en stelde aan de oostkant van de tuin van Eden wachters op en een vlammend zwaard dat flitsend heen en weer schoot. Zo kon geen mens meer bij de levensboom komen.

De man had gemeenschap met zijn vrouw Eva, zij werd zwanger en kreeg een zoon, Kaïn. 'Met hulp van de Heer,' zei ze, 'heb ik een zoon ter wereld gebracht.' Daarna kreeg ze nog een zoon, Abel, de broer van Kaïn. Abel werd schaapherder en Kaïn landbouwer.
Na verloop van tijd droeg Kaïn uit de opbrengst van het land een offer op aan de Heer. Ook Abel bracht een offer: hij slachtte de eerstgeboren schapen en offerde er de beste stukken van. Aan het offer van Abel besteedde de Heer aandacht, maar aan dat van Kaïn niet. Toen werd Kaïn woedend, heel zijn gezicht vertrok.
'Waarom ben je kwaad?' vroeg de Heer. 'Waarom is je gezicht vertrokken? Als je goed handelt, kun je mij recht in de ogen

kijken. Maar als je dat niet doet, ligt de zonde als een roofdier voor de deur. Het kwaad zal je voortdurend bedreigen, maar jij moet het de baas zien te worden.'
Maar Kaïn zei tegen zijn broer Abel: 'Laten we naar het land gaan.' Toen ze op het land waren, wierp Kaïn zich op zijn broer Abel en sloeg hem dood. 'Waar is Abel, je broer?' vroeg de Heer. 'Ik weet het niet,' antwoordde hij, 'moet ik soms voor mijn broer zorgen?' 'Wat heb je gedaan?' vroeg de Heer. 'Hoor! Uit de aarde roept het bloed van je broer tot mij om wraak! Daarom ben je nu vervloekt, verdreven word je van deze grond die doordrenkt is van het bloed van je broer. Het bloed dat jij vergoten hebt. Wanneer jij de aarde bewerkt, zal zij je niets meer opleveren. Zwerven zul je over de aarde, altijd weer verder trekken.' 'Die straf is te zwaar,' zei Kaïn. 'Als u me van deze akkers verjaagt en mij niet meer wilt zien, als ik moet zwerven over de aarde en steeds verder moet trekken, dan kan iedereen die mij tegenkomt, mij doodslaan.' 'Nee,' antwoordde de Heer, 'want wie jou doodt, zal er zevenmaal voor boeten.' Hij bracht op Kaïn een teken aan dat hem zou beschermen. Niemand zou hem ongestraft kunnen neerslaan. Toen ging Kaïn weg bij de Heer. Hij ging wonen in Nod, het land ten oosten van Eden.

Genesis 2:8-9, 15-17; 3:1-13, 20-24; 4:1-16

Maar één rechtvaardig!

De Heer zag hoeveel kwaad de mensen op aarde aanrichtten; wat ze ook uitdachten, het was steeds even slecht. Daarom kreeg hij er spijt van dat hij mensen op de aarde gemaakt had. Hij voelde zich diep gekwetst en dacht: 'Ik zal de mensen, die ik geschapen heb, wegvagen van de aarde. Niet alleen de mensen, maar ook de dieren op het land en de vogels, want ik heb er spijt van dat ik ze gemaakt heb.' Maar er was één mens, Noach, aan wie hij veel vreugde beleefde.
Dit is de geschiedenis van Noach. Noach stond op vertrouwelijke voet met God. Hij leefde niet als de mensen om hem heen, maar was rechtvaardig en deed volstrekt geen kwaad. Noach kreeg drie zonen: Sem, Cham en Jafet. God zag hoe de aarde door de mensen verknoeid was. Overal heersten onrecht en geweld. Iedereen deed wat in strijd was met zijn wil. God zei tegen Noach: 'Ik heb besloten een einde te maken aan het leven op aarde. Het is de schuld van de mensen dat de aarde vol geweld is. Ik ga hen met de aarde vernietigen. Maak daarom een boot van cipressenhout met verschillende vakken erin. Van binnen en van buiten moet je hem dichtsmeren met teer. Maak hem honderdvijftig meter lang, vijfentwintig meter breed en vijftien meter hoog. Plaats er een dak op dat een halve meter naar buiten uitsteekt. Breng aan de

zijkant van de boot een deur aan. De boot moet uit drie verdiepingen bestaan. Ik ga alles wat leeft vernietigen door een grote vloed. Alles wat zich op aarde bevindt, zal omkomen. Maar met jou zal ik mijn verbond sluiten. Jij zult aan boord gaan, met je zonen, je vrouw en je schoondochters. Van alle dieren moet je één paar aan boord brengen, een mannetje en een wijfje. Zij zullen samen met jou gered worden. Eén paar van alle vogels, van alle dieren op het land, groot en klein, zal bij je komen. Sla een grote hoeveelheid voedsel op, voldoende voor jou en je familie en voor de dieren.'
Noach deed alles wat God hem had opgedragen.

Genesis 6:5-22

De grote watervloed

Zeven dagen later kwam de grote vloed over de aarde.
In het jaar waarin Noach zeshonderd werd, op de zeventiende dag van de tweede maand, zocht het water onder de aarde zich met geweld een uitweg; alle bronnen stroomden over en de sluizen van de hemel openden zich. Toen regende het veertig dagen en veertig nachten lang op aarde. Diezelfde dag nog ging Noach met zijn zonen Sem, Cham en Jafet, zijn vrouw en zijn drie schoondochters aan boord. Met hen mee gingen allerlei dieren, wilde en tamme, grote en kleine, en ook de vogels, alles wat kon vliegen. Steeds kwam er één paar van alle levende wezens aan boord bij Noach, een mannetje en een wijfje, zoals God hem had opgedragen. Toen sloot de Heer de deur achter Noach.
De watervloed kwam over de aarde, veertig dagen lang. Het water steeg, de boot begon vlot te raken. Nog verder steeg het, tot de boot op het water ronddreef. Hoger en hoger kwam het, tot zelfs de hoogste bergen door het water bedekt waren. Tenslotte stond het water ruim zeven meter boven de bergtoppen. Alles wat op aarde leefde, kwam om, vogels, tamme en wilde dieren, grote en kleine, en alle mensen. Alles wat op het land leefde stierf, alles wat adem had. Zo werden alle levende wezens van de aarde weggevaagd. Alleen Noach en zijn boot bleven gespaard. Het water bleef honderdvijftig dagen lang op hetzelfde hoge peil.
God was Noach en alle dieren bij hem aan boord niet vergeten. Op zijn bevel streek er een wind over de aarde en begon het water te zakken. De bronnen van de watermassa's onder de aarde hielden op te stromen en de sluizen van de hemel gingen dicht: de regen hield op. Langzaam vloeide het water weg van de aarde. Zo begon na verloop van honderdvijftig dagen het water te zakken. Op de zeventiende dag van de zevende maand bleef de boot vastzitten op het Araratgebergte. Het water bleef zakken totdat

op de eerste dag van de tiende maand de toppen van de bergen zichtbaar werden.
Na veertig dagen opende Noach het venster dat hij in de boot had aangebracht en liet een raaf los. De raaf bleef heen en weer vliegen totdat de aarde drooggevallen was. Daarna liet hij een duif los om te zien of het water al weggestroomd was van de akkers. Maar de duif vond nergens een plek om te rusten, overal was nog water. Ze vloog terug naar de boot; Noach stak zijn hand uit en haalde haar weer binnen. Toen wachtte hij nog eens zeven dagen en liet de duif opnieuw los. Tegen de avond kwam ze bij hem terug met een vers olijfblad in haar snavel. Toen begreep Noach dat het water was weggestroomd van de aarde. Hij wachtte nog eens zeven dagen en liet de duif voor de derde maal los. Maar deze keer kwam ze niet meer terug. Op de eerste dag van de eerste maand in het jaar dat Noach zeshonderdeen werd, was het water van de aarde verdwenen. Toen Noach het dak openschoof, zag hij dat de akkers drooggevallen waren. Op de zevenentwintigste dag van de tweede maand was de aarde helemaal droog.

Genesis 7:10-8:14

Zo nooit meer

God zegende Noach en zijn zonen en zei: 'Breng veel nakomelingen voort om de aarde te bevolken. Alle dieren zullen opschrikken als ze jullie zien, de dieren op het land, de vogels in de lucht, de vissen in de zee. Ik heb ze in jullie macht gegeven. Behalve het groen van de planten mogen jullie nu ook het vlees van dieren eten. Alle dieren geef ik je als voedsel. Alleen mag je geen vlees eten waar nog bloed in zit, want het bloed bevat de levenskracht. Wie een ander om het leven brengt, stel ik aansprakelijk. Hij wordt gestraft met de dood. Ook als een dier een mens doodt, moet het gedood worden. Wie een mens doodt, zal zelf door een mens worden gedood. Want de mens is gemaakt als het evenbeeld van God. Breng veel leven voort. Laten jullie nakomelingen de hele aarde bevolken.'
Ook zei God tegen Noach en zijn zonen: 'Ik sluit nu met jullie mijn verbond, een verbond dat geldt voor al jullie nakomelingen en voor alle dieren die met jullie van boord zijn gegaan, alle dieren van de aarde. Ik beloof jullie dat ik het leven op aarde niet nog eens zal vernietigen door een grote watervloed. Nooit meer zal een vloed de aarde verwoesten.' En God vervolgde: 'Het verbond dat ik sluit met jullie en alle andere levende wezens blijft voor altijd van kracht. Als teken van dit verbond tussen mij en de aarde, plaats ik mijn boog in de wolken. Steeds als ik boven de aarde de wolken samendrijf en de regenboog in de wolken zicht-

baar wordt, zal ik denken aan het verbond met jullie en met alle andere levende wezens. Nooit zal er meer een watervloed komen die alles wat leeft, weg zal vagen. Als ik de boog in de wolken zie, zal ik denken aan het verbond dat voor altijd zal bestaan tussen mij en alle levende wezens op de aarde.'
'Deze boog,' zei God tegen Noach, 'is het teken van het verbond dat ik heb gesloten met alles wat op aarde leeft.'

Genesis 9:1-17

Over heel de aarde verspreid

In die tijd spraken de mensen nog één taal, iedereen gebruikte dezelfde woorden. Toen de mensen wegtrokken naar het oosten, kwamen ze bij een vlakte in Babylonië waar ze gingen wonen. Ze zeiden tegen elkaar: 'Laten we stukken klei nemen en die in het vuur bakken.' Die stukken klei gebruikten ze als bakstenen en asfalt als specie. Toen zeiden ze: 'Laten we nu een stad gaan bouwen met een toren zo hoog als de hemel. Dat zal ons beroemd maken en we raken dan niet over de hele aarde verspreid.'
Toen kwam de Heer naar de aarde om de stad en de toren te zien die de mensen aan het bouwen waren. 'Wat ze hier doen,' dacht God, 'is nog maar het begin. Ze zijn nu één volk en spreken één taal. Straks kunnen ze alles doen wat in hen opkomt. Laten we naar hen toegaan. We moeten verwarring brengen in hun taal, zodat ze elkaar niet meer verstaan.' Zo verspreidde de Heer de mensen over de hele aarde; de bouw van de stad moesten ze staken. Die stad heet Babel: Verwarring, omdat de Heer daar de taal van alle mensen in verwarring bracht en hen vandaar over de hele aarde verspreid heeft.

Genesis 11:1-9

Op weg naar een onbekend land

Dit zijn de nakomelingen van Terach. Terach kreeg drie zonen: Abram, Nachor en Haran. Haran kreeg een zoon, Lot. Haran stierf nog tijdens het leven van zijn vader Terach, in Ur in Babylonië, zijn geboorteland. Abram trouwde met Sarai, Nachor trouwde met een dochter van Haran, Milka. Haran had nog een dochter, Jiska. Sarai had geen kinderen, want ze was onvruchtbaar.
Later verliet Terach Ur in Babylonië. Samen met zijn zoon Abram, zijn kleinzoon Lot en zijn schoondochter Sarai, ging hij op weg naar Kanaän. Maar toen ze in de stad Haran aankwamen, bleven ze er wonen. Terach stierf in Haran, tweehonderdvijf jaar oud.

De Heer zei tegen Abram:
'Verlaat je land, je stam, je familie,
ga naar het land dat ik je wijs.
Ik maak je stamvader van een groot volk,
ik zal je voorspoed geven;
met eerbied zullen de mensen over je spreken,
bij uitstek gezegend zul je zijn.
Wie jou voorspoed wenst, zal ik voorspoed geven,
maar wie jou kwaad toewenst, zal ik vervloeken.
Alle volken op aarde zullen elkaar toewensen
gezegend te zijn als jij.'
Abram deed wat de Heer hem gezegd had en verliet Haran; hij was toen vijfenzeventig jaar. Lot ging met hem mee. Abram nam, behalve zijn neef Lot, ook zijn vrouw Sarai mee en verder al hun bezittingen en hun slaven. Zo gingen ze op weg naar Kanaän, waar toen de Kanaänieten nog woonden. Toen ze er aangekomen waren, trok Abram het land door tot bij de eik van More, een heilige plaats in de buurt van Sichem. Daar verscheen de Heer aan Abram en zei: 'Dit land zal ik aan je nakomelingen geven.' Toen bouwde Abram op die plek een altaar voor de Heer. Vandaar trok Abram verder naar het gebergte ten oosten van Betel en hij sloeg tussen Betel en Ai zijn tent op. Ook hier bouwde hij een altaar en vereerde hij de Heer. Vervolgens trok hij in verschillende etappes verder naar het zuiden.

Genesis 11:27-12:9

Hoog bezoek

Bij de slavin van Sarai krijgt Abram een zoon: Ismaël.
God sluit met Abram het verbond van de besnijdenis.
Abram en Sarai krijgen een nieuwe naam: Abraham en Sara.

Bij de eiken van Mamre verscheen de Heer aan Abraham. Abraham zat op het heetst van de dag bij de ingang van zijn tent. Toen hij opkeek, zag hij plotseling drie mannen voor zich staan. Haastig liep hij naar hen toe, maakte een diepe buiging en zei tegen een van hen: 'Mijn heer, wilt u zo vriendelijk zijn om met mij mee te gaan? Ik wil u graag van dienst zijn. Ik zal wat water laten halen. U kunt dan uw voeten wassen en onder deze boom uitrusten. Ik zal intussen een maaltijd voor u klaar laten maken, dan kunt u weer op verhaal komen voor u verder gaat. Want daarvoor bent u toch bij mij, uw dienaar, langsgekomen.' 'Graag,' zeiden ze, 'ga uw gang.' Abraham haastte zich naar zijn tent en zei tegen Sara: 'Haal snel een zak van het fijnste meel, kneed het en bak er koeken van.' Daarna liep hij vlug naar de kudde, zocht een mals en vet kalf uit en gaf een knecht opdracht het zo gauw mogelijk klaar te maken. Toen het klaar was, zette hij het, met boter en melk, zijn gasten voor. Terwijl zij aten, bleef hij zelf bij hen onder de boom staan. Ze vroegen hem: 'Waar is uw vrouw Sara?' 'Binnen, in de tent,' antwoordde hij. Toen zei een van hen: 'Volgend jaar kom ik bij u terug; dan zal uw vrouw Sara een zoon hebben.' Omdat de man voor de ingang van de tent stond, hoorde Sara wat hij zei. Abraham en Sara waren allebei erg oud. Sara werd allang niet meer ongesteld. Daarom moest ze in zichzelf lachen, ze dacht: 'Gemeenschap? Is het mogelijk dat ik op mijn leeftijd daarvan zal genieten? Ik ben afgeleefd en ook mijn man is oud.' Maar de Heer zei tegen Abraham: 'Waarom lacht Sara? Waarom twijfelt ze eraan of ze op haar oude dag nog een kind kan krijgen? Zou voor mij iets onmogelijk zijn? Volgend jaar, om deze tijd, zal ik bij u terugkomen en dan heeft Sara een zoon.' Sara was bang en ontkende: 'Ik heb niet gelachen,' maar hij zei: 'Je hebt wel gelachen!'

Genesis 18:1-15

Advocaat van de mensen

Toen vertrokken de drie mannen naar een plek vanwaar ze Sodom konden zien. Abraham ging zover met hen mee. De Heer dacht: 'Zal ik voor Abraham geheimhouden wat ik van plan ben? Hij zal immers de stamvader worden van een groot en machtig volk. Alle volken op aarde zullen elkaar toewensen gezegend te zijn als hij. Ik heb hém immers uitgekozen en daarmee al zijn nakomelingen. Hij moet hun leren zich te houden aan mijn richtlijnen: rechtvaardig zijn en opkomen voor het recht. Dan kan ik mijn belofte aan hem nakomen.' Toen zei de Heer: 'Over de inwoners van Sodom en Gomorra dringen ernstige beschuldigingen tot mij door. Zij doen erg veel kwaad. Ik wil erheen gaan om te zien of die beschuldigingen werkelijk waar zijn. Ik wil het weten.' Toen gingen de twee andere mannen op weg naar Sodom, maar de Heer bleef nog bij Abraham staan. Abraham kwam nog een stap dichterbij en vroeg:
'Bent u werkelijk van plan de onschuldigen met de schuldigen om te brengen? Als er vijftig onschuldige mensen in de stad zijn, zou u haar dan verwoesten? Zou u om die vijftig de stad niet sparen? U kunt de onschuldige toch niet met de schuldige doden! Dan zou er toch geen verschil meer zijn! Nee, dat kunt u niet doen. U bent de rechter van de hele aarde. Zou u dan onrecht doen?'
'Als ik in Sodom vijftig onschuldige mensen aantref,' antwoordde de Heer, 'zal ik omwille van hen de hele stad sparen.'
'Ik weet dat het een mens niet past zo vrij tot u te spreken,' zei

Abraham, 'maar misschien ontbreken er vijf aan de vijftig. Zou u dan om die vijf de hele stad verwoesten?'
'Nee,' zei de Heer, 'als ik er vijfenveertig kan vinden die onschuldig zijn, zal ik de stad niet verwoesten.'
'Maar als het er maar veertig zijn?'
'Ik zal het niet doen,' zei de Heer, 'om die veertig.'
'U moet niet kwaad worden, Heer,' zei Abraham, 'als ik nog verder ga. Stel dat het er dertig zijn.'
'Ik zal het niet doen,' zei de Heer, 'als ik er dertig aantref.'
'Ik ben zo vrij toch nog verder bij u aan te dringen,' zei Abraham, 'misschien worden er twintig aangetroffen.'
'Zelfs twintig mensen,' zei de Heer, 'zullen voor mij een reden zijn de stad te sparen.'
'Ik hoop niet dat u kwaad wordt, Heer, als ik nog één keer bij u aandring. Stel dat het er tien zijn?'
'Ook als er tien onschuldige mensen zijn,' zei de Heer, 'zal ik de stad niet verwoesten.'
Toen brak de Heer het gesprek af en ging weg. Abraham keerde terug naar huis.

Genesis 18:16-33

De enige zoon

De Heer trok zich het lot van Sara aan, zoals hij beloofd had. Sara werd zwanger en schonk Abraham nog op zijn oude dag een zoon. Het was precies de tijd die God hem genoemd had. Abraham noemde zijn zoon Isaak. Hij besneed hem toen hij acht dagen oud was, zoals God hem opgedragen had. Bij de geboorte van Isaak was Abraham honderd jaar oud. 'God maakt dat ik weer lachen kan,' zei Sara, 'en iedereen die het hoort, wordt blij en lacht mee.' 'Wie had,' zo ging ze verder, 'Abraham durven voorspellen dat ik ooit kinderen de borst zou geven? En toch heb ik hem, op zijn leeftijd, nog een zoon geschonken.'

Enige tijd later stelde God Abraham op de proef. 'Abraham,' zei hij. 'Ja, ik luister,' antwoordde Abraham. 'Ga naar het land Moria om op een berg die ik je zal wijzen je zoon te offeren, je enige zoon, de jongen van wie je zoveel houdt, Isaak!'
Vroeg in de morgen stond Abraham op, hakte hout voor het offer, zadelde zijn ezel en ging met zijn zoon Isaak op weg naar de plaats die God genoemd had. Ook nam hij twee van zijn knechten mee. Op de derde dag zag Abraham de plaats in de verte liggen. Hij zei tegen zijn knechten: 'Blijf hier met de ezel. Ik ga met de jongen naar de berg daar om te bidden. Daarna komen we terug.' Abraham liet zijn zoon Isaak het hout voor het offer dragen. Zelf nam hij het vuur en het mes. Zo liepen ze

samen verder. Onderweg zei Isaak: 'Vader!' 'Ja, wat is er, mijn zoon?' 'We hebben nu wel vuur en hout, maar waar is het lam voor het offer?' 'God zelf zal zorgen voor een lam, mijn zoon,' antwoordde Abraham. En samen liepen ze verder.
Toen ze bij de plaats kwamen die God had aangewezen, bouwde Abraham een altaar, schikte het hout, bond Isaak vast en legde hem op het altaar, boven op het hout. Maar toen hij het mes pakte om zijn zoon te doden, riep een engel van de Heer uit de hemel: 'Abraham! Abraham!' 'Ja, ik luister,' antwoordde Abraham. 'Raak de jongen niet aan,' zei de engel, 'doe hem niets! Nu weet ik dat je ontzag hebt voor God, omdat je zelfs bereid was mij je enige zoon te offeren.' Toen Abraham om zich heen keek, zag hij een ram die met zijn horens vastzat in de struiken. Hij liep erheen, greep het dier en offerde het in plaats van zijn zoon. Abraham noemde die plaats: De Heer zal ervoor zorgen. Tot op vandaag zegt men nog: 'Op de berg van de Heer kan men zien dat God voor ons zorgt.' Toen riep de engel van de Heer opnieuw uit de hemel: 'Abraham, je hebt gedaan wat ik vroeg, je was zelfs bereid mij je enige zoon te offeren. Daarom heb ik, de Heer, bij mijzelf gezworen je grote voorspoed te geven. Ik zal je zoveel nakomelingen geven als er sterren aan de hemel zijn of zandkorrels op het strand. Zij zullen de steden van hun vijanden in bezit nemen. Omdat je naar mij geluisterd hebt, zullen alle volken van de aarde delen in de voorspoed van je nakomelingen.' Abraham ging terug naar zijn knechten en samen vertrokken ze naar Berseba. Daar bleef hij wonen.

Abraham werd honderdvijfenzeventig jaar. Op hoge leeftijd stierf hij, na een lang en rijk leven. Nadat hij de laatste adem had uitgeblazen, werd hij herenigd met zijn voorouders. Zijn zonen Isaak en Ismaël begroeven hem in de grot van Makpela, op de akker die tegenover Mamre ligt en eigendom was geweest van Efron, de zoon van de Hethiet Sochar. Het was de akker die Abraham gekocht had van de Hethieten. Daar werd hij naast zijn vrouw Sara begraven. Na de dood van Abraham zegende God zijn zoon Isaak. Isaak bleef bij de put Lachai-Roï wonen.

Genesis 21:1-7; 22:1-19; 25:7-11

Twee broers, twee volken

Hier volgt de geschiedenis van Isaak, de zoon van Abraham. Toen Isaak veertig jaar was, trouwde hij met Rebekka. Rebekka was een dochter van Betuël en een zuster van Laban, beiden Arameeërs uit Paddan-Aram. Omdat zijn vrouw onvruchtbaar was, bad Isaak voor haar tot de Heer. De Heer verhoorde zijn gebed en Rebekka werd zwanger. In haar schoot verdrongen haar kin-

deren elkaar en Rebekka dacht: 'Als het zo moet gaan, waarom moet juist mij dat overkomen?' Zij raadpleegde de Heer en hij zei tegen haar:
'Twee volken zijn er in je schoot,
vanaf de geboorte zullen hun wegen uiteengaan.
Het ene volk zal sterker zijn dan het andere,
het grootste zal aan het kleinste onderworpen zijn.'
Toen ze moest bevallen, bleek het inderdaad een tweeling te zijn. De eerste die tevoorschijn kwam, was rossig. Hij was over het hele lichaam sterk behaard, alsof hij een haren mantel aanhad. Men noemde hem Esau: Dichtbehaarde. Daarna kwam zijn broer tevoorschijn. Omdat hij de hiel van Esau vasthield, noemde men hem Jakob: Hij die een ander beetneemt. Isaak was zestig jaar toen zij geboren werden.
De jongens werden groot en Esau werd een ervaren jager, die het liefst in het open veld rondzwierf. Maar Jakob hield van een geregeld leven, hij bleef bij de tenten. Isaak gaf veel om Esau, want hij was verzot op wildbraad. Rebekka hield van Jakob.
Op een dag, toen Jakob soep aan het koken was, kwam Esau uitgeput terug van de jacht. 'Ik ben doodop, geef me vlug wat van dat rode brouwsel van je,' zei hij tegen Jakob. (Hij kreeg daarom de bijnaam Edom: Rode.) Maar Jakob antwoordde: 'Alleen als je me eerst je rechten als oudste zoon verkoopt.' 'Ik sterf van de honger,' zei Esau, 'wat heb ik aan die rechten.' 'Eerst moet je het mij zweren,' zei Jakob. En Esau legde een eed af, waarmee hij zijn rechten als oudste zoon verkocht aan Jakob. Toen gaf Jakob hem de linzensoep met wat brood. Esau at en dronk en was meteen weer weg. Zo weinig waarde hechtte hij aan zijn rechten als oudste zoon.

Genesis 25:19-34

De rollen omgekeerd

Toen Isaak oud geworden was, werd hij blind. Hij riep zijn oudste zoon Esau en zei: 'Mijn zoon!' 'Wat kan ik voor u doen?' zei Esau. 'Je weet,' zei Isaak, 'dat ik al oud ben. Misschien zal ik spoedig sterven. Maak je klaar om op jacht te gaan, pak je pijlkoker en je boog en probeer in het veld een stuk wild voor me te schieten. Maak dan een heerlijk gerecht klaar, zoals ik het graag heb. Als ik ervan gegeten heb, zal ik je mijn zegen geven voor ik sterf.'
Rebekka had het gesprek tussen Isaak en Esau opgevangen en toen Esau op jacht was gegaan om voor zijn vader een stuk wild te bemachtigen, zei Rebekka tegen haar zoon Jakob: 'Ik heb zoeven gehoord dat je vader tegen je broer Esau zei: Ga een stuk wild voor me jagen en maak een heerlijk gerecht voor me klaar. Als ik ervan gegeten heb, zal ik je mijn zegen geven voor ik sterf,

met de Heer als getuige. Luister daarom goed naar me, mijn zoon, en doe wat ik je vraag. Ga naar de kudde en haal twee malse geitenbokjes. Ik zal dan een heerlijk gerecht klaarmaken, zoals je vader het graag heeft. Breng hem dat, dan kan hij ervan eten en je nog voor zijn dood zegenen.' Maar Jakob zei tegen zijn moeder: 'Esau is erg behaard en ik niet. Vader zal me misschien willen aanraken en dan merkt hij dat ik hem bedrieg. Hij zal me vervloeken in plaats van zegenen.' Maar zijn moeder zei: 'Die vervloeking neem ik op mij, mijn zoon. Doe nu maar wat ik zeg en breng mij de bokjes.' Jakob bracht haar de geitenbokjes en zijn moeder maakte een heerlijk gerecht klaar, zoals zijn vader het graag had. Rebekka haalde de mooiste kleren die ze in huis had van haar oudste zoon en deed ze Jakob, haar jongste, aan. De vellen van de geitenbokjes deed ze over zijn armen en om zijn gladde hals. Toen gaf ze haar zoon het heerlijke gerecht dat ze had klaargemaakt, met wat brood.
Jakob ging naar zijn vader en zei: 'Vader.' 'Ja, wie ben je, mijn zoon?' zei Isaak. 'Ik ben het, Esau,' zei Jakob, 'uw oudste zoon. Ik heb gedaan wat u me gevraagd had. Kom overeind zitten, dan kunt u van het wildbraad eten en mij uw zegen geven.' 'Hoe heb je zo vlug iets kunnen vinden, mijn zoon?' vroeg Isaak. 'Dankzij de Heer, uw God, ben ik erin geslaagd,' antwoordde Jakob. 'Kom toch wat dichterbij,' zei Isaak, 'laat mij je aanraken, dan weet ik of je inderdaad mijn zoon Esau bent.' Jakob kwam wat dichterbij. Isaak raakte hem aan en dacht: 'Het is de stem van Jakob, maar het zijn de armen van Esau.' Hij herkende hem niet, omdat Jakobs armen net zo behaard waren als die van Esau. Daarom wilde hij hem zijn zegen geven. Toch vroeg hij hem nog eens: 'Ben je echt mijn zoon Esau?' 'Ja,' zei Jakob. En Isaak zei: 'Zet het wildbraad voor me neer, mijn zoon, dan zal ik ervan eten en je mijn zegen geven.' Jakob zette het hem voor en zijn vader at ervan. Ook bracht hij hem wijn en Isaak dronk ervan. Zijn vader zei tegen hem: 'Kom wat dichterbij, mijn zoon en kus me.' Jakob kwam dicht bij hem staan en kuste hem. Toen Isaak de geur van zijn kleren rook, gaf hij hem zijn zegen en zei:
'Om mijn zoon hangt de geur van het veld,
het veld dat de Heer gezegend heeft.
God zal je de dauw uit de hemel geven,
vruchtbare akkers,
koren en wijn in overvloed.
Volken zullen je dienen,
naties aan je onderworpen zijn;
over je broers zul je heersen,
zij zullen zich voor je neerbuigen.
Wie jou vervloekt, die is vervloekt
en wie jou zegent, die is gezegend.'
Toen Isaak hem zijn zegen gegeven had en Jakob nog maar net buiten was, kwam zijn broer Esau terug van de jacht. Ook hij

maakte een heerlijk gerecht klaar en bracht het zijn vader. 'Kom overeind,' zei hij tegen zijn vader, 'eet eerst het wildbraad van uw zoon en geef me dan uw zegen.' 'Wie ben jij?' vroeg Isaak hem. 'Ik ben het, Esau,' antwoordde hij, 'uw oudste zoon.' Toen schrok Isaak hevig. Hij zei: 'Wie is er dan op jacht geweest en heeft me een stuk wild gebracht? Net voor jij kwam, heb ik gegeten van alles wat hij me voorgezet heeft en heb ik hem mijn zegen gegeven. Die zegen kan hem niet meer ontnomen worden.' Toen Esau dit hoorde, schreeuwde hij verbitterd tegen zijn vader: 'Geef mij ook een zegen, vader!' Maar Isaak zei: 'Je broer heeft je op een listige manier de zegen afgenomen.' 'Terecht wordt hij Jakob genoemd,' zei Esau, 'hij heeft me nu al tweemaal beetgenomen. Eerst heeft hij me mijn rechten als oudste zoon afgenomen en nu ook nog de zegen. Hebt u voor mij dan geen enkele zegen meer over?' Isaak antwoordde: 'Ik heb hem al boven jou geplaatst, hij zal over je heersen; al zijn broers zullen hem dienen. Ook heb ik hem koren en wijn geschonken. Wat kan ik voor jou nog doen, mijn zoon?' 'Hebt u dan maar één zegen?' vroeg Esau. 'Zegen mij ook, vader!' En hij barstte in tranen uit. Toen zei Isaak:
'Ver van de vruchtbare akkers zul je wonen,
ver van de dauw uit de hemel.
Je zult leven van het zwaard
en je broer zul je dienen;
maar wanneer je je sterk verzet,
zul je zijn juk van je schouders werpen.'

Genesis 27:1-40

Een goddelijke droom

Jakob verliet Berseba en ging op weg naar Haran. Onderweg kwam hij bij een plek waar hij de nacht wilde doorbrengen, omdat de zon al was ondergegaan. Hij legde een van de stenen die daar lagen onder zijn hoofd en viel op die plek in slaap. Hij droomde over een brede trap, die op de aarde stond en die tot aan de hemel reikte. Engelen liepen de trap op en af. En bovenaan zag hij de Heer staan, die tegen hem zei: 'Ik ben de Heer, de God van je vader Abraham en de God van Isaak. Aan jou en je nakomelingen zal ik het land geven waarop je ligt te slapen. Je zult zoveel nakomelingen krijgen als er stof op de aarde is; hun gebied zal zich uitbreiden naar het westen en oosten, naar het noorden en zuiden. Alle bewoners van de aarde zullen elkaar toewensen gezegend te zijn als jij en je nakomelingen. Ik zal je helpen en je beschermen, overal waar je heengaat. Ik zal je naar dit land terugbrengen. Ik laat je niet in de steek. Wat ik je beloofd heb, zal ik doen.'
Toen werd Jakob wakker en zei: 'De Heer is werkelijk aanwezig

op deze plek en ik, ik besefte het niet!' 'Wat een ontzagwekkende plaats is dit,' zei hij huiverend. 'Dit moet wel het huis van God zijn, dit is de poort van de hemel!' De volgende ochtend pakte hij de steen die hij onder zijn hoofd had gelegd, zette hem rechtovereind als een gedenksteen en goot er olie over uit. Hij noemde die plaats Betel: Huis van God. Voor die tijd heette ze Luz. Toen deed Jakob een plechtige belofte en zei: 'Als God mij zal helpen en mij beschermt op mijn reis, mij voedsel en kleding geeft, en mij veilig terugbrengt bij mijn familie, dan zal de Heer mijn God zijn, en dan zal hier een huis van God zijn op de plek waar ik deze gedenksteen heb opgericht. Van alles wat hij mij schenkt, zal ik hem een tiende deel teruggeven.'

Genesis 28:10-22

Werken voor twee vrouwen

Jakob zette zijn reis haastig voort, hij trok verder naar het oosten. Op een dag kwam hij bij een put in het open veld waar herders steeds hun schapen te drinken gaven. Er lagen drie kudden omheen. Op de put lag een grote steen. Pas als alle schapen bijeengedreven waren, rolden de herders de steen van de put en gaven ze de schapen te drinken. Daarna brachten ze de steen weer op zijn plaats.

Jakob vroeg de herders: 'Vrienden, waar komen jullie vandaan?' 'Uit Haran.' 'Kennen jullie Laban, de kleinzoon van Nachor?' vroeg hij. 'Ja zeker,' zeiden ze. 'Gaat het goed met hem?' vroeg hij. 'Ja,' antwoordden ze. 'Kijk, daarginds komt net zijn dochter Rachel aan met de schapen.' 'Het is nog volop dag,' zei Jakob, 'en het is nog te vroeg om het vee bijeen te drijven. Geef de schapen te drinken en laat ze verder grazen.' Maar de herders zeiden: 'Dat kunnen we toch niet doen vóór alle kudden hier zijn. Dan pas wordt de steen weggerold van de put en geven wij de schapen te drinken.'

Terwijl hij nog met hen stond te praten, kwam Rachel eraan met de schapen van haar vader. Zij was namelijk schapenhoedster. Zodra Jakob Rachel zag met de kudde van zijn oom Laban, ging hij naar de put, rolde de steen eraf en gaf het vee van Laban te drinken. Toen kuste hij Rachel en huilde van ontroering. Hij vertelde haar dat hij een neef van haar vader was, een zoon van Rebekka. Zij liep vlug naar huis en vertelde het aan haar vader. Toen Laban het nieuws over zijn neef Jakob hoorde, ging hij vlug naar hem toe, omarmde hem en kuste hem hartelijk. Hij nam hem mee naar huis en Jakob vertelde wat er allemaal gebeurd was. 'Ja,' zei Laban, 'je bent een echte bloedverwant van me.'

Jakob was al een maand bij Laban in huis, toen deze tegen hem zei: 'Je hoeft hier niet voor niets te werken, al ben je dan mijn

neef. Wat moet ik je betalen?' Nu was het zo dat Laban twee dochters had. De oudste heette Lea en Rachel was de jongste. Lea had fletse ogen, maar Rachel was erg mooi. Omdat Jakob van Rachel hield, antwoordde hij: 'Ik wil zeven jaar bij u werken, als ik met Rachel, uw jongste dochter, mag trouwen.' 'Ik geef haar liever aan jou dan aan iemand anders,' antwoordde Laban. 'Je kunt hier blijven.'
Jakob werkte zeven jaar om met Rachel te kunnen trouwen; omdat hij van haar hield, waren het naar zijn gevoel maar enkele dagen. Toen zei hij tegen Laban: 'De tijd is om, laat me nu met uw dochter trouwen.' Laban nodigde alle inwoners van de stad uit voor het bruiloftsfeest. Maar 's avonds bracht hij zijn dochter Lea bij Jakob. Hij gaf haar ook zijn slavin Zilpa mee. Jakob had gemeenschap met haar, maar kwam de volgende ochtend pas tot de ontdekking dat het Lea was. Hij zei tegen Laban: 'Wat hebt u me aangedaan! Ik heb toch bij u gewerkt voor Rachel. Waarom hebt u me bedrogen?' Maar Laban antwoordde: 'Het is bij ons niet gebruikelijk om de jongste dochter vóór de oudste uit te huwelijken. Wacht tot deze bruiloftsweek voorbij is, dan zal ik je ook mijn andere dochter geven. Wel moet je dan nog eens zeven jaar voor me werken.' Jakob ging ermee akkoord. Na de bruiloft gaf Laban hem zijn dochter Rachel tot vrouw. Hij gaf haar zijn slavin Bilha mee. Jakob had ook gemeenschap met Rachel; hij hield van haar, niet van Lea. Hij bleef nog eens zeven jaar bij Laban werken.

Jakob had twaalf zonen: Lea's zonen waren Ruben, de oudste, Simeon, Levi, Juda, Issakar en Zebulon. Rachels zonen waren Jozef en Benjamin. De zonen van Rachels slavin Bilha waren Dan en Naftali. De zonen van Lea's slavin Zilpa waren Gad en Aser. Dit waren de zonen die Jakob in Paddan-Aram kreeg.
Jakob ging naar zijn vader Isaak in Mamre bij Kirjat-Arba, dat ook Hebron heet, waar zowel Abraham als Isaak gewoond had. Isaak werd honderdtachtig jaar. Nadat hij de laatste adem had uitgeblazen, werd hij met zijn voorouders herenigd, na een lang en rijk leven. Zijn zonen Esau en Jakob begroeven hem.

Genesis 29:1-30; 35:23-29

De geliefde zoon en de gehate broer

Jakob bleef in Kanaän wonen, in het land waar ook zijn vader gewoond had. Dit is de geschiedenis van Jakob.
Jozef hielp als jongen van zeventien jaar zijn broers, de zonen van Jakobs vrouwen Bilha en Zilpa, met het weiden van het vee. En thuis vertelde hij aan zijn vader wat voor geruchten er over zijn broers de ronde deden.

Jakob hield meer van Jozef dan van al zijn andere zonen, want hij was al oud toen Jozef geboren werd. Daarom had hij een mooi, lang gewaad voor hem laten maken. Toen zijn broers merkten dat hun vader meer van Jozef hield dan van hen, kregen ze een hekel aan hem en hadden geen goed woord meer voor hem over.
Eens had Jozef een droom en toen hij die aan zijn broers vertelde, werd hun afkeer nog groter. Hij zei: 'Moet je horen wat ik gedroomd heb! Wij waren op het land om schoven te binden. Ineens richtte mijn schoof zich op en bleef rechtovereind staan; die van jullie gingen er in een kring omheen staan en maakten een buiging voor de mijne.' 'Dacht jij koning te worden? Dacht jij over ons te kunnen regeren?' riepen zijn broers. Zij kregen een steeds grotere hekel aan hem om wat hij droomde en over hen vertelde.
Later kreeg hij nog een droom en ook die vertelde hij aan zijn broers. 'Ik droomde nu,' zei hij, 'dat de zon en de maan en elf sterren zich voor mij neerbogen.' Ook aan zijn vader vertelde hij dit, maar die wees hem scherp terecht. 'Wat is dat voor een droom! Je denkt toch niet dat wij, je moeder, je broers en ik, ons voor je komen neerbuigen?'
Zijn broers waren jaloers op hem, maar zijn vader bleef met de dromen bezig.
Eens waren zijn broers naar Sichem gegaan om er het vee van hun vader te weiden. Jakob zei tegen Jozef: 'Je weet toch dat je broers naar Sichem zijn? Ik wil dat je naar hen toe gaat.' 'Goed,' zei Jozef. 'Kijk hoe het met ze is en of alles goed is met het vee en breng mij er verslag over uit.' Zo stuurde Jakob hem op weg. Jozef verliet het dal van Hebron en bereikte Sichem. Toen hij daar in het veld rondzwierf, kwam er iemand naar hem toe, die hem vroeg: 'Wat zoek je?' 'Mijn broers,' antwoordde Jozef. 'Kunt u me vertellen waar ze het vee weiden?' 'Ze zijn alweer vertrokken,' antwoordde de man. 'Ik hoorde ze zeggen: Zullen we naar Dotan gaan?' Jozef ging zijn broers achterna en trof hen in Dotan.
Zijn broers zagen hem al van verre aankomen. 'Kijk, daar hebben we de grote dromer,' zeiden ze tegen elkaar. En voordat hij in de buurt was, bedachten ze een listig plan om hem uit de weg te ruimen. 'Laten we hem vermoorden en in een van de putten gooien. We kunnen altijd zeggen dat een roofdier hem verscheurd heeft. We zullen eens zien wat er van zijn dromen terechtkomt!' Maar toen Ruben dat hoorde, probeerde hij Jozefs leven te redden. 'Laten we hem niet doodslaan,' zei hij. 'Er moet geen bloed vloeien! Gooi hem in deze put, hier in de woestijn, maar dood hem niet.' Hij dacht: 'Misschien kan ik hem redden en terugbrengen naar zijn vader.' Nauwelijks was Jozef bij hen of ze rukten hem het mooie, lange gewaad van het lijf, pakten hem beet en gooiden hem in de put. In de put stond geen water.

Even later, toen ze aan het eten waren, zagen ze een karavaan naderen. Het waren Ismaëlieten uit Gilead, op weg naar Egypte. Hun kamelen waren beladen met gom, balsem en hars. Juda zei tegen zijn broers: 'Wat hebben we eraan als wij onze broer vermoorden? Zelfs als we de sporen van de moord kunnen uitwissen! Laten we hem verkopen aan die Ismaëlieten. Nee, we moeten hem niet doden, het is tenslotte onze eigen broer.' De anderen waren het met hem eens. Toen kooplieden uit de karavaan voorbijkwamen, haalden ze Jozef uit de put en verkochten hem voor twintig zilverstukken. De Ismaëlieten namen hem mee naar Egypte.
Toen Ruben weer bij de put kwam, zag hij dat Jozef verdwenen was. Hij scheurde zijn kleren van verdriet, liep naar zijn broers toe en zei: 'De jongen is weg! Wat moet ik nú doen!' Zijn broers slachtten een geitenbokje en doopten het gewaad van Jozef in het bloed. Ze lieten het naar hun vader brengen met de boodschap: 'Dit hebben wij gevonden. Bekijk het goed: is dit van uw zoon of niet?' Jakob herkende het en zei: 'Het gewaad van mijn zoon! Een roofdier heeft hem verscheurd. Jozef is dood!' Toen scheurde Jakob zijn kleren, trok een rouwkleed aan en treurde lange tijd over het verlies van zijn zoon. Al zijn kinderen probeerden hem te troosten, maar hij weigerde getroost te worden. 'Ik blijf rouwen om mijn zoon tot ik bij hem ben in het dodenrijk,' zei hij. Het verdriet over zijn zoon bleef hij met zich meedragen.

Genesis 37:1-35

Een kwestie van vertrouwen

Jozef was door de Ismaëlieten naar Egypte gebracht en aan Potifar verkocht. Potifar was een voorname Egyptenaar, hij was hofbeambte van de farao en stond aan het hoofd van de lijfwacht. De Heer stond Jozef ter zijde en daarom lukte hem alles. Hij mocht in het huis van zijn Egyptische meester wonen. Potifar zag dat alles wat Jozef deed, gelukte omdat de Heer hem hielp. Jozef raakte bij hem in de gunst en mocht hem voortaan persoonlijk bedienen. Hij gaf Jozef de leiding over zijn huis en vertrouwde al zijn bezittingen aan hem toe. Vanaf dat ogenblik zegende de Heer het huis van Potifar, ter wille van Jozef. Op alles wat hij bezat in huis en op het land rustte de zegen van de Heer. Potifar liet alles aan Jozef over en bemoeide zich alleen nog maar met zijn eigen eten.
Jozef was goedgebouwd en aantrekkelijk om te zien. Na verloop van tijd probeerde de vrouw van zijn meester hem te verleiden. 'Kom bij me liggen,' zei ze. Maar hij weigerde en zei: 'Mijn meester bemoeit zich niet meer met de gang van zaken in huis, nu ik hier ben. Hij heeft mij al zijn bezittingen toevertrouwd. Niemand

heeft in dit huis meer te zeggen dan ik. Hij heeft me niets onthouden, behalve u, omdat u zijn vrouw bent. Ik zal zo'n zware misstap niet begaan. Het zou tegen Gods wil zijn!' Hoewel ze iedere dag opnieuw aandrong, liet Jozef zich niet overhalen met haar te slapen.
Op een dag, toen hij het huis binnenkwam om zijn werk te doen en er niemand anders van het personeel aanwezig was, pakte ze hem beet en zei: 'Kom bij me liggen.' Maar Jozef vluchtte naar buiten; zijn bovenkleed hield ze in haar hand. Toen het tot haar doordrong dat hij ontvlucht was maar dat ze zijn bovenkleed in haar hand had, riep ze het personeel en zei: 'Kijk! Die Hebreeër die mijn man in huis heeft gehaald, heeft ons een mooie streek geleverd. Hij is bij me gekomen om met me te slapen. Maar ik riep luid om hulp en van schrik vluchtte hij naar buiten; zijn bovenkleed is hier blijven liggen.' Ze hield het bovenkleed bij zich tot Jozefs meester thuiskwam. Ze vertelde hem hetzelfde verhaal: 'Die Hebreeuwse knecht die jij in huis hebt gehaald, is bij me gekomen en wilde met me naar bed. Maar omdat ik zo hard riep, is hij naar buiten gevlucht. Zijn bovenkleed is hier blijven liggen.' Jozefs meester werd woedend, toen hij hoorde wat er gebeurd was. Hij liet Jozef oppakken en in de gevangenis gooien. Daar zaten vooral gevangenen van de koning. Zo kwam Jozef in de gevangenis terecht.
Maar de Heer stond Jozef ter zijde. Hij bewees hem zijn trouw. Jozef raakte bij het hoofd van de gevangenis in de gunst. Hij kreeg de verantwoordelijkheid voor alle andere gevangenen. Hij had de leiding over al het werk dat zij verrichtten. Het hoofd van de gevangenis liet alles aan Jozef over, hij hoefde nergens meer naar om te kijken. Want de Heer stond Jozef ter zijde: alles wat hij deed, lukte.

Genesis 39:1-23

Veelbetekenende dromen

Enige tijd later hadden de wijnschenker en de bakker van de Egyptische koning iets misdaan tegen hun heer. Beiden dienden zij aan het hof, de een was hoofd van de wijnschenkers en de ander stond aan het hoofd van de bakkers. De farao was woedend en liet hen opsluiten in dezelfde gevangenis waar Jozef zat, in het huis van het hoofd van de lijfwacht. Het hoofd van de lijfwacht gaf Jozef de taak hen te verzorgen.
Op een nacht toen ze al geruime tijd gevangenzaten, kreeg zowel de wijnschenker als de bakker in de gevangenis een droom. Het waren heel verschillende dromen. De volgende morgen, toen Jozef bij hen kwam, zag hij dat ze er verslagen uitzagen. 'Waarom kijken jullie zo somber vandaag?' vroeg hij. 'Wij hebben allebei

een droom gehad,' antwoordden ze. 'Maar we hebben niemand kunnen vinden die hem kan uitleggen.' 'Alleen God weet wat dromen betekenen,' zei Jozef. 'Vertel ze mij maar eens.'
Het hoofd van de wijnschenkers begon: 'Ik zag in mijn droom een wijnstok voor me. Aan die wijnstok zaten drie ranken. Nauwelijks waren er knoppen aan de ranken gekomen of de bloesem kwam al uit en de trossen droegen rijpe druiven. Ik hield de beker van de farao vast, perste er de druiven in uit en reikte hem de farao aan.' 'Die droom betekent het volgende,' zei Jozef. 'De drie ranken komen overeen met drie dagen. Binnen drie dagen zal de farao je weer een hoge plaats geven. Je zult je oude rang terugkrijgen en de farao de beker aanreiken, net als vroeger. En als het je weer goed gaat, vergeet mij dan niet. Je zou mij een dienst bewijzen als je mijn zaak onder de aandacht van de farao wilt brengen, want dan heb ik kans om vrij te komen. Eerst werd ik uit het land van de Hebreeërs ontvoerd en nu ik hier in Egypte ben, zit ik in de gevangenis. Terwijl ik nooit iets gedaan heb wat strafbaar is.'
Toen het hoofd van de bakkers merkte dat Jozefs uitleg gunstig was, zei hij tegen Jozef: 'Ik had ook een droom. Ik droeg drie manden met gebak op het hoofd. In de bovenste mand lag het fijnste gebak, bestemd voor de farao, maar de vogels pikten het uit de mand.' 'Die droom heeft de volgende betekenis,' zei Jozef. 'De drie manden komen overeen met drie dagen. Binnen drie dagen zal de farao je een hoge plaats geven, je hoofd zal boven je lichaam prijken. Je wordt opgehangen aan een paal en de vogels zullen het vlees van je botten pikken.'
Drie dagen later, op zijn verjaardag, gaf de farao een feestmaal voor al zijn hofdienaren. Tijdens het feest kreeg zowel de wijnschenker als de bakker zijn voorspelde hoge plaats. Het hoofd van de wijnschenkers herstelde hij in zijn ambt; hij mocht voortaan de farao de beker weer aanreiken. Het hoofd van de bakkers liet hij ophangen. Het was gegaan zoals Jozef had gezegd.
Maar het hoofd van de wijnschenkers dacht geen ogenblik meer aan Jozef; hij was hem vergeten.

Genesis 40:1-23

Dromen van Gods plannen

Twee jaar later kreeg de farao een droom. Hij droomde dat hij aan de oever van de Nijl stond. Uit de rivier zag hij zeven mooie, vette koeien komen, die langs de oever gingen grazen. Daarna zag hij nog zeven koeien uit de rivier komen, lelijk en mager. Ze gingen naast de eerste zeven staan op de oever van de rivier en aten die mooie, vette koeien op. Op dat moment werd de farao wakker. Toen hij weer in slaap viel, droomde hij opnieuw. Hij zag dat uit

één halm zeven aren opkwamen: zeven mooie, rijpe aren. Daarna kwamen er zeven dunne aren op, die uitgedroogd waren door de verzengende oostenwind. Ze verslonden de zeven rijpe en volle aren. Op dat moment werd de farao wakker en besefte dat hij gedroomd had.
De volgende ochtend was hij erg verontrust door deze dromen. Hij liet onmiddellijk alle waarzeggers en wijze mannen van Egypte halen. Hij vertelde hun zijn dromen, maar niemand kon ze hem uitleggen. Toen zei het hoofd van de wijnschenkers tegen de farao: 'Nu moet ik u herinneren aan mijn vroegere fouten. Indertijd was u woedend op uw dienaren, op mij en het hoofd van de bakkers; u liet ons opsluiten in de gevangenis van het hoofd van de lijfwacht. Wij hadden beiden in dezelfde nacht een droom. Het waren heel verschillende dromen. Er was daar ook een Hebreeuwse jongen, die het hoofd van de lijfwacht hielp. Wij vertelden hem onze dromen en hij gaf ons allebei uitleg. Het is gegaan, zoals hij ons voorspeld had. U gaf mij mijn oude rang terug en de bakker liet u ophangen.'
Onmiddellijk liet de farao Jozef uit de gevangenis halen. Ze schoren hem en gaven hem nieuwe kleren. Zo verscheen hij voor de farao. 'Ik heb een droom gehad,' zei de farao, 'en niemand kan hem uitleggen. Maar ik heb gehoord dat jij een droom kunt uitleggen zodra je hem gehoord hebt.' 'Nee,' antwoordde Jozef, 'dat kan alleen God. Wat hij aankondigt, zal zeker gunstig voor u zijn.' 'Ik droomde,' zei de farao, 'dat ik aan de oever van de Nijl stond. Uit de rivier kwamen zeven mooie, vette koeien tevoorschijn, die langs de oever gingen grazen. Daarna kwamen er nog zeven koeien uit de rivier, mager, uitgemergeld en erg lelijk. Nog nooit heb ik in heel Egypte zulke lelijke koeien gezien! Die magere en lelijke koeien aten de zeven vette op. Maar je kon er niets van zien want ze zagen er nog even slecht uit als daarvoor. Op dat ogenblik werd ik wakker. Even later droomde ik weer. Ik zag zeven mooie, volle aren opkomen uit één halm. Maar daarna schoten er zeven dunne, onvruchtbare aren op, die uitgedroogd waren door de verzengende oostenwind. Ze verslonden de zeven mooie aren. Ik heb het voorgelegd aan de waarzeggers, maar niemand kan het mij verklaren.'
'Beide dromen hebben een en dezelfde betekenis,' zei Jozef. 'Door middel van deze dromen maakt God u zijn plannen bekend. De zeven mooie koeien komen overeen met zeven jaren, evenals de zeven mooie aren. De zeven magere en lelijke koeien die achter hen aan kwamen, evenals de zeven dunne en door de oostenwind verdroogde aren, stellen zeven jaren van hongersnood voor. Dat is wat ik u zojuist bedoelde te zeggen: God heeft u laten zien wat zijn plannen zijn. Er breken voor heel Egypte zeven jaren van grote overvloed aan. Maar daarna volgen er zeven jaren van hongersnood; de mensen zullen dan de overvloed vergeten zijn en de honger zal het land volledig uitputten. Die hongersnood

zal zo zwaar zijn, dat men van de vroegere overvloed in het land niets meer zal merken. Dat u het tot tweemaal toe gedroomd hebt, betekent dat God vastbesloten is zijn plan haastig uit te voeren. Ik raad u aan, farao, een kundig en wijs man te zoeken en hem de leiding te geven over Egypte. Geef opdracht opzichters over het land aan te stellen. Laat zo in de periode van overvloed beslag leggen op een vijfde deel van de oogst. Al het graan van de goede jaren die komen, moeten zij verzamelen in de voorraadsteden en goed laten bewaken. U moet erover kunnen beschikken. Op die manier zal de bevolking in de zeven jaren van hongersnood voldoende voorraad bezitten en wordt voorkomen dat de mensen van de honger omkomen.'
De farao en al zijn hofdienaren vonden dit een goed voorstel. De farao zei tegen hen: 'Waar vinden we iemand die zo van Gods geest vervuld is?' Hij richtte zich tot Jozef: 'God heeft u al deze dingen bekendgemaakt. Het is duidelijk dat er niemand zo kundig en wijs is als u. U zult de hoogste positie in mijn paleis bekleden en mijn volk zal uw bevelen gehoorzamen. Ik alleen zal door de troon boven u staan.' De farao voegde eraan toe: 'Hierbij geef ik u de leiding over heel Egypte.' De farao deed zijn zegelring af en schoof hem aan de vinger van Jozef. Hij liet hem een linnen gewaad aandoen en hing een gouden ketting om zijn hals. Vervolgens liet hij Jozef rondrijden in zijn op één na mooiste wagen. Daarbij moest iemand voor hem uit lopen en roepen: 'Buig u neer!' Zo gaf hij hem de leiding over heel Egypte. 'Ik houd zelf de hoogste macht,' zei de farao, 'maar niemand in Egypte zal een stap zetten zonder uw toestemming.'
De farao noemde Jozef voortaan Safenat-Paneach en gaf hem Asnat tot vrouw. Zij was een dochter van Potifera, een priester van On. Jozef was dertig jaar oud, toen hij in dienst kwam bij de farao, de koning van Egypte. Hij verliet het hof en trok door het hele land. Gedurende de zeven jaren van overvloed was er steeds een rijke oogst. Jozef bracht al het voedsel van die jaren uit heel Egypte bijeen in de voorraadsteden. In elke stad sloeg hij de oogst op van het platteland in de directe omgeving. Hij verzamelde zoveel graan als er zand aan het strand ligt. Men hield maar op de voorraad te berekenen, want er was geen rekenen aan.
Vóór het eerste jaar van de hongersnood kwam, schonk Asnat hem twee zonen. Jozef noemde de oudste Manasse. 'Want,' zei hij, 'God heeft mij alles doen vergeten, al mijn gezwoeg en alles wat mijn familie mij aandeed.' De tweede zoon noemde hij Efraïm. 'Want,' zei hij, 'in het land waar ik zo vernederd ben, heeft God mij kinderen gegeven.'
Toen de zeven jaren van overvloed in Egypte voorbij waren, begonnen de zeven jaren van hongersnood, zoals Jozef voorspeld had. Overal in de wereld werd honger geleden, alleen in Egypte was er voedsel. Toen de Egyptenaren honger kregen en het volk bij de farao schreeuwde om brood, zei de farao tegen hen: 'Ga

naar Jozef en doe wat hij jullie opdraagt.' Toen de hongersnood zich over het hele land had uitgebreid, opende Jozef alle graanschuren en verkocht het graan aan de Egyptenaren. Niet alleen in Egypte was de hongersnood zwaar, maar ook in de rest van de wereld. Overal vandaan kwamen mensen naar Egypte om bij Jozef graan te kopen.

Genesis 41:1-57

Op hongertocht naar Egypte

Toen Jakob te horen kreeg dat er in Egypte graan was, zei hij tegen zijn zonen: 'Waar wachten jullie nog op? Ik heb gehoord dat er in Egypte graan is. Ga het daar kopen, het is onze enige kans om te overleven.' Tien broers van Jozef trokken daarom naar Egypte. Maar Benjamin, de volle broer van Jozef, kreeg van Jakob geen toestemming om mee te gaan. 'Stel je voor dat hij een ongeluk krijgt,' dacht Jakob. Zijn zonen kwamen naar Egypte samen met anderen die er ook graan wilden kopen, want in heel Kanaän werd honger geleden.
Omdat Jozef de leiding had over het land, moest iedereen die graan wilde kopen zich bij hem vervoegen. Ook zijn broers dienden zich bij hem aan en maakten een diepe buiging voor hem. Toen Jozef hen zag, herkende hij hen meteen, maar hij liet niet merken wie hij was. Streng vroeg hij: 'Waar komen jullie vandaan?' 'Uit Kanaän,' antwoordden ze. 'Wij zijn gekomen om voedsel te kopen.' En hoewel Jozef zijn broers had herkend, herkenden zij hem niet. Hij herinnerde zich wat hij eens over hen gedroomd had en zei: 'Jullie zijn spionnen! Jullie willen weten waar de zwakke plekken zitten in de verdediging van dit land.' 'Nee, heer,' zeiden ze, 'we zijn hier alleen gekomen om voedsel te kopen. Wij zijn allemaal broers van elkaar. Wij zijn geen spionnen, maar eerlijke mensen.' 'Nee,' zei Jozef, 'jullie zijn gekomen om de zwakke plekken van het land op te sporen.' Maar de broers zeiden: 'Thuis waren we met z'n twaalven, twaalf broers, allemaal zonen van één man uit Kanaän. De jongste broer is bij onze vader gebleven en één leeft niet meer.' 'Ik blijf erbij,' zei Jozef, 'jullie zijn spionnen. Je zult het bewijs moeten leveren dat jullie geen bedriegers zijn. Ik zweer bij het leven van de farao: jullie vertrekken niet voor je jongste broer hierheen gekomen is. Een van jullie moet hem gaan halen, de rest blijft hier gevangen. Als blijkt dat jullie gelogen hebben, weet ik zeker dat jullie spionnen zijn.' En hij liet hen drie dagen opsluiten. Op de derde dag zei hij tegen hen: 'Ik heb ontzag voor God en geef jullie een kans in leven te blijven. Als jullie inderdaad eerlijke mensen zijn, laat dan een van jullie in de gevangenis achterblijven. De rest mag naar huis teruggaan met graan om de honger van jullie familie te stillen. Maar

alleen als jullie je jongste broer hierheen brengen. Dat zal het bewijs zijn dat jullie niet gelogen hebben en voorkomt dat jullie ter dood gebracht worden.' Zij beloofden het. Zij zeiden tegen elkaar: 'Nu moeten wij boeten voor wat wij onze broer hebben aangedaan. We zagen wel hoe wanhopig hij was toen hij ons om genade smeekte, maar we trokken ons er niets van aan. En nu zijn wij zelf de wanhoop nabij.' 'Ik heb jullie gewaarschuwd de jongen geen kwaad te doen,' zei Ruben. 'Maar jullie wilden niet luisteren. Nu worden wij voor zijn dood gestraft!' Ze wisten niet dat Jozef dit verstaan had, want hij had gebruikgemaakt van een tolk. Jozef trok zich een ogenblik terug en liet zijn tranen de vrije loop. Toen hij terugkwam, zette hij het gesprek voort. Hij koos Simeon uit en liet hem voor hun ogen in de boeien slaan.
Jozef gaf opdracht hun zakken met koren te vullen, het geld dat ieder van hen betaald had erin terug te leggen en hun voedsel mee te geven voor onderweg. En zo gebeurde het. De broers laadden het koren op hun ezels en vertrokken. 's Avonds, toen zij halt hielden, maakte een van hen zijn zak open om zijn ezel voer te geven. En daar vond hij zijn geld, boven in de zak. Hij zei tegen zijn broers: 'Mijn geld is teruggelegd in de zak. Hier, kijk zelf maar.' Ze waren stomverbaasd en angstig zeiden ze tegen elkaar: 'Wat heeft God ons nu aangedaan?'
Bij hun vader Jakob in Kanaän aangekomen, vertelden ze hem alles wat hun overkomen was. 'De man die in dat land de leiding heeft, heeft ons streng toegesproken en ons van spionage beschuldigd. Wij hebben volgehouden dat we eerlijke lieden waren en geen spionnen; dat we allemaal broers van elkaar waren, dat een van de twaalf niet meer leefde en de jongste bij u thuis was gebleven in Kanaän. Maar hij zei: Bewijs me dat jullie eerlijk zijn. Een van jullie moet hier achterblijven. De rest kan teruggaan naar huis met graan om de honger van jullie familie te stillen. Breng je jongste broer hierheen, dan weet ik dat jullie geen spionnen zijn, maar eerlijke lieden. Komt hij mee, dan laat ik je broer vrij en mogen jullie vrij in het land rondtrekken.'
Toen de anderen hun zakken openmaakten, vond ieder zijn geldtas in zijn zak. Ze schrokken geweldig en ook hun vader riep verschrikt uit: 'Jullie beroven me van al mijn kinderen. Jozef leeft niet meer, Simeon is weg en Benjamin willen jullie meenemen. Al die rampspoed komt op mijn hoofd terecht.' Ruben zei tegen zijn vader: 'Als ik Benjamin niet bij u terugbreng, geef ik u het recht mijn beide zonen te doden. Vertrouw hem aan mij toe, ik zal hem bij u terugbrengen.' Maar Jakob antwoordde: 'Mijn zoon gaat niet met jullie mee naar Egypte. Hij is de enige die nog overgebleven is, nu zijn broer dood is. Ik ben al een oude man en als hem onderweg iets overkomt, zijn jullie er schuldig aan dat ik van verdriet in het dodenrijk zal afdalen.'

Genesis 42:1-38

Een feestelijk onthaal

De hongersnood in Kanaän was zwaar en toen het graan dat de broers uit Egypte meegenomen hadden op was, zei hun vader: 'Ga opnieuw wat voedsel kopen.' Maar Juda wierp hem tegen: 'Die man heeft ons bezworen dat we alleen bij hem toegelaten worden als onze jongste broer meekomt. Als u erin toestemt dat Benjamin met ons meegaat, zullen we in Egypte voedsel voor u gaan kopen, maar geeft u geen toestemming, dan gaan we niet. Die man heeft gezegd: Jullie worden alleen bij mij toegelaten als jullie jongste broer meekomt.' 'Wat hebben jullie me aangedaan! Waarom heb je die man verteld dat jullie nog een broer hadden!' riep Jakob. 'Hij wilde nauwkeurig weten wie we waren en waar we vandaan kwamen,' zeiden ze. 'Hij vroeg of onze vader nog leefde en of we nog een broer hadden. Wij hebben alleen antwoord gegeven op zijn vragen. Wij konden toch ook niet weten dat hij onze jongste broer wilde zien.' Juda stelde zijn vader voor: 'Laat de jongen toch met mij meegaan. We kunnen dan onmiddellijk vertrekken. Anders komen wij allemaal, wij en u en onze kinderen, nog van de honger om. Ik sta borg voor hem: als hem iets overkomt, kunt u mij aansprakelijk stellen. Als ik hem niet in levenden lijve bij u terugbreng, kunt u mij dat altijd aanrekenen. Trouwens, als we niet zolang geaarzeld hadden, waren we al lang en breed terug geweest.'
Toen zei hun vader tegen hen: 'Als het er zo voorstaat, neem dan de beste producten van dit land in jullie zakken mee als een geschenk voor die man: wat balsem, wat honing, gom en hars, noten en amandelen. Neem een dubbele hoeveelheid geld mee, want ook het geld dat boven in de zakken was gelegd, moeten jullie teruggeven. Misschien was het een vergissing. Neem je broer mee en ga onmiddellijk terug naar die man. Moge de almachtige God ervoor zorgen dat hij jullie vriendelijk gezind is en zowel Benjamin als jullie andere broer laat gaan. Wat mij betreft: als ik dan mijn kinderen moet verliezen, dan moet ik ze maar verliezen!'
De broers namen de geschenken en de dubbele hoeveelheid geld mee en gingen met Benjamin op weg naar Egypte. Daar maakten ze hun opwachting bij Jozef. Toen Jozef zag dat Benjamin bij hen was, zei hij tegen zijn huismeester: 'Breng die mannen naar mijn huis. Maak een maaltijd gereed, want zij eten vanmiddag bij mij.' De huismeester deed wat Jozef hem opgedragen had en bracht hen naar het huis van Jozef. Maar onderweg kregen ze het benauwd. 'We worden vast hierheen gebracht vanwege het geld dat de vorige keer in onze zakken teruggelegd is. Straks vallen ze ons plotseling aan, nemen onze ezels mee en maken ons tot slaaf.' Voor ze het huis binnengingen, richtten ze zich tot Jozefs huismeester: 'Neemt u ons niet kwalijk, heer, wij zijn hier al eens eerder geweest om voedsel te kopen. Toen we op de terugweg

tegen de avond ergens halt hielden, maakten we onze zakken open: ieders geld lag boven in de zak, nauwkeurig afgewogen! Dat geld hebben we nu weer meegebracht en bovendien nog geld om opnieuw voedsel te kunnen kopen. Wij weten niet wie dat geld in onze zakken gelegd heeft.' Maar de huismeester zei: 'Ik kan jullie geruststellen. Er is geen reden om in angst te zitten. Ik heb het geld wel degelijk ontvangen. Uw God, de God van uw voorouders, heeft ervoor gezorgd dat u een onverwachte schat in uw zakken vond.' Toen bracht hij Simeon bij hen. Na hen binnengebracht te hebben, gaf de huismeester water om hun voeten te wassen; hun ezels liet hij voer geven. Toen ze hoorden dat zij daar die middag een maaltijd zouden gebruiken, hielden ze de geschenken bij zich tot Jozef er zou zijn.
Toen Jozef arriveerde, boden ze hem met een diepe buiging de geschenken aan. Hij vroeg hoe het met hen ging. 'Jullie vertelden me over je oude vader. Is alles goed met hem? Leeft hij nog?' 'Het gaat goed met onze vader, uw dienaar,' antwoordden ze. 'Hij leeft nog.' En opnieuw maakten ze een diepe buiging. Op dat moment zag Jozef zijn broer Benjamin, de zoon van zijn eigen moeder. Hij vroeg: 'Is dat jullie jongste broer, over wie jullie vertelden? God zal je zegenen, mijn zoon.' Het weerzien van zijn broer ontroerde hem zeer. Haastig trok hij zich terug in een ander vertrek, want hij kon zich niet langer inhouden. Hij liet zijn tranen de vrije loop. Even later, na zijn gezicht te hebben gewassen, ging hij terug. Beheerst zei hij: 'Dien het eten op.' Het personeel diende het eten op; Jozef zat alleen aan een tafel, de broers aan een andere en de Egyptenaren die uitgenodigd waren aan een derde, want zij verafschuwen het om met Hebreeërs aan één tafel te zitten. De broers zaten tegenover hem, tot hun verbazing precies in de volgorde van hun leeftijd, van de oudste tot de jongste. Vanaf Jozefs tafel werden de gerechten naar hen toegebracht en Benjamin kreeg een vijf keer zo grote portie als de anderen. Jozef liet zoveel wijn aanrukken dat zij dronken werden.

Genesis 43:1-34

Niet zonder de jongste

Jozef gaf zijn huismeester de opdracht: 'Vul de zakken van de mannen met voedsel, zoveel als ze kunnen vervoeren. Ieders geld moet je boven in zijn zak leggen. En boven in de zak van de jongste broer leg je, behalve het geld voor het graan, ook mijn zilveren beker.' De huismeester deed wat Jozef gezegd had. Bij het aanbreken van de dag liet men de mannen met hun ezels vertrekken. Maar nauwelijks waren ze de stad uit of Jozef zei tegen zijn huismeester: 'Vlug! Ga achter de mannen aan. Als je ze ingehaald hebt, vraag hun dan: Waarom hebben jullie goed met kwaad

vergolden? Waarom hebben jullie de zilveren beker gestolen? De beker waar mijn meester uit drinkt en waarmee hij de toekomst pleegt te voorspellen? Hoe hebben jullie dat kunnen doen!'
Toen de huismeester hen had ingehaald, stelde hij hun deze vragen. Maar zij zeiden: 'Waarom verwijt u ons dit? Zoiets zou gewoon niet bij ons opkomen. Het geld dat wij indertijd boven in onze zakken vonden, hebben wij weer meegenomen uit Kanaän en bij u teruggebracht. Waarom zouden we dan uit het huis van uw meester zilver of goud stelen? Als bij een van ons die beker gevonden wordt, zal hij ter dood gebracht worden en zullen wij bovendien uw slaven zijn.' Hij antwoordde: 'Goed, ik ga met het voorstel akkoord. Degene bij wie de beker gevonden wordt, zal mijn slaaf zijn, de anderen kunnen vrijuit gaan.' Toen zette ieder van hen haastig zijn zak op de grond en opende die. Hij onderzocht ze nauwkeurig, te beginnen met die van de oudste en eindigend bij die van de jongste. Hij vond de beker in de zak van Benjamin. Van ontzetting scheurden zij hun kleren. Ze laadden de zakken weer op de ezels en gingen terug naar de stad.
Toen Juda met zijn broers weer in het huis van Jozef kwam, was Jozef er nog. Ze maakten een diepe buiging voor hem. 'Wat hebben jullie gedaan?' vroeg Jozef. 'Wisten jullie niet dat iemand als ik met die beker de toekomst voorspelt?' Juda antwoordde: 'Wat valt er nog te zeggen, heer? Wat kunnen wij als verontschuldiging aanvoeren? We hebben niets om onszelf vrij te pleiten. God heeft onze schuld aan het licht gebracht. Wij zullen uw slaven zijn, wij allemaal, en niet alleen degene bij wie de beker gevonden is.' Maar Jozef zei: 'Geen denken aan! Degene bij wie de beker gevonden is, zal mijn slaaf zijn. Jullie kunnen rustig naar je vader gaan!' Toen kwam Juda naar voren en zei: 'Neemt u mij niet kwalijk, heer. Ik zou graag nog iets tegen u zeggen. U bent even machtig als de farao, maar ik vraag u niet kwaad op mij te worden. U vroeg ons, heer, of wij nog een vader of een broer hadden. En wij hebben u verteld: Wij hebben een oude vader en een jongere broer, die geboren is toen onze vader al oud was. Zijn broer is dood en hij is dus de enige zoon die nog in leven is van de lievelingsvrouw van onze vader. Daarom houdt zijn vader veel van hem. Toen hebt u ons gevraagd hem bij u te brengen, want u wilde hem met eigen ogen zien. Wij hebben u toen geantwoord, heer, dat de jongen niet weg kon bij zijn vader, want dat dat zijn dood zou zijn. Maar u stond erop: Als jullie jongste broer niet meekomt, zullen jullie niet meer bij mij worden toegelaten. Eenmaal terug bij onze vader, hebben wij hem verteld wat u gezegd had. Toen hij ons vroeg opnieuw wat voedsel te gaan kopen, hebben wij gezegd: Het heeft geen zin zonder onze jongste broer naar Egypte te gaan. Alleen als hij meegaat, worden we bij die man toegelaten. Onze vader zei: Jullie weten dat mijn vrouw mij twee zonen geschonken heeft. De een is bij me weggegaan, ik denk dat een roofdier hem verscheurd heeft. Ik heb

hem nooit meer teruggezien. Als jullie nu ook zijn broer bij mij weghalen en hem iets overkomt, zijn jullie er schuldig aan dat ik in mijn ouderdom van verdriet in het dodenrijk zal afdalen.' En Juda vervolgde: 'Als ik nu bij mijn vader terugkom zonder de jongen aan wie hij zo gehecht is, zal dat zijn dood zijn. Onze vader is al oud en door het verdriet dat wij hem aandoen, zal hij in het dodenrijk afdalen. Ikzelf sta bij mijn vader borg voor de jongen. Ik heb hem gezworen: Als ik hem niet bij u terugbreng, kunt u mij dit mijn hele leven aanrekenen. Laat mij toch in plaats van de jongen hier blijven als uw slaaf, heer. Maar laat de jongen met zijn broers meegaan. Want hoe kan ik mijn vader onder ogen komen, als de jongen niet bij me is? De slag die mijn vader zou treffen, zou ik niet kunnen aanzien.'

Genesis 44:1-34

Weerzien in tranen

Toen was Jozef zijn gevoelens niet langer meester en stuurde alle aanwezige Egyptenaren weg. Toen hij met zijn broers alleen was, maakte hij zich aan hen bekend. Hij barstte in tranen uit en huilde zo hard dat de Egyptenaren en het hof van de farao het konden horen. Hij zei tegen zijn broers: 'Ik ben Jozef! Leeft mijn vader nog?' De broers schrokken hevig en waren niet in staat hem te antwoorden. 'Kom toch wat dichterbij,' zei Jozef. Ze kwamen dichterbij en hij vervolgde: 'Ik ben Jozef, jullie broer, die jullie verkocht hebben naar Egypte. Maar kijk niet zo verschrikt. Maak jezelf geen verwijten, want God heeft mij voor jullie uit gestuurd om jullie leven te redden. Er is nu al twee jaar hongersnood in het land, maar er komen nog vijf jaren, waarin er niet geploegd en niet geoogst zal worden. God heeft mij voor jullie uit gestuurd om jullie voortbestaan op aarde te verzekeren. Hij zal ervoor zorgen dat jullie het overleven en dat jullie aan de dood ontkomen. Niet jullie hebben mij hierheen gestuurd, maar God. Door hem ben ik de persoonlijke raadgever van de farao geworden. Ik sta aan het hoofd van zijn paleis en regeer over heel Egypte. Ga nu vlug terug naar mijn vader en zeg hem namens mij: God heeft mij, uw zoon Jozef, over heel Egypte aangesteld. Kom zo snel mogelijk hierheen. U kunt dicht bij mij, in Gosen, wonen. Niet alleen u, maar ook uw kinderen en kleinkinderen. U kunt al uw vee en alles wat u verder bezit, meenemen. Ik zal u daar van al het nodige voorzien, want nog vijf jaar zal er hongersnood zijn. Ik wil niet dat u met uw familie en uw bezit te gronde gaat.' Jozef vervolgde: 'Jullie kunnen het met eigen ogen zien, ook jij, mijn broer Benjamin: ik ben het, Jozef, die met jullie spreekt. Vertel mijn vader over de hoge positie die ik hier in Egypte bekleed en wat jullie allemaal hebben meegemaakt.

Breng mijn vader zo snel mogelijk hier.' Toen viel hij zijn broer Benjamin om de hals en huilde van vreugde. En ook Benjamin barstte in tranen uit. Met tranen in de ogen kuste Jozef daarna al zijn broers. Toen pas waren ze in staat met hem te praten.
Toen het bericht over de komst van Jozefs broers bekend was geworden in het paleis van de farao, waren de farao en zijn hofdienaren bijzonder verheugd. De farao zei tegen Jozef: 'Zeg tegen uw broers dat ze de zakken weer op hun ezels laden en op weg gaan naar Kanaän. Als ze hun vader en hun gezinnen hierheen brengen, zal ik hun het vruchtbaarste deel van Egypte geven en zullen zij volop te eten hebben. Geef hun opdracht wagens mee te nemen uit Egypte. Dan kunnen ze hun kinderen en vrouwen meenemen en ook hun vader hierheen brengen. Laten ze niet bang zijn iets achter te laten, want ze krijgen hier het vruchtbaarste deel van heel Egypte.'
Jakobs zonen deden wat hun gezegd was. Jozef gaf hun wagens mee, zoals de farao bevolen had, en tevens voedsel voor onderweg. Jozef gaf ieder van hen nieuwe kleren, maar Benjamin gaf hij vijf stel en bovendien nog driehonderd zilverstukken. Hij stuurde zijn vader tien ezels, beladen met de fijnste producten van Egypte en tien ezelinnen, beladen met graan, brood en ander voedsel voor de reis naar Egypte. Toen gaf hij zijn broers toestemming te vertrekken. Bij het afscheid zei hij: 'Maak onderweg geen ruzie!'
De broers verlieten Egypte en kwamen bij hun vader Jakob in Kanaän. Ze vertelden hem: 'Jozef leeft nog! Hij regeert zelfs over heel Egypte.' Jakob hoorde hen onbewogen aan, hij kon het niet geloven. Maar toen ze hem uitvoerig vertelden wat Jozef gezegd had en toen hij de wagens zag die Jozef meegestuurd had om hem naar Egypte te brengen, leefde hij weer op en riep: 'Genoeg, genoeg. Jozef, mijn zoon, leeft nog! Ik wil hem terugzien vóór ik sterf.'
Jakob reisde met al zijn bezittingen naar Egypte. Toen hij in Berseba aankwam, bracht hij daar offers voor de God van zijn vader Isaak. God sprak met hem in een nachtelijk visioen en riep: 'Jakob, Jakob!' 'Ja,' antwoordde Jakob. En God zei: 'Ik ben de God van je vader. Wees niet bang om naar Egypte te gaan, want ik zal daar van je nakomelingen een groot volk maken. Ikzelf ga met je mee naar Egypte en ik breng je zeker weer terug. Wanneer je sterft, zal Jozef je de ogen toedrukken.'
Bij het vertrek uit Berseba tilden Jakobs zonen hun vader, hun vrouwen en hun kinderen op de wagens die de farao meegestuurd had. Ook namen ze het vee en de overige bezittingen mee die ze in Kanaän verworven hadden. Zo trok Jakob met al zijn nakomelingen naar Egypte, met zijn zonen en kleinzonen, dochters en kleindochters.

Genesis 45:1-46:7

Begraven in eigen grond

Jakob gaf hun deze opdracht: 'Als ik sterf, als ik met mijn voorouders herenigd word, begraaf me dan bij mijn familie in Kanaän, in de grot op de akker van de Hethiet Efron, de grot van Makpela, tegenover Mamre, de akker die Abraham gekocht heeft van de Hethiet Efron om een eigen graf te bezitten. Op die plaats zijn Abraham en zijn vrouw Sara begraven, evenals Isaak en zijn vrouw Rebekka; zelf heb ik er Lea begraven. Zowel de akker als de grot is gekocht van de Hethieten.' Toen Jakob hun deze opdracht had gegeven, strekte hij zich uit op het bed en nadat hij de laatste adem had uitgeblazen, werd hij herenigd met zijn voorouders.
Jozef boog zich over zijn vader en kuste huilend zijn gezicht. Hij gaf de hofartsen opdracht het lichaam van zijn vader te balsemen. Dit nam zoals gebruikelijk veertig dagen in beslag. De Egyptenaren rouwden zeventig dagen over hem. Na afloop van de rouwperiode zei Jozef tegen de leden van het hof: 'Zou u aan de farao het volgende verzoek willen overbrengen: In het stervensuur van mijn vader moest ik zweren hem in Kanaän te zullen begraven, in het graf dat hij zelf heeft laten uithakken. Geef mij daarom toestemming mijn vader daar te gaan begraven, daarna zal ik terugkomen.' De farao antwoordde: 'Ga uw vader begraven, zoals hij u liet zweren.'
Toen ging Jozef op weg samen met alle hofdienaren van de farao, de oudsten van zijn paleis en de overige leiders van Egypte. Verder zijn hele familie, zijn broers en de rest van zijn vaders familie; alleen de kleine kinderen en het vee lieten ze in Gosen achter. Wagens en ruiters begeleidden hem. Al met al was het een zeer grote stoet.
Toen ze Goren Haätad bereikten, aan de oostkant van de Jordaan, hielden zij daar een grote en indrukwekkende rouwplechtigheid. Zeven dagen liet Jozef hen rouwen om zijn vader. De bewoners van Kanaän zagen hen daar en zeiden: 'Egypte is in zware rouw.' Daarom noemt men die plaats, aan de oostkant van de Jordaan, Abel-Misraïm: Rouw van Egypte.
Jakobs zonen deden wat hun vader hun opgedragen had. Zij brachten hem naar Kanaän en begroeven hun vader in de grot van Makpela, ten oosten van Mamre, waar Abraham een akker gekocht had van de Hethiet Efron om een eigen graf te bezitten. Nadat hij zijn vader begraven had, ging Jozef met zijn broers en alle anderen die hem vergezeld hadden, naar Egypte terug.

Genesis 49:29-50:14

Eens uit Egypte weg

Door de dood van hun vader werden de broers bang voor Jozef. Ze zeiden: 'Als Jozef zich nu maar niet op ons gaat wreken en ons alles betaald zet wat wij hem hebben aangedaan!' Ze stuurden Jozef de volgende boodschap: 'Je vader heeft ons vóór zijn sterven opgedragen: Vraag Jozef of hij jullie wil vergeven. Of hij jullie je ontrouw en je misdaad niet wil aanrekenen. Daarom vragen wij je: Vergeef ons wat wij je hebben aangedaan. Wij dienen toch ook de God van je vader.' Jozef huilde toen hij deze boodschap ontving. Later kwamen de broers zelf. Ze bogen diep en zeiden: 'Wij zijn je slaven.' Maar Jozef antwoordde: 'Waarom zijn jullie bang? Ik neem de plaats van God toch niet in? Jullie hadden het slechtste met mij voor, maar God heeft alles ten goede gekeerd. Hij heeft ervoor gezorgd dat er nu een groot volk in leven is gebleven. Wees niet bang, ik zal in het onderhoud van jullie en je kinderen voorzien.' Zo stelde hij hen door zijn vriendelijke woorden gerust.
Jozef bleef in Egypte wonen samen met de familie van zijn vader. Hij werd er honderdtien jaar. Hij maakte nog de geboorte mee van de kleinkinderen van Efraïm. De kinderen van Makir, de zoon van Manasse, nam Jozef aan als zijn eigen kinderen. Hij zei tegen zijn broers: 'Binnenkort zal ik sterven, maar God zal zich zeker jullie lot aantrekken. Eens zal hij jullie uit dit land brengen naar het land dat hij aan Abraham, Isaak en Jakob onder ede beloofd heeft.' En Jozef liet zijn broers deze eed afleggen: 'Als God zich jullie lot aantrekt, neem dan mijn lichaam mee.' Jozef stierf in Egypte toen hij honderdtien jaar was geworden. Men balsemde hem en legde hem in een kist.

Genesis 50:15-26

Exodus

Groei tegen alle verdrukking in!

Hier volgen de namen van de zonen van Jakob die met hem meegekomen waren naar Egypte: Ruben, Simeon, Levi, Juda, Issakar, Zebulon, Benjamin, Dan, Naftali, Gad en Aser. Zij hadden ieder hun gezin meegenomen. In totaal waren het zeventig personen die in rechte lijn van Jakob afstamden. Zijn zoon Jozef was al langer in Egypte. Na verloop van tijd stierf Jozef, evenals zijn broers en de rest van die generatie. Maar hun nakomelingen, de Israëlieten, kregen veel kinderen. Zij werden zo buitengewoon talrijk en sterk, dat ze het hele land bevolkten.
Er kwam in Egypte een nieuwe koning aan de macht die nooit van Jozef had gehoord. Hij zei tegen zijn volk: 'De Israëlieten zijn zo talrijk en sterk geworden, dat ze een bedreiging voor ons vormen. We moeten een verstandig beleid voeren en voorkomen dat ze nog verder in aantal toenemen. Want stel dat er oorlog komt, dan sluiten ze zich bij onze vijanden aan, voeren strijd met ons en trekken weg uit het land.' De Egyptenaren stelden opzichters aan om de Israëlieten met dwangarbeid klein te krijgen. Zij moesten voor de farao de voorraadsteden Pitom en Rameses bouwen. Maar hoe meer ze hen onderdrukten, des te groter werd hun aantal en des te groter hun gebied. De Egyptenaren kregen een hevige afkeer van de Israëlieten. Daarom lieten zij hen als slaven voor zich werken en zij mishandelden hen. Zij vergalden hun het leven met zwaar werk: ze dwongen hen stenen te bakken en allerlei werk op het land te doen.
Ook gaf de koning van Egypte het volgende bevel aan Sifra en Pua, twee Hebreeuwse vroedvrouwen: 'Als jullie de Hebreeuwse vrouwen helpen bij de bevalling, let dan goed op of het een jongetje of een meisje is. Als het een jongetje is, moet je het doden; is het een meisje, dan mag het blijven leven.' Uit ontzag voor God weigerden de vroedvrouwen het bevel van de koning op te volgen. Zij lieten ook de jongetjes in leven. Toen liet de koning de vroedvrouwen halen en vroeg: 'Waarom hebben jullie dit gedaan? Waarom hebben jullie de jongetjes in leven gelaten?' Zij antwoordden: 'De Hebreeuwse vrouwen zijn niet zoals de Egyptische. Ze zijn zo sterk dat ze het kind al ter wereld gebracht hebben voor de vroedvrouw er is.' Omdat zij ontzag voor God hadden, zorgde hij dat het de vroedvrouwen goed ging: hij schonk hun zelf ook nakomelingen. De Israëlieten bleven in aantal toenemen, ze werden steeds sterker. Toen gaf de farao aan

zijn hele volk het bevel: 'Gooi alle pasgeboren Hebreeuwse jongetjes in de Nijl, maar laat de meisjes in leven.'

Exodus 1:1-22

Uit het water getrokken

Een man uit de stam Levi trouwde met een vrouw uit diezelfde stam. Zij werd zwanger en bracht een zoon ter wereld. Toen ze zag hoe mooi het kind was, hield zij het verborgen, drie maanden lang. Maar toen dat niet langer ging, nam ze een biezen mandje en bestreek dat met pek en teer. Ze legde het kind erin en zette de mand tussen het riet langs de Nijl. De zuster van het jongetje bleef in de buurt, want ze wilde zien wat er met hem zou gebeuren.
Enige tijd later kwam de dochter van de farao naar de rivier om er te baden. Haar slavinnen liepen op de oever heen en weer. Plotseling ontdekte zij in het riet het mandje en stuurde een van haar slavinnen om het te halen. Toen ze het mandje opendeed en het huilende jongetje zag, kreeg ze medelijden met hem. 'Het is een Hebreeuws kind!' riep ze uit. De zuster van het jongetje zei tegen haar: 'Zal ik een Hebreeuwse vrouw gaan zoeken die het kind voor u kan voeden?' 'Goed,' zei ze. Onmiddellijk ging het meisje de moeder van het jongetje halen. De dochter van de farao zei tegen de vrouw: 'Neem dit kind mee en voed het voor me. Ik zal je ervoor betalen.' De vrouw nam het kind mee en voedde het. Toen de jongen groot genoeg was, bracht ze hem bij de dochter van de farao. Die nam hem aan als zoon en noemde hem Mozes. 'Want,' zei ze, 'ik heb hem uit het water getrokken.'

Exodus 2:1-10

Iemand die voor anderen opkomt

Op een keer, hij was toen al volwassen, zag Mozes hoe de mensen van zijn volk werden afgebeuld. Hij was er getuige van dat een Hebreeër door een Egyptenaar werd neergeslagen. Iemand van zijn volk! Mozes keek snel om zich heen: er was niemand te zien. Toen sloeg hij de Egyptenaar dood. Het lichaam verborg hij onder het zand. De dag daarop zag hij dat twee Hebreeuwse mannen aan het vechten sloegen. Hij zei tegen de man die de vechtpartij begonnen was: 'Waarom sla je je kameraad?' Maar de man antwoordde: 'Wie heeft jou aangesteld als heerser of rechter over ons? Wou je mij soms ook doodslaan? Net als die Egyptenaar?' Mozes schrok. 'Dan is het toch bekend geworden,' dacht hij. Toen

de farao ervan hoorde, besloot hij Mozes te doden. Maar Mozes vluchtte naar Midjan. Daar bleef hij wonen.
Eens zat hij bij een put, toen daar juist de zeven dochters van de priester van Midjan water kwamen halen. Ze wilden de drinkbakken vullen voor het vee van hun vader. Maar een paar herders probeerden hen weg te jagen. Op dat moment schoot Mozes hun te hulp en gaf de dieren te drinken. Toen ze thuiskwamen, vroeg Reüel, hun vader: 'Waarom zijn jullie vandaag zo vroeg klaar?' Zij antwoordden: 'De een of andere Egyptenaar is voor ons opgekomen toen een stel herders ons dwarszat. Hij heeft bovendien water voor ons geput en het vee te drinken gegeven.' 'En waar is hij nu?' vroeg hun vader. 'Waarom hebben jullie die man daar laten staan? Nodig hem uit om mee te eten.' Mozes nam de uitnodiging aan en besloot bij de man te blijven. Deze gaf hem zijn dochter Sippora ten huwelijk. Zij kreeg een zoon en Mozes noemde hem Gersom. 'Want,' zei hij, 'ik ben een vreemdeling geworden in een onbekend land.'
Jaren gingen voorbij en de koning van Egypte stierf. Maar de Israëlieten bleven gebukt gaan onder de slavernij. Ze schreeuwden om hulp en hun angstkreten drongen door tot God. Hij hoorde hen klagen en dacht aan zijn verbond met Abraham, Isaak en Jakob. Hij zag hoe de Israëlieten onderdrukt werden en was met hen begaan.

Exodus 2:11-25

Gestuurd door de heilige God

Mozes moest zorgen voor de kudde van zijn schoonvader Jetro, de priester van Midjan. Eens, toen hij met de kudde diep de woestijn in was getrokken, kwam hij bij de Horeb, de heilige berg. Daar verscheen hem de engel van de Heer als een vuurvlam midden uit een braamstruik. Mozes zag dat de struik in brand stond, maar toch niet verbrandde. 'Wat vreemd,' dacht hij. 'Waarom verbrandt die struik niet? Ik zal eens gaan kijken.' Toen de Heer zag dat Mozes kwam kijken, riep hij vanuit de struik: 'Mozes, Mozes!' 'Ja,' antwoordde Mozes. 'Kom niet dichterbij,' zei de Heer. 'Trek je sandalen uit, want je staat op heilige grond. Ik ben de God van je vader, de God van Abraham, Isaak en Jakob.' Toen bedekte Mozes zijn gezicht, want naar God durfde hij niet te kijken. 'Ik heb gezien hoe ellendig mijn volk in Egypte eraantoe is,' zei de Heer. 'Ik heb gehoord hoe ze schreeuwen om verlost te worden van hun onderdrukkers. Ik weet hoeveel ze moeten doorstaan. Ik ben gekomen om hen uit de macht van de Egyptenaren te bevrijden. Ik haal hen uit dat land vandaan en breng hen naar een vruchtbaar en uitgestrekt land, dat overvloeit van melk en honing: het gebied waar nu de Kanaänieten wonen, de Hethieten, Amorieten, Perizzieten, Chiwwieten en Jebusieten. Het hulpgeschreeuw van de Israëlieten is tot mij doorgedrongen. Ik heb gezien hoe wreed de Egyptenaren hen behandelen. Daarom stuur ik jou naar de farao. Jij moet mijn volk, de Israëlieten, uit Egypte halen.'

Maar Mozes zei: 'Ik? Moet ik naar de farao gaan? Moet ik de Israëlieten uit Egypte halen?' 'Ik zal er zijn, ik ben bij je!' antwoordde de Heer. 'Jij zult het volk uit Egypte halen en dan zullen jullie mij op deze berg vereren. Dat zal het bewijs zijn, dat ik je gestuurd heb.'

Maar Mozes bracht ertegenin: 'Als ik bij de Israëlieten kom en zeg: De God van jullie voorouders heeft mij gestuurd en zij vragen: Hoe heet hij? wat moet ik dan antwoorden?' Toen zei God tegen Mozes: 'Ik ben degene die er altijd is. Je moet tegen de Israëlieten zeggen: "Ik ben er" heeft mij gestuurd. Hij is de Heer, de God van jullie voorouders, de God van Abraham, Isaak en Jakob. Dat blijft voor altijd mijn naam,' zei God, 'daarmee zullen alle volgende generaties mij aanroepen. Roep de leiders van Israël bijeen en zeg hun: De Heer, de God van jullie voorouders, de God van Abraham, Isaak en Jakob, is aan mij verschenen. Hij heeft mij gezegd: Ik heb me jullie lot aangetrokken. Ik heb gezien wat jullie in Egypte wordt aangedaan. Daarom heb ik besloten jullie uit die ellende weg te halen. Ik zal je brengen naar een land dat overvloeit van melk en honing: het land waar de Kanaänieten wonen, de Hethieten, Amorieten, Perizzieten, Chiwwieten en Jebusieten. De leiders van het volk zullen zeker naar je luisteren. Ga dan met hen naar de koning van Egypte en zeg: De Heer, de God van de Hebreeërs, heeft zich aan ons bekendgemaakt. Nu vragen wij u toestemming drie dagreizen ver de woestijn in te trekken om hem daar offers te brengen. Maar ik weet dat de Egyptische koning dat verzoek niet zal inwilligen, zolang ik niet hard tegen hem optreed. Daarom zal ik de Egyptenaren mijn macht tonen. Ik zal hen straffen, ik zal allerlei machtige wonderen in Egypte doen. Dan pas zal de koning jullie laten gaan. Ik zal zorgen dat de Egyptenaren jullie goedgezind zijn. Mijn volk zal niet met lege handen vertrekken. Iedere Israëlitische vrouw moet aan haar Egyptische buurvrouw of aan de vrouw die bij haar in huis woont zilveren en gouden sieraden en ook kleren vragen. Die moeten jullie je kinderen aandoen. Zo zul je de Egyptenaren beroven.'

'Maar als ze mij niet willen geloven?' wierp Mozes weer tegen. 'Als ze niet willen luisteren? Veronderstel dat ze zeggen: De Heer is je niet verschenen.' Toen vroeg de Heer hem: 'Wat heb je daar bij je?' 'Een stok,' zei Mozes. 'Gooi hem op de grond.' Toen Mozes hem op de grond gooide, veranderde de stok in een slang. Mozes sprong haastig opzij. Maar de Heer zei tegen hem: 'Pak de slang bij z'n staart.' Mozes pakte de slang vast en deze veranderde weer in een stok. 'Hierdoor zullen zij geloven dat ik aan je verschenen

ben,' zei de Heer, 'ik, de God van hun voorouders, de God van Abraham, Isaak en Jakob.'
Ook zei de Heer tegen Mozes: 'Steek je hand in je mantel.' Mozes deed dit, maar toen hij zijn hand er weer uit trok, was deze sneeuwwit, bedekt met uitslag. 'Steek je hand nog eens in je mantel,' zei de Heer. Mozes deed het voor de tweede maal en toen hij zijn hand eruit trok, had zij weer de normale huidskleur. De Heer zei: 'Als de Israëlieten je niet geloven en zich niet door het eerste wonder laten overtuigen, dan wel door het tweede. Maar als ze door deze beide wonderen niet overtuigd raken, als ze weigeren naar je te luisteren, haal dan wat water uit de Nijl, sprenkel dat op de grond en het zal in bloed veranderen.'
Toen zei Mozes: 'Neemt u mij niet kwalijk, Heer, ik ben nooit zo welbespraakt geweest. Ook nu u met mij gesproken hebt, is dat niet veranderd. Ik kan erg moeilijk uit mijn woorden komen.' De Heer antwoordde: 'Wie heeft de mens een mond gegeven? Wie maakt een mens stom of doof? Wie zorgt ervoor dat hij kan zien? Wie maakt hem blind? Dat ben ik, de Heer. Daarom: ga! Ikzelf zal je helpen spreken. Ik zal je de woorden in de mond geven.' Maar Mozes zei: 'U moet het me niet kwalijk nemen, Heer, maar kunt u niet iemand anders sturen?' Toen zei de Heer kwaad tegen Mozes: 'Aäron, de leviet, dat is toch je broer? Die is toch goed in het spreken? Hij is al naar je onderweg en zal blij zijn je te zien. Praat met hem, vertel hem precies wat hij moet zeggen. Ikzelf zal jullie helpen de juiste woorden te vinden. Ik zal jullie uitleggen wat je moet doen. Aäron zal namens jou het volk toespreken. Hij is dan jouw woordvoerder en jij bent voor hem als een god. Neem deze stok mee, want daarmee moet je de wonderen doen.'

Daarna gingen Mozes en Aäron naar de farao en zeiden: 'De Heer, de God van Israël, zegt u: Laat mijn volk gaan om in de woestijn ter ere van mij een feest te vieren.' Maar de farao zei: 'Wie is die Heer? Waarom zou ik naar hem moeten luisteren? Moet ik de Israëlieten laten gaan? Ik ken die Heer niet en ik zal de Israëlieten niet toestaan te vertrekken.' Mozes en Aäron zeiden: 'De God van de Hebreeërs heeft zich aan ons bekendgemaakt. Sta ons toe drie dagreizen ver de woestijn in te gaan om daar de Heer, onze God, offers te brengen. Anders zal hij ons straffen met ziekte of oorlog.' Maar de koning van Egypte antwoordde: 'Mozes en Aäron, waarom proberen jullie het volk van het werk af te houden? Vooruit, aan het werk! Dat volk van jullie is al groter dan het onze en nu willen jullie ook nog dat ze ophouden met werken.'

Exodus 3:1-4:17; 5:1-5

De dood aan Israël voorbij

Er volgen negen plagen: water als bloed, kikkers, muggen, steekvliegen, veepest, zweren, hagel, sprinkhanen en duisternis. Toch laat de farao de Israëlieten niet gaan.

Toen riep Mozes alle leiders van de Israëlieten bijeen en zei: 'Ieder van jullie moet een schaap of een geit gaan slachten om met zijn familie het paasfeest te vieren. Vang het bloed op in een schaal, doop een bosje hysoptakken in het bloed en bestrijk daarmee de bovenbalk van de deur en de deurposten. Tot de volgende morgen moet iedereen in huis blijven. Want de Heer zal door Egypte trekken om het te straffen. Maar ziet hij een deur met bloed, dan zal hij daar voorbijgaan. Hij zal de doodsengel jullie huizen niet laten binnengaan. Houd je aan deze voorschriften. Ze blijven altijd van kracht, ook voor jullie kinderen. Als jullie in het land gekomen zijn dat de Heer beloofd heeft, houd je dan aan dit gebruik. En als je zonen vragen wat dit gebruik betekent, antwoord dan: Dit is een paasoffer voor de Heer omdat hij in Egypte de huizen van de Israëlieten voorbij is gegaan. Hij strafte de Egyptenaren, maar ons heeft hij gespaard.'
De Israëlieten vielen op hun knieën en dankten de Heer. Daarna gingen ze uit elkaar en deden wat de Heer aan Mozes en Aäron had opgedragen.
Midden in de nacht doodde de Heer alle oudste zonen in Egypte, van de zoon van de farao, de kroonprins, tot de zoon van de gevangene toe. Ook alle eerstgeboren dieren werden gedood. Die nacht schrok heel Egypte wakker: de farao, zijn hofdienaren, heel het volk. Overal hoorde men luid geklaag, want er was geen huis zonder dode.
Diezelfde nacht liet de farao Mozes en Aäron halen en zei: 'Verdwijn onmiddellijk uit mijn land, jullie en je Israëlieten! Ga de Heer vereren. Dat willen jullie toch? Neem je schapen, geiten en koeien mee en ga! En vraag jullie God mij te zegenen.' De Egyptenaren smeekten het volk zo snel mogelijk het land te verlaten. 'Anders gaan we allemaal dood,' zeiden ze. De Israëlieten vulden hun pannen met nog ongegist deeg, wikkelden die in kleren en namen ze op de schouder. Ook vroegen ze de Egyptenaren om zilveren en gouden sieraden en om kleren, zoals Mozes hun opgedragen had. Dankzij de Heer waren de Egyptenaren hun goedgezind, zij voldeden aan hun verzoek. Zo beroofden de Israëlieten Egypte.
De Israëlieten trokken te voet van Rameses naar Sukkot. Hun aantal bedroeg ongeveer zeshonderdduizend man, vrouwen en kinderen niet meegerekend. Een groot aantal vreemdelingen had zich bij hen gevoegd. Ook voerden ze een omvangrijke kudde schapen, geiten en koeien met zich mee. Van het deeg dat ze uit Egypte hadden meegenomen, bakten ze koeken. In

die koeken was geen gist verwerkt, want ze waren zo plotseling weggejaagd, dat daar geen tijd meer voor was. Er was zelfs geen tijd geweest om voor proviand te zorgen.
De Israëlieten hadden vierhonderddertig jaar in Egypte gewoond. Precies na vierhonderddertig jaar, op de dag af, trokken alle stammen van de Heer uit Egypte weg. Die nacht waakte de Heer over hen; hij leidde hen veilig het land uit. Daarom geldt voor alle komende generaties: iedere Israëliet moet deze nacht wakend doorbrengen, ter ere van de Heer.

Exodus 12:21-42

Droogvoets door de zee

Toen de farao het volk had laten gaan, leidde God hen niet langs de weg die door het gebied van de Filistijnen loopt, hoewel dat de kortste weg is. Want God dacht: 'Als ze in strijd verwikkeld raken, krijgen ze misschien spijt en willen ze terug naar Egypte.' Daarom leidde God het volk langs een andere weg door de woestijn naar de Rietzee. Goed bewapend trokken ze uit Egypte. Mozes nam het lichaam van Jozef mee, want dat had Jozef de Israëlieten plechtig laten beloven. Hij had gezegd: 'God zal zich zeker jullie lot aantrekken, en als jullie hier weggaan, neem dan mijn lichaam mee.'
De Israëlieten trokken verder van Sukkot naar Etam. Daar, aan de rand van de woestijn, sloegen ze hun kamp op. Overdag ging de Heer in een wolkkolom voor hen uit om hun de weg te wijzen en 's nachts in een vuurzuil om hun licht te geven. Zo konden ze dag en nacht doorreizen, want steeds bleef de wolkkolom of de vuurzuil voor hen uitgaan.
De Heer zei tegen Mozes: 'Geef de Israëlieten opdracht terug te gaan, laten ze vóór Pi-Hachirot, tussen Migdol en de zee, hun kamp opslaan, recht tegenover Baäl-Sefon aan de zee. Dan zal de farao denken: Die Israëlieten zijn verdwaald, ze zijn ingesloten door de woestijn. Ik zal zorgen dat de farao jullie hardnekkig achtervolgt. Wanneer ik hem met zijn hele legermacht versla, zal ik mijn roem vergroten. De Egyptenaren zullen weten dat ik de Heer ben.' De Israëlieten deden wat hun gezegd werd.
Toen de koning van Egypte hoorde dat de Israëlieten waren weggevlucht, kregen hij en zijn hofdienaren spijt: 'Hoe hebben we ze ooit kunnen laten gaan. Nu zijn we onze slaven kwijt!' De farao liet zijn strijdwagen aanspannen en riep zijn troepen op. Hij nam alle wagens van Egypte mee, waaronder de zeshonderd beste. Ze waren alle volledig bemand. De Heer maakte dat de farao hardnekkig de achtervolging inzette. Maar de Israëlieten trokken vastberaden voort.
Het Egyptische leger achtervolgde de Israëlieten met alle paar-

den, wagens en ruiters van de farao en haalde hen in bij Pi-Hachirot tegenover Baäl-Sefon. Daar, bij de zee, hadden de Israëlieten inmiddels hun kamp opgeslagen. Toen zij de farao met zijn hele leger zagen aankomen, werden ze doodsbang en riepen de Heer te hulp. Ze zeiden tegen Mozes: 'Waren er soms geen graven in Egypte? Moesten wij met je mee om in de woestijn te sterven? Hoe heb je ons ooit uit Egypte weg kunnen halen! Toen zeiden we al: Laat ons toch met rust. We willen slaven blijven van de Egyptenaren. Je kunt altijd nog beter slaaf zijn in Egypte dan sterven in de woestijn.' Maar Mozes antwoordde het volk: 'Wees niet bang, houd vol! Vandaag zal de Heer jullie redden. Je zult het zelf zien. Die Egyptenaren die je nu ziet, zul je nooit terugzien. De Heer zal voor jullie strijden, jullie hoeven niets te doen.'
Toen zei de Heer tegen Mozes: 'Waarom roep je mij te hulp! Geef de Israëlieten opdracht het kamp op te breken. Pak je stok en strek je arm uit over de zee. Het water zal uiteenwijken, de Israëlieten zullen droogvoets door de zee kunnen trekken. Ikzelf zal zorgen dat de Egyptenaren verbeten achter jullie aanjagen. Als ik de farao en zijn leger, zijn wagens en ruiters, versla, zal ik mijn roem vergroten. Dan zullen de Egyptenaren inzien dat ik de Heer ben.'
Toen verliet de engel van God die voor het leger van de Israëlieten uitging zijnplaats en ging achter hen aan. Ook de wolkkolom veranderde van plaats en kwam tussen het leger van de Egyptenaren en dat van de Israëlieten in te staan. De wolk bracht duisternis voor de Egyptenaren, maar verlichtte de nacht voor de Israëlieten. Daarom kwam het die hele nacht niet tot een gewapend treffen.
Mozes strekte zijn arm uit over de zee en op bevel van de Heer stak er een sterke oostenwind op. De hele nacht bleef het waaien, de zee werd teruggedrongen en viel droog. Omdat het water uiteengeweken was, konden de Israëlieten droogvoets door de zee trekken. Rechts en links van hen rees het water op als een muur. De Egyptenaren achtervolgden hen. Alle paarden van de farao, de wagens en de ruiters trokken achter hen aan de zee in. Toen, aan het einde van de nacht, keek de Heer vanuit de vuurzuil en de wolk op het leger van de Egyptenaren neer. Hij bracht hen in paniek door de wielen van de wagens te laten vastlopen. Slechts met de grootste moeite kwamen ze nog vooruit. 'Laten we vluchten voor de Israëlieten,' riepen ze, 'de Heer helpt hen. Hij strijdt tegen ons!'
Toen zei de Heer tegen Mozes: 'Strek je arm uit over de zee; het water zal terugstromen, het zal de Egyptenaren overspoelen, wagens en ruiters.' Mozes strekte zijn arm uit over de zee en tegen het aanbreken van de morgen stroomde de zee terug naar haar vaste plaats. De Egyptenaren vluchtten tegen de stroom in. Zo schudde de Heer hen midden in de zee van zich af. De wagens

en de ruiters van de farao, de hele legermacht die achter de Israëlieten aan was getrokken, werd overspoeld door het terugstromende water. Niemand bleef gespaard. Maar de Israëlieten waren droogvoets door de zee getrokken, terwijl rechts en links van hen het water oprees als een muur. Zo redde de Heer hen op die dag uit de handen van de Egyptenaren. De Israëlieten zagen hen dood aan de oever van de zee liggen. Toen erkenden zij dat de Heer door zijn grote macht de Egyptenaren had verslagen. Zij waren vol ontzag en vertrouwden zich toe aan hem en aan zijn dienaar Mozes.

Het water was op bevel van de Heer teruggestroomd en had het leger van de farao, zijn wagens, paarden en ruiters, overspoeld juist toen zij de zee ingetrokken waren. Maar de Israëlieten waren droogvoets door de zee getrokken.
Daarom nam ook de profetes Mirjam, Aärons zuster, haar tamboerijn in de hand en alle vrouwen kwamen dansend en spelend op de tamboerijnen achter haar aan. En Mirjam zong hun voor:
'Zing voor de Heer,
want groot is hij en machtig:
paard en ruiter
wierp hij in de zee.'

Exodus 13:17-14:31; 15:19-21

In de woestijn op water en brood

De Israëlieten trokken onder leiding van Mozes van de Rietzee naar de woestijn Sur. Drie dagen lang liepen ze door de woestijn zonder ergens water aan te treffen. Tenslotte kwamen ze in Mara, maar het water was er zo bitter, dat het niet te drinken was. Daarom heet die plaats Mara: Bitter. Het volk beklaagde zich bij Mozes: 'Wat moeten we drinken?' Mozes bad de Heer luid om hulp en de Heer wees hem op een stuk hout. Toen Mozes dat in het water gooide, werd het water zoet. Zo stelde de Heer hen daar op de proef.
En daar gaf de Heer hun wetten en voorschriften. Hij zei: 'Als jullie goed luisteren naar mij, de Heer, jullie God, en doen wat ik vraag, als jullie je houden aan mijn voorschriften en wetten, zal ik je sparen voor de ziekten waarmee ik de Egyptenaren gestraft heb. Ik ben de Heer, ik ben het die je geneest.'
Vervolgens kwamen ze in Elim, waar twaalf bronnen en zeventig palmbomen waren. Zij sloegen er hun tenten op aan het water.
Vanuit Elim trokken de Israëlieten verder en op de vijftiende dag van de tweede maand na hun vertrek uit Egypte kwam het hele volk in de Sinwoestijn aan, tussen Elim en de Sinai. In de woestijn beklaagden zij zich bij Mozes en Aäron: 'Had de Heer ons maar

dood laten gaan in Egypte. Daar zaten we bij de vleespotten, er was eten in overvloed. Waarom hebben jullie ons naar de woestijn gebracht? Om ons allemaal van de honger te laten omkomen?' Toen zei de Heer tegen Mozes: 'Ik zal brood uit de hemel laten regenen. Maar de mensen mogen niet meer verzamelen dan voor één dag nodig is. Daarmee wil ik hen op de proef stellen, ik wil zien of ze mijn richtlijnen volgen of naast zich neerleggen. Op de zesde dag moeten ze twee keer zoveel verzamelen en klaarmaken als op de andere dagen.'
Mozes en Aäron zeiden tegen de Israëlieten: 'Vanavond zullen jullie inzien dat het de Heer was die jullie uit Egypte gehaald heeft. En morgenvroeg zul je zien wat de Heer in al zijn majesteit doet. Hij heeft gehoord hoe jullie je tegenover hem beklaagden. Jullie hebben wel tegen ons geklaagd, maar wie zijn wij?' En Mozes ging verder: 'De Heer zelf zal jullie vanavond vlees te eten geven en morgenvroeg volop brood. Hij heeft jullie geklaag gehoord, want eigenlijk was het tegen hem gericht en niet tegen ons. Wie zijn wij tenslotte?'
Mozes zei tegen Aäron: 'Vraag de Israëlieten, het hele volk, voor de Heer te verschijnen, want hij heeft gehoord hoe zij zich beklagen.' Terwijl Aäron met hen sprak, keerden zij zich naar de woestijn; plotseling verscheen in een wolk de Heer, in al zijn majesteit. De Heer richtte zich tot Mozes: 'Ik heb gehoord hoe de Israëlieten zich beklagen. Zeg tegen hen dat ze bij het vallen van de avond vlees en morgenvroeg volop brood zullen eten. Dan zullen ze inzien dat ik, de Heer, hun God ben.'
Die avond streken er zoveel kwartels neer, dat het hele kamp ermee bezaaid lag. De volgende morgen hing er dauw rond het kamp. Toen de dauw was opgetrokken, lag er een dunne, korrelige laag in de woestijn, alsof de bodem met fijne rijp bedekt was. De Israëlieten zagen het, maar wisten niet wat het was. 'Wat is dat?' zeiden ze tegen elkaar. Mozes zei: 'Dat is brood dat de Heer jullie te eten geeft. Hij heeft bevolen: Verzamel zoveel als ieder nodig heeft voor zijn gezin: voor elke persoon in zijn tent ruim twee kilo.' De Israëlieten deden dit; zij verzamelden het brood, de een wat meer, de ander wat minder. Toen ze het nauwkeurig afmaten, had degene die meer genomen had, niet teveel en degene die minder genomen had, niet te weinig. Ieder had verzameld wat hij nodig had. Mozes waarschuwde hen: 'Niemand mag er iets van bewaren tot morgen!' Sommigen sloegen zijn waarschuwing in de wind, zij bewaarden het brood wel. Maar de volgende morgen was het bedorven, het zat vol wormen en stonk. Mozes was woedend op hen.
Elke morgen verzamelde ieder wat hij nodig had. Want als de zon heet werd, smolt het weg. Op de zesde dag verzamelden zij twee keer zoveel: vier en een halve kilo de man. De leiders van de gemeenschap vertelden dit aan Mozes. Hij zei tegen hen: 'De Heer heeft bepaald dat het morgen een feestdag is, een bijzon-

dere dag, aan hem gewijd. Bak en kook wat jullie nodig hebben en laat alles wat overblijft, liggen tot morgen.' Zij deden wat Mozes hun opgedragen had en lieten wat overbleef liggen tot de volgende dag. Het bleek niet te stinken en er zaten geen maden in. Die dag zei Mozes: 'Vandaag is het sabbat, een feestdag gewijd aan de Heer. Eet wat je gisteren bewaard hebt, want je zult buiten geen brood vinden. Zes dagen moeten jullie het voedsel verzamelen, maar de zevende dag is het sabbat, dan is het er niet.' Sommigen probeerden het op die zevende dag toch, maar ze vonden niets. Toen zei de Heer tegen Mozes: 'Hoelang leggen jullie mijn regels en richtlijnen nog naast je neer? Bedenk dat ik, de Heer, jullie de sabbat heb gegeven. Op de zesde dag geef ik brood voor twee dagen; op de zevende dag moet iedereen blijven waar hij is, niemand mag er dan op uit trekken.' Daarom hield het volk op de zevende dag rust.
De Israëlieten noemden het voedsel manna. Het was wit als korianderzaad en smaakte naar honingkoek. Mozes zei: 'De Heer heeft ons opgedragen een hoeveelheid manna te bewaren voor het nageslacht. Dan kunnen zij zien welk brood hij ons in de woestijn heeft gegeven, toen hij ons uit Egypte haalde.' Hij zei tegen Aäron: 'Vul een kruik met ruim twee kilo. Zet die neer op de plaats waar de Heer aanwezig is. Zo blijft het manna bewaard voor het nageslacht.' Aäron deed wat de Heer aan Mozes opgedragen had. Hij zette de kruik voor de verbondskist neer; daar bleef het manna bewaard.
De Israëlieten hebben veertig jaar lang manna gegeten, tot ze in bewoond gebied kwamen, bij de grens van Kanaän. (Voor het afmeten van het manna gebruikte men een vaste maat, een vat van tweeëntwintig en een halve kilo.)
De Israëlieten trokken weg uit de Sinwoestijn en reisden in etappes verder, volgens de aanwijzingen van de Heer. In Refidim sloegen zij hun tenten op, maar er was geen water. Het volk maakte Mozes verwijten. 'Geef ons water,' zeiden ze. Mozes antwoordde: 'Waarom maken jullie mij verwijten? Waarom stellen jullie de Heer op de proef?' Maar het volk verging van de dorst, het beklaagde zich tegenover Mozes: 'Waarom heb je ons uit Egypte gehaald? Moeten wij hier met onze kinderen en ons vee van dorst omkomen?' Toen bad Mozes luid tot de Heer: 'Wat moet ik met dit volk beginnen? Dadelijk stenigen ze mij nog.' De Heer antwoordde: 'Stel je met enige leiders op aan het hoofd van het volk. Pak de stok waarmee je op de Nijl hebt geslagen en ga op weg naar het Horebgebergte. Daar zal ik op een rots voor je staan. Wanneer je op die rots slaat, zal er water uit tevoorschijn komen en kan het volk drinken.' In tegenwoordigheid van de leiders deed Mozes wat de Heer gezegd had. Hij gaf die plaats twee namen, Massa: Beproeving, en Meriba: Verwijt. Want daar hadden de Israëlieten hem verwijten gemaakt en de Heer op de

proef gesteld. Ze hadden immers gezegd: 'Is de Heer nog bij ons of laat hij ons in de steek?'

Exodus 15:22-17:7

Onderricht vanaf de berg I

De Israëlieten trokken weg uit Refidim. Drie maanden na hun vertrek uit Egypte, op de dag af, kwamen ze in de Sinaiwoestijn aan. Ze zetten er hun tenten op, vlak bij de berg Sinai. Mozes klom de berg op, naar God. Daar op de berg riep de Heer naar hem: 'Zeg tegen de Israëlieten, de nakomelingen van Jakob: Jullie hebben gezien hoe ik de Egyptenaren heb gestraft. En hoe ik jullie als op arendsvleugels heb gedragen. Zo heb ik jullie hier bij mij gebracht. Daarom, als jullie mij gehoorzamen en trouw blijven aan mijn verbond, zul je onder alle volken mijn kostbaarste bezit zijn. Want de hele aarde behoort mij toe. Aan mij zul je gewijd zijn, je zult mij dienen als priesters en ik zal jullie koning zijn. Deel dat aan de Israëlieten mee.'

God gaf de volgende grondregels. Hij zei: 'Ik, de Heer, ben jullie God. Ik heb je uit Egypte gehaald, uit dat slavenoord.
Houd er geen andere goden op na. Ik ben er immers. Maak geen afgodsbeeld; niets van wat in de hemel, op de aarde of in het water onder de aarde is, mag je afbeelden. Kniel voor zulke goden niet neer, vereer ze niet, want ik, de Heer, ben jullie God. Ik duld geen andere goden naast me. Wie zich tegen mij verzet, zal ik straffen, hem en ook zijn nakomelingen, tot in de derde en vierde generatie. Maar wie mij liefhebben en zich houden aan mijn geboden, die blijf ik trouw tot in de duizendste generatie.
Misbruik mijn naam niet. Want ik, de Heer, zal straffen wie mijn naam misbruikt.
Houd de sabbat in ere. Het moet een bijzondere dag voor je zijn. Zes dagen heb je om te werken, maar de zevende dag, de sabbat, is een rustdag die aan mij, de Heer, je God, is gewijd. Verricht dan geen enkel werk. Dat geldt voor jezelf, je zoon en je dochter, je slaaf en je slavin. Het geldt ook voor je vee en voor de vreemdeling die in je stad woont. Want in zes dagen heb ik de hemel, de aarde en de zee gemaakt en alles wat zij bevat, maar op de zevende dag heb ik gerust. Daarom heb ik de sabbat gezegend en er een bijzondere dag van gemaakt.
Heb eerbied voor je vader en je moeder. Dan zul je een lang leven hebben in het land dat ik, de Heer, je God, je ga geven.
Bega geen moord.
Pleeg geen overspel.
Steel niet.
Beschuldig niemand op valse gronden.

Zet je zinnen niet op het huis van een ander, ook niet op zijn vrouw, zijn slaaf of slavin, zijn koe of zijn ezel, of op iets anders dat van hem is.'
Heel het volk hoorde de donderslagen en de ramshoorn, ze zagen de bliksem en de rokende berg. Ze bleven bevend van schrik op grote afstand staan. Ze zeiden tegen Mozes: 'Spreek jij met ons, dan zullen we luisteren. Maar laat God niet met ons spreken, want dan sterven we.' 'Wees niet bang,' antwoordde Mozes, 'God is gekomen om jullie op de proef te stellen. Hij wil dat jullie ontzag voor hem hebben en niet meer zondigen.' Het volk bleef op een afstand staan terwijl Mozes naar de donkere wolk ging waar God was.

De Heer zei tegen Mozes: 'Klim de berg op, naar mij, en blijf daar wachten. Dan zal ik je de stenen platen geven, de richtlijnen en regels die ik opgeschreven heb om ze het volk te leren.' Mozes ging samen met zijn dienaar Jozua de berg op, waar God verschenen was. Tegen de leiders van het volk zei hij: 'Blijf hier wachten tot we terugkomen. Aäron en Chur zijn er om jullie te helpen. Wie een geschil heeft, kan bij hen terecht.'
Mozes klom de berg op. Een wolk bedekte de berg, de Heer was in al zijn majesteit op de Sinai aanwezig. Zes dagen lang bedekte de wolk de berg. Op de zevende dag riep de Heer Mozes vanuit de wolk. De Israëlieten zagen Gods majesteit als een laaiend vuur op de top van de berg. Mozes ging nog verder de berg op, de wolk in. Hij bleef daar, veertig dagen en veertig nachten.

Exodus 19:1-6; 20:1-21; 24:12-18

Een beeld van een god

Toen Mozes zo lang op de berg bleef en maar niet terugkwam, liep het volk te hoop. Ze zeiden tegen Aäron: 'Maak toch een god voor ons die ons verder kan leiden! Wij weten niet wat er met die Mozes is gebeurd, die ons uit Egypte heeft gehaald.' 'Ruk jullie vrouwen, zonen en dochters de gouden oorringen dan maar af,' antwoordde Aäron, 'en breng die bij me.' Alle Israëlieten rukten hun gouden oorringen af en brachten die naar Aäron. Hij smolt de ringen, goot het goud in een vorm en maakte er een stierenbeeld van. Het volk riep: 'Israël, dit is je god! De god die je uit Egypte heeft gehaald!' Toen Aäron dat zag, bouwde hij voor het beeld een altaar en kondigde aan: 'Morgen is er een feest voor de Heer.' De volgende ochtend brachten zij brandoffers en offers voor de heilige maaltijd. Daarna gingen ze zitten om te eten en te drinken. Het werd een losbandig feest.
De Heer zei tegen Mozes: 'Ga onmiddellijk terug! Het volk dat jij uit Egypte hebt gehaald, heeft het verbond verbroken. Ze hebben

de regels die ik hun gegeven heb, nu al naast zich neergelegd. Ze hebben een stierenbeeld gegoten en zich ervoor neergebogen, ze hebben het offers gebracht! Ze hebben geroepen: Israël, dit is je god! De god die je uit Egypte heeft gehaald!' En de Heer vervolgde: 'Ik weet hoe koppig dit volk is. Daarom, houd me niet tegen als ik in woede tegen hen losbarst. Ik zal hen vernietigen. Maar van jou en je nakomelingen zal ik een groot volk maken.'
Mozes probeerde de Heer, zijn God, milder te stemmen: 'Heer, waarom zou u woedend zijn op uw volk? U hebt hen uit Egypte weggehaald, u hebt laten zien hoe machtig en sterk u bent. Waarom zou u de Egyptenaren met hen laten spotten? Zij zouden kunnen zeggen: Hij heeft hen uit Egypte weggehaald om hen in het ongeluk te storten, om hen in de bergen te doden, om hen van de aardbodem te laten verdwijnen! Wees niet langer woedend, breng dit onheil niet over uw volk. Denk aan uw dienaren Abraham, Isaak en Jakob! U hebt plechtig beloofd hun zoveel nakomelingen te geven als er sterren aan de hemel zijn. U hebt gezworen die nakomelingen het beloofde land voor altijd in bezit te geven.' Toen kreeg de Heer spijt van het onheil waarmee hij zijn volk bedreigd had.
Mozes ging terug, de berg af, de beide stenen platen in zijn hand, platen die aan beide kanten beschreven waren. God zelf had ze gemaakt en er de geboden op geschreven.
Toen Jozua het geschreeuw van het volk hoorde, zei hij tegen Mozes: 'Ik hoor oorlogskreten in het kamp.' Maar Mozes antwoordde: 'Het klinkt niet als het gejuich bij een overwinning of het klagen over een nederlaag. Ze zingen!' Toen Mozes dichter bij het kamp kwam en zag hoe het volk om de stier danste, werd hij woedend. De stenen platen gooide hij stuk aan de voet van de berg. Het stierenbeeld verbrandde hij, hij maalde het fijn en strooide het op het water. Dat liet hij de Israëlieten drinken.
Toen vroeg hij Aäron: 'Hoe heeft het volk je tot zoiets kunnen overhalen? Hoe kon je het zo'n zware misstap laten begaan?' Aäron antwoordde: 'Word niet boos, heer. U weet zelf dat dit volk geneigd is tot het kwaad. Ze zeiden: We weten niet wat er met die Mozes is gebeurd, die ons uit Egypte heeft geleid. Maak een god die ons verder kan leiden. Toen heb ik gezegd: Wie goud heeft, moet het maar komen brengen. Ze gaven het mij en toen ik het in het vuur gooide, kwam dit stierenbeeld tevoorschijn.'
Mozes begreep dat het volk zich had laten gaan en dat Aäron zich er niet tegen verzet had. Het volk had zich bespottelijk gemaakt in de ogen van al zijn vijanden. Daarom ging hij bij de toegangspoort van het kamp staan en zei: 'Wie voor de Heer is, moet hier komen staan.' De levieten kwamen bij hem staan. Hij zei tegen hen: 'De Heer, de God van de Israëlieten, draagt jullie op het zwaard aan te gorden en door het kamp te gaan, van poort tot poort. Sla iedereen neer, al is het je broer, je vriend of je buurman.' De levieten volgden het bevel van Mozes op en

doodden die dag ongeveer drieduizend man. Mozes zei: 'Hierdoor zijn jullie vandaag gewijd aan de Heer en heb je zijn zegen ontvangen.'
De volgende dag zei Mozes tegen het volk: 'Jullie hebben een zware misstap begaan. Maar ik zal de berg opgaan, naar de Heer. Misschien wil hij jullie op mijn aandringen vergeven.' Mozes ging terug naar de Heer en zei: 'Dit volk heeft een zware misstap begaan, want zij hebben een god van goud gemaakt. Ik vraag u, vergeef het hun. En als u dat niet kunt, schrap mij dan maar uit het boek waarin u onze namen hebt staan.' De Heer antwoordde: 'Alleen wie tegen mij gezondigd heeft, schrap ik uit mijn boek. Ga terug en leid het volk naar de plaats die ik je genoemd heb. Mijn engel zal voor je uit gaan. Maar de tijd komt dat ik hen zal straffen voor hun zonde.'
Het volk had Aäron gedwongen een stierenbeeld te maken, daarom strafte de Heer hen.

Exodus 32:1-35

Op herhaling

De Heer zei tegen Mozes: 'Hak twee stenen platen uit, net als de eerste. Ik zal er de geboden op schrijven van de eerste platen die je hebt stukgegooid. Zorg dat je morgenvroeg klaar bent. Beklim dan de Sinai om mij op de top te ontmoeten. Niemand mag met je meegaan, niemand mag zich ergens op de berg vertonen. En schapen, geiten en koeien mogen niet in de omgeving van de berg grazen.'
Toen hakte Mozes twee stenen platen uit, gelijk aan de eerste. De volgende ochtend beklom hij de Sinai, zoals de Heer hem had opgedragen. De beide stenen platen had hij bij zich. De Heer daalde neer in een wolk, ging naast Mozes staan en maakte zijn naam bekend. Terwijl hij langs Mozes heen trok, riep hij: 'Ik ben de Heer, een milde God, vol medelijden, vol liefde en geduld, een God op wie je vertrouwen kunt. Tot in de duizendste generatie bewijs ik mijn trouw, vergeef ik misdaad, onrecht en zonde. Maar de schuldige spreek ik niet vrij. Ik verhaal de misdaden van de voorouders op de kinderen en kleinkinderen tot in de derde en vierde generatie.'
Haastig knielde Mozes neer, boog zich diep en zei: 'Als u mij vertrouwt, Heer, ga dan met ons mee. Wij zijn een koppig volk, maar vergeef ons onze schuld en onze zonde. Aanvaard ons als uw eigen volk.'
Toen zei de Heer: 'Ik zal een verbond met het volk sluiten. Voor hun ogen zal ik wonderen verrichten zoals er op de hele aarde voor geen enkel volk ooit verricht zijn. Wat ik voor jou doe, zal op het hele volk een diepe indruk maken.'

Toen Mozes met de beide stenen platen de berg Sinai afkwam, wist hij niet dat zijn gezicht glansde doordat hij met de Heer gesproken had. Aäron en de andere Israëlieten zagen hoe zijn gezicht glansde en durfden niet dichterbij te komen. Maar Mozes riep hen bij zich. Aäron kwam met de leiders van de gemeenschap naar hem toe en Mozes sprak met hen. Ook de andere Israëlieten kwamen dichterbij en hij leerde hun de geboden die de Heer hem op de Sinai gegeven had. Toen hij uitgesproken was, deed hij een doek voor zijn gezicht. Vanaf die tijd deed hij de doek af als hij de ontmoetingstent binnenging om met de Heer te spreken. Maar kwam hij naar buiten om de Israëlieten mee te delen wat de Heer hem opgedragen had en zagen de Israëlieten dat zijn gezicht glansde, dan deed hij de doek voor tot hij weer met God ging spreken.

Exodus 34:1-10, 29-35

Gods woontent

De Heer zei tegen Mozes: 'Op de eerste dag van de eerste maand moet je de ontmoetingstent opzetten. Zet er de verbondskist met de stenen platen in en scherm die ruimte met een gordijn af. Plaats de tafel in de tent en leg er, goed gerangschikt, de bijbehorende voorwerpen op. Breng de kandelaar in de tent en plaats er de olielampen op. Zet het gouden wierookaltaar voor de verbondskist en hang voor de ingang van de ontmoetingstent een gordijn. Plaats het altaar voor de brandoffers vóór de ingang van de tent. Zet het wasbekken tussen de tent en het altaar en vul het met water. Scherm voor de ontmoetingstent een ruimte af met doeken en hang voor de toegangspoort een gordijn. Vervolgens moet je de tent en alle voorwerpen erin met olie zalven en heiligen. Het is een heilige tent. Ook het altaar voor de brandoffers met alles wat erbij hoort moet je zalven en heiligen: het altaar is zeer heilig. Doe hetzelfde met het wasbekken en zijn onderstel. Vraag Aäron en zijn zonen naar de ingang van de ontmoetingstent te komen en reinig hen met water. Trek Aäron de priesterkleden aan en zalf hem; dan is hij gewijd en kan hij mij als priester dienen. Ook zijn zonen moeten bij je komen; trek hun de priesterhemden aan en zalf hen net als hun vader. Zij zullen mij als priester dienen. Door deze zalving zullen zij voor altijd, alle generaties door, het ambt van priester bekleden.' Mozes deed alles zoals de Heer het hem had opgedragen.
Op de eerste dag van de eerste maand in het tweede jaar na hun vertrek uit Egypte werd de ontmoetingstent opgezet door Mozes. Om de ontmoetingstent en het altaar schermde hij een ruimte af met doeken en hij hing voor de toegangspoort een gordijn. Toen was hij klaar met het werk.

Op dat ogenblik bedekte de wolk de tent, de Heer woonde er in al zijn majesteit. Daarom kon Mozes er niet binnengaan. De Israëlieten trokken, voor de rest van hun tocht, pas verder als de wolk zich van de tent verwijderde. Gebeurde dat niet, dan bleven ze op de plaats waar ze waren. Gedurende heel hun verdere reis zagen de Israëlieten overdag de wolk van de Heer boven de tent en 's nachts zagen zij in de wolk een vuur.

Exodus 40:1-18a, 33-38

Leviticus

Heilige verplichtingen

De Heer droeg Mozes op om de hele gemeenschap van Israël te wijzen op het volgende:
'Jullie moeten je gedragen als een heilig volk, want ik, de Heer, jullie God, ben heilig.
Ieder van jullie moet eerbied en ontzag hebben voor zijn moeder en vader.
Ieder van jullie moet wekelijks de sabbat vieren. Want ik, de Heer, ben jullie God.
Jullie mogen je heil niet bij afgoden zoeken, en zo'n god van metaal mag je niet vervaardigen. Want ik, de Heer, ben jullie God.
Wanneer jullie een offerdier opdragen voor de heilige offermaaltijd, dan moet je je daarbij houden aan de aanwijzingen die ik je gegeven heb. Alleen dan zal je offer worden aanvaard. Het vlees van het dier moet dezelfde dag nog worden gegeten, of een dag later. Wat er op de derde dag over is, moet worden verbrand. Wordt er op de derde dag toch van gegeten, dan wordt het offer niet aanvaard: het vlees is besmet. En wie ervan eet, moet daarvoor boeten. Iets wat aan mij gewijd was, heeft hij als iets alledaags behandeld. Zo iemand moet uit de gemeenschap worden gestoten.
Wanneer jullie op je land de oogst binnenhalen, mag je de rand van het veld niet afmaaien. Ook zul je niet nog eens over het veld lopen om de aren op te rapen die daar zijn blijven liggen. En wat je wijnoogst betreft: je zult niet nog eens door je wijngaard lopen om de druiven af te plukken die bij de eerste pluk zijn blijven hangen. Ook de druiven die op de grond zijn gevallen, mag je niet oprapen. Je moet dit alles achterlaten voor de armen en de vreemdelingen. Want ik, de Heer, ben jullie God.
Jullie mogen elkaar niet bestelen, beliegen of bedriegen. Ook is het je verboden om mijn naam aan een meineed te verbinden; dan zou je immers mijn naam ontwijden. Want ik, de Heer, ben jullie God.
Jullie zullen je niet aan afpersing schuldig maken en iemand niet onthouden waarop hij recht heeft. Heeft iemand voor je gewerkt, dan mag je niet tot de volgende morgen wachten met het uitbetalen van zijn loon.
Je zult geen vloek uitspreken over een dove, en een blinde mag je niets op zijn weg leggen waarover hij kan struikelen. Voor mij moet je eerbied en ontzag hebben. Want ik, de Heer, ben jullie God.

Wanneer je rechtspreekt, mag je daarbij niet op een oneerlijke manier te werk gaan. Je mag de arme niet voortrekken, en de rijke zul je niet naar de ogen zien. Op een rechtvaardige manier moet je over iemand vonnis vellen. Je zult geen lasterpraatjes over iemand rondstrooien. Je zult niemand naar het leven staan. Ik ben de Heer.
Je zult geen wrok tegen iemand koesteren, maar openlijk de onderlinge geschillen bijleggen. De rechter, en niet jijzelf, zal in zo'n geval iemand schuldig verklaren. Je zult geen wraak op iemand nemen of haatdragend tegenover iemand zijn. Integendeel: je moet de ander liefhebben zoals je jezelf liefhebt. Ik ben de Heer.

Leviticus 19:1-18

Heilige feestdagen

De Heer droeg Mozes op om de Israëlieten de volgende aanwijzingen te geven:
'Als een heilig volk zullen jullie op de volgende dagen bijeenkomen, om ze te vieren als feestdagen ter ere van de Heer:
Iedere week heeft zes werkdagen, maar de zevende dag is een dag van volstrekte rust; dan moeten jullie al je werk laten liggen en samenkomen ter ere van de Heer. Die dag, de sabbat, moet je vieren als een dag van de Heer, waar je ook woont.
Voor de overige feesten zijn de volgende dagen vastgesteld:
Op de veertiende dag van de eerste maand, in de schemering, begint het paasfeest ter ere van de Heer. Hierna volgt op de vijftiende dag van die maand het feest van de Ongegiste Broden. Dan moet je zeven dagen brood eten waarin geen gist is verwerkt. Op de eerste dag zullen jullie samenkomen ter ere van de Heer en al je werk laten liggen. Verder moet je al deze zeven dagen offergaven aanbieden. Op de zevende dag zullen jullie opnieuw samenkomen ter ere van de Heer; ook die dag moet je al je werk laten liggen.
Gerekend vanaf de dag na de sabbat, de dag waarop je de eerste schoof voor de Heer naar de priester bracht, zullen jullie zeven volle weken later, op de vijftigste dag, de dag na de zevende sabbat, opnieuw een meeloffer aanbieden aan de Heer. Je moet dan van huis twee broden meebrengen en ze wijden aan de Heer. Elk brood moet bereid zijn uit zevenentwintighonderd gram van het fijnste meel, en bij het bakken moet je gist gebruiken. Als eerste broden van je oogst zul je ze aanbieden aan de Heer.
Op de eerste dag van de zevende maand, als de trompetten klinken, zullen jullie samenkomen ter ere van de Heer. Dat moet een dag van volstrekte rust voor je zijn. Al je werk zul je laten liggen, en aan de Heer moet je een offergave aanbieden.

Op de tiende dag van de zevende maand valt dan de Grote Verzoendag, de dag waarop alles weer in het reine wordt gebracht tussen jullie en de Heer. Dan zullen jullie als een heilig volk bijeenkomen en de Heer een offergave aanbieden. Die dag mag je niets eten en in het geheel geen werk doen, want het is de Grote Verzoendag, de dag waarop in het heiligdom alles weer in het reine wordt gebracht tussen jullie en de Heer, jullie God. Wie dan toch iets eet, wordt uit de gemeenschap gestoten. En wie op die dag toch werkt, zal door de Heer zelf uit het volk worden weggevaagd. Al je werk moet je laten liggen. Dit is een blijvende bepaling, alle generaties door, waar je ook woont. Het moet een dag van volstrekte rust voor je zijn, waarop jullie vasten voor de Heer. Van de avond van de negende tot de avond van de tiende dag van die maand moeten jullie deze rustdag vieren.
Op de vijftiende dag van de zevende maand begint het loofhuttenfeest, ter ere van de Heer, en dat feest duurt zeven dagen. Op de eerste dag zul je ter ere van de Heer samenkomen en al je werk laten liggen. Verder moet je al deze zeven dagen offergaven aanbieden. Op de achtste dag, de afsluitende feestdag, kom je opnieuw samen ter ere van de Heer en bied je hem een offergave aan; ook die dag moeten jullie al je werk laten liggen.
Dit zijn de feestdagen ter ere van de Heer, waarop jullie als een heilig volk bijeen zullen komen om de Heer jullie offergaven aan te bieden: brandoffers, meeloffers, offers voor de heilige offermaaltijd en wijnoffers, al naar gelang de verschillende feesten. Deze offergaven komen nog bij de wekelijkse offers op de sabbat en alle andere offers die je gewoonlijk aanbiedt aan de Heer uit vrije wil of om je aan een belofte te houden.
Op de vijftiende dag van de zevende maand, als jullie de opbrengst van het land hebben binnengehaald, zullen jullie het loofhuttenfeest vieren ter ere van de Heer, zeven dagen lang. Zowel de eerste als de achtste dag moet een dag van volstrekte rust voor jullie zijn. Op de eerste dag zul je halen wat er voor het feest nodig is: citrusvruchten, palmtakken, twijgen van allerlei loofbomen en wilgentakken. Zo zullen jullie vrolijk feestvieren ter ere van de Heer, jullie God, zeven dagen lang. Ieder jaar opnieuw moet je dit feest vieren ter ere van de Heer, in de zevende maand, zeven dagen lang. Dit is een blijvende bepaling, alle generaties door. Gedurende deze zeven dagen moeten jullie in loofhutten wonen; dat geldt voor elke geboren Israëliet. Dan zullen ook jullie nakomelingen weten dat de Heer jullie in soortgelijke hutten heeft laten wonen toen hij je uit Egypte haalde. Want ik, de Heer, ben jullie God.'
Zo gaf Mozes aan de Israëlieten de aanwijzingen door omtrent de feestdagen ter ere van de Heer.

Leviticus 23:1-8, 15-17, 23-44

Numeri

Geen angst voor het onbekende!

De Heer zei tegen Mozes: 'Stuur verkenners naar Kanaän, het land dat ik aan de Israëlieten zal geven. Kies voor deze taak uit elke stam één van de familiehoofden.' Vanuit de Paranwoestijn stuurde Mozes de volgende mannen naar Kanaän:
uit de stam Ruben: Sammua, de zoon van Zakkur;
uit de stam Simeon: Safat, de zoon van Chori;
uit de stam Juda: Kaleb, de zoon van Jefunne;
uit de stam Issakar: Jigal, de zoon van Jozef;
uit de stam Efraïm: Hosea, de zoon van Nun;
uit de stam Benjamin: Palti, de zoon van Rafu;
uit de stam Zebulon: Gaddiël, de zoon van Sodi;
uit de stam Manasse: Gaddi, de zoon van Susi;
uit de stam Dan: Ammiël, de zoon van Gemalli;
uit de stam Aser: Setur, de zoon van Michaël;
uit de stam Naftali: Nachbi, de zoon van Wofsi;
uit de stam Gad: Geüel, de zoon van Maki.
Dit waren de mannen die Mozes naar Kanaän op verkenning uitstuurde. De naam van de zoon van Nun, Hosea: Hulp, veranderde Mozes in Jozua: De Heer helpt.
Toen Mozes hen op weg stuurde, zei hij: 'Trek via de Negebwoestijn naar het bergland en ga na wat voor land het is. Kijk of er veel of weinig mensen wonen en of ze sterk zijn of zwak. Onderzoek of ze oorlogszuchtig zijn of vredelievend, en of ze in tentenkampen wonen of in versterkte steden. Kijk of de grond vruchtbaar is en of er bossen zijn. Neem in ieder geval vruchten mee terug.' Het was toen net de tijd van de druivenoogst.
De verkenners onderzochten het gebied vanaf de Sinwoestijn in het zuiden tot aan Rechob bij de Hamatpas in het noorden. Zij trokken door de Negebwoestijn en kwamen in de buurt van Hebron; daar woonden Achiman, Sesai en Talmai, nakomelingen van Enak. Hebron was zeven jaar eerder gebouwd dan Soan in Egypte. Toen zij in het dal bij Hebron kwamen, sneden ze daar een wijnrank met één druiventros af die zo zwaar was, dat ze hem met z'n tweeën aan een stok moesten dragen; zij namen ook granaatappels en vijgen mee. Ze noemden het dal Eskol: Druiventros, omdat ze daar die druiventros hadden afgesneden.
Na veertig dagen keerden de verkenners terug naar Kades in de Paranwoestijn, waar Mozes en Aäron met het volk waren. Ze brachten verslag uit en lieten de vruchten zien. Ze zeiden: 'Het is een vruchtbaar land, een land van melk en honing; kijk maar

naar zijn vruchten. Maar het volk dat er woont, is krachtig en de steden zijn grote vestingen. Wij hebben er zelfs reuzen gezien, nakomelingen van Enak. Bovendien wonen de Amalekieten in het zuiden, in de Negebwoestijn, terwijl de Hethieten, de Jebusieten en de Amorieten in het bergland wonen en de Kanaänieten langs de kust van de Middellandse zee en langs de Jordaan.'
Kaleb wilde voorkomen dat het volk zich tegen Mozes zou keren. Hij probeerde de rust te bewaren en zei: 'Laten we het land gaan veroveren; daar zijn we sterk genoeg voor.' Maar de mannen die met hem waren meegegaan, zeiden: 'Wij kunnen onmogelijk tegen dat volk op; ze zijn veel te sterk.' Zij verspreidden onder het volk allerlei geruchten en zeiden: 'In dat land zullen we ons nauwelijks staande kunnen houden; de mensen die we daar aantroffen, waren erg groot en er waren zelfs reuzen, nakomelingen van Enak. We voelden ons klein als sprinkhanen en zo moeten we er in hun ogen ook hebben uitgezien.'
Het volk bleef de hele nacht klagen. Zij maakten Mozes en Aäron verwijten en zeiden: 'Waren we maar in Egypte gestorven, of desnoods hier in de woestijn. Waarom wil de Heer ons naar dat land brengen? We zullen daar sneuvelen en onze vrouwen en kinderen zullen gevangengenomen worden. Is het niet beter om naar Egypte terug te keren?' En tegen elkaar zeiden ze: 'Laten we zelf een leider kiezen en naar Egypte teruggaan.'
Toen wierpen Mozes en Aäron zich op de grond neer ten overstaan van het hele volk.
Jozua, de zoon van Nun, en Kaleb, de zoon van Jefunne, twee van de mannen die Kanaän hadden verkend, scheurden van verdriet hun kleren. Ze zeiden tegen het volk: 'Het land waar we doorheen zijn getrokken, is prachtig. Als de Heer ons goedgezind is, zal hij ons brengen naar dat vruchtbare land, dat land van melk en honing, en het aan ons geven. Maar verzet je dan niet tegen de Heer en wees niet bang voor dat volk. We kunnen het gemakkelijk aan. Hun goden zijn niet in staat hen te beschermen, maar de Heer zal ons helpen. Wees daarom niet bang.'

Numeri 13:1-14:9

Een profeet tegen betaling?

De Israëlieten trokken verder en sloegen hun tenten op in de vlakte van Moab, ten oosten van de Jordaan tegenover Jericho. De koning van Moab, Balak, de zoon van Sippor, hoorde wat de Israëlieten met de Amorieten hadden gedaan. Hij en zijn volk werden bang voor de Israëlieten. Vooral hun aantal joeg hun schrik aan. Daarom zeiden de Moabieten tegen de leiders van Midjan: 'De Israëlieten zijn zo talrijk dat ze de hele streek leegroven. Ze lijken wel een kudde koeien die een wei afgraast.'

Daarna stuurde Balak gezanten naar Bileam, de zoon van Beor; hij woonde in Petor aan de Eufraat in het gebied van de Amawieten. Zij moesten hem het volgende zeggen: 'Er is een volk uit Egypte gekomen dat alle buurlanden overstroomt; het staat nu aan onze grenzen. Kom toch en vervloek dat volk, want het is sterker dan wij. Misschien kunnen we het dan verslaan en uit het land verdrijven; want ik weet dat wie door u wordt gezegend, ook zegen ontvangt en wie door u wordt vervloekt, ook door een vloek wordt getroffen.'
De leiders van Moab en Midjan gingen op weg met de beloning voor Bileam bij zich. Zij brachten hem Balaks verzoek over. Bileam zei tegen hen: 'Blijf vannacht hier; wat de Heer mij ook zegt, ik zal het jullie morgen overbrengen.' De leiders van Moab en Midjan bleven die nacht bij Bileam.
God kwam bij Bileam en vroeg: 'Wie zijn die mannen daar bij jou?' Bileam antwoordde: 'Afgezanten van Balak, de koning van Moab. Ze vertelden dat er een volk uit Egypte is gekomen, dat het hele land overstroomt. Balak wil dat ik dat volk kom vervloeken. Dan kan hij het aanvallen en verdrijven.' God zei tegen Bileam: 'Ga niet met hen mee om dat volk te vervloeken, want het is gezegend.' De volgende morgen zei Bileam tegen de gezanten van Balak: 'Ga terug naar je land, want de Heer heeft mij verboden met jullie mee te gaan.' Zij gingen terug naar Balak en vertelden dat Bileam niet met hen mee wilde komen.
Maar Balak stuurde nu nog meer leiders, van groter aanzien dan de eerste. Toen zij bij Bileam kwamen, zeiden ze: 'Dit zegt Balak, de zoon van Sippor: Kom alstublieft naar mij toe. Ik zal u vorstelijk belonen en alles doen wat u zegt. Kom en vervloek dat volk.' Bileam antwoordde de gezanten van Balak: 'Ik kan in geen geval ingaan tegen het bevel van de Heer, mijn God, al geeft Balak mij al zijn goud en zilver. Maar blijf overnachten zoals de anderen deden; morgen weet ik of de Heer nog iets te zeggen heeft.' God kwam 's nachts bij Bileam en zei: 'Ga nu maar met deze mannen mee, maar doe alleen wat ik je beveel.'
De volgende morgen zadelde Bileam zijn ezelin. Vergezeld van zijn beide dienaren ging hij met de gezanten van Moab op weg. Toen werd God woedend en de engel van de Heer ging op de weg staan om Bileam tegen te houden. Toen de ezelin de engel met getrokken zwaard zag staan, ging ze van de weg af het veld in. Bileam sloeg de ezelin en dreef haar terug de weg op. Daarna ging de engel in een holle weg staan die door wijngaarden liep en aan weerszijden door muren was omgeven. Toen de ezelin de engel zag, drukte ze zich tegen de muur. De voet van Bileam raakte in de knel. Bileam sloeg haar opnieuw. Nogmaals ging de engel een stukje verderop. Hij ging op een plaats staan waar geen uitwijken meer mogelijk was. Toen de ezelin de engel weer zag, ging ze op de grond liggen. Bileam werd woedend en begon de ezelin met zijn stok te slaan. Toen liet de Heer de ezelin

spreken. Ze zei tegen Bileam: 'Je hebt me al drie keer geslagen. Wat heb ik je gedaan?' Bileam antwoordde: 'Je maakt me belachelijk. Als ik een zwaard had, zou ik je doden.' Toen zei de ezelin: 'Ben ik niet je eigen ezelin? Heb ik je niet je hele leven gedragen tot op de dag van vandaag? Heb ik je ooit eerder zo behandeld?' 'Nee,' antwoordde Bileam. Toen liet de Heer ook aan Bileam de engel op de weg zien met zijn getrokken zwaard, en Bileam boog zich diep, tot op de grond. De engel zei: 'Waarom heb je je ezelin tot drie keer toe geslagen? Ik ben je tegenstander, ik ben je tegemoet gegaan, omdat je reis tegen mijn wil ingaat. De ezelin zag mij en ging drie keer voor mij opzij. Had ze dat niet gedaan, dan had ik jou gedood maar haar in leven gelaten.' Bileam zei tegen de engel: 'Het was verkeerd van me. Ik wist niet dat u het was die mij stond op te wachten. Als mijn reis in strijd is met uw wil, ga ik naar huis.' De engel antwoordde: 'Ga met die mannen mee, maar zeg alleen wat ik je beveel.' Toen ging Bileam verder met de gezanten van Balak.
Toen Balak hoorde dat Bileam in aantocht was, ging hij hem tegemoet tot de stad Ar aan de rivier de Arnon bij de grens met Moab. Balak zei tegen Bileam: 'Waarom bent u niet meteen naar mij toe gekomen? Dacht u dat ik niet genoeg kon betalen?' Bileam antwoordde: 'Ik ben er nu toch? Maar het is nog de vraag of ik iets voor u zal kunnen doen. Alleen wat God mij zegt, kan ik u meedelen.'

Numeri 22:1-38

Deuteronomium

Horen en doen

De Israëlieten bevinden zich nu in de vlakte van Moab, op de oostelijke Jordaanoever, tegenover Jericho. Mozes kijkt terug en blikt vooruit.

Dit is mijn opdracht: jullie de wetten en gedragsregels te leren die de Heer, jullie God, je heeft voorgeschreven. Breng ze in praktijk wanneer jullie het land dat je gaat binnentrekken, in bezit hebben genomen. Toon hem je ontzag, niet alleen jij, maar ook je kinderen en je kleinkinderen, en kom alle wetten en geboden die ik je opleg na. Doe dat heel je leven, dan zul je er lang wonen. Israël, als je hiernaar luistert en alles nauwgezet uitvoert, zal het je goed gaan en zul je een heel groot volk worden, zoals de Heer, de God van je voorouders, je heeft beloofd. Dat land zal een land zijn van melk en honing.
Luister, Israël! De Heer is onze God, alleen de Heer. Houd van hem, met hart en ziel, met heel je wezen. Neem alle grondregels die ik je vandaag opleg ter harte. Prent ze je kinderen in en zeg ze op, thuis en onderweg, wanneer je naar bed gaat en wanneer je opstaat. Draag ze om je arm als een teken, en bind ze op je voorhoofd als herinnering. Schrijf ze op de deurposten van je huis en op de poorten van je stad.

Zoals de Heer, je God, je voorouders Abraham, Isaak en Jakob onder ede heeft beloofd, zal hij jullie dat land binnenbrengen. Er zijn al grote, mooie steden, rijk ingerichte huizen, waterbakken, in de bodem uitgehakt, wijngaarden en olijfgaarden. Je hoeft er niets voor te doen, je hoeft niet te bouwen en in te richten, niet te hakken en te planten. Wanneer je in dat land grote welvaart geniet, verlies de Heer dan niet uit het oog. Hij heeft je weggehaald uit Egypte, waar je een slavenbestaan leidde. Heb ontzag voor hem, vereer hem, zweer alleen bij zijn naam. Loop niet achter andere goden aan, vereer geen enkele god van de volken rondom je. Anders ontsteekt hij in woede en vaagt hij jullie van de aarde weg. Want de Heer, je God, die bij jullie is, duldt geen andere god naast zich.
Stel hem niet op de proef zoals bij Massa. En kom de geboden die hij je heeft opgelegd, de grondwet en de andere wetten, onvoorwaardelijk na. Doe wat hij van je vraagt en wat zijn goedkeuring heeft. Dan zal het je goed gaan en kun je het land in bezit gaan

nemen dat hij je voorouders heeft beloofd. Hij zal al je vijanden wegjagen zoals hij je heeft toegezegd.
Later zullen je kinderen je vragen: 'Wat is toch de zin van de grondwet, de andere wetten en de gedragsregels die de Heer, onze God, jullie heeft opgelegd?' Antwoord dan: 'Eens waren wij slaven van de farao, de koning van Egypte. Maar de Heer heeft ons uit Egypte weggehaald, krachtig greep hij in. Wij zagen met eigen ogen hoe hij grootse tekens en wonderen deed en Egypte, de farao en zijn hele hof te gronde richtte. Maar ons haalde hij daar weg. Hij wilde ons hier brengen en ons het land geven dat hij onze voorouders had beloofd. De Heer, onze God, gaf ons bevel al deze wetten in praktijk te brengen en hem zo onze eerbied te tonen. Dan zou het ons steeds goed gaan en zou hij ons in leven houden, zoals nu ook het geval is. Wij zullen door de Heer, onze God, worden aanvaard als wij al deze geboden stipt in praktijk brengen, zoals hij ons heeft bevolen.'

Deuteronomium 6:1-25

Geloofs-belijdenis

Binnenkort zul je het land binnentrekken dat de Heer, je God, je in eigendom wil geven. Wanneer je het in bezit hebt genomen en je er blijvend hebt gevestigd, maak dan een keus uit de beste producten van het land en neem er een mand vol van mee naar de plaats die hij uitkiest en waaraan hij zijn naam wil verbinden. Ga naar de priester die dan dienstdoet en zeg tegen hem: 'Ik wil vandaag tegenover de Heer, uw God, openlijk erkennen dat ik het land bereikt heb dat hij aan ons wilde geven, zoals hij onze voorouders had gezworen.' De priester zal de mand van je overnemen en hem voor het altaar neerzetten. Leg vervolgens tegenover de Heer, je God, de volgende plechtige verklaring af: 'Mijn voorvader, een Arameeër, leidde een zwervend bestaan. Hij trok met een klein aantal mensen naar Egypte en vestigde zich daar als vreemdeling. Zij waren klein in getal, maar zij groeiden uit tot een groot en sterk volk. De Egyptenaren behandelden ons slecht. Ze onderdrukten ons en legden ons zware arbeid op. Toen riepen wij de Heer, de God van onze voorouders, en hij luisterde naar ons. Hij zag hoe ellendig wij eraantoe waren en hoe zwaar wij onder het juk gebukt gingen. Toen haalde hij ons uit Egypte weg; hard trad hij op, krachtig greep hij in. Door zijn tekenen en wonderen joeg hij grote schrik aan. Hij leidde ons naar deze plaats en gaf ons dit land, een land van melk en honing. Daarom, Heer, heb ik van de grond die u mij hebt gegeven, de beste producten meegenomen.' Zet ze vervolgens neer voor de Heer, je God, en buig je voor hem in aanbidding neer. Richt een feestmaal aan van al het goede dat hij jou en je gezin heeft gegeven. Nodig hierbij ook de levieten en de vreemdelingen uit.

Deuteronomium 26:1-11

Een vrije keuze

Mozes vervolgde: 'Ik heb jullie de keus gegeven tussen zegen en vloek. Wanneer nu al die rampen je getroffen hebben en de Heer, je God, je her en der onder de volken heeft verspreid, kom dan tot bezinning. Als jullie en je nakomelingen bij hem terugkeren, naar hem luisteren en alle geboden met volle overtuiging in praktijk brengen, zal hij een wending brengen in je lot. Zoals hij jullie heeft uiteengejaagd waarheen dan ook, zo zal hij jullie ook weer bijeenbrengen. Ook al ben je verbannen naar de verste uithoek, waar hemel en aarde elkaar raken, dan nog zal hij je daar weghalen. Hij zal je terugbrengen naar het land dat eens het bezit was van je voorouders. Hij zal je welvaart schenken en een groot aantal kinderen, meer dan je voorouders ooit hebben gehad. Hij zal je hart gereedmaken voor zijn liefde, zowel bij jou als bij je nakomelingen: je zult met hart en ziel van hem houden en gelukkig leven. En op zijn bevel zullen al die genoemde vervloekingen zich keren tegen je gehate vijanden, tegen allen die jacht op je maakten. Voorwaarde is wel dat je weer luistert naar de Heer en dat je al zijn geboden in praktijk brengt. Dan zal hij je met alle goeds overladen; alles wat je onderneemt zal gelukken. Jullie vrouwen zullen zwanger zijn, je vee zal drachtig, je grond vruchtbaar zijn. Hij zal weer vreugde in je scheppen en goed voor je willen zijn zoals voor je voorouders. Maar nogmaals, op voorwaarde dat je met hart en ziel bij hem terugkeert, naar hem luistert en bereid bent de geboden en wetten na te komen die in dit wetboek staan opgetekend.
De wet die ik je vandaag opleg, gaat je krachten niet te boven en ligt niet buiten je bereik. Bevond die zich in de hemel of aan de overzijde van de oceaan, dan kon je zeggen: Als iemand hem gaat halen en hem aan ons bekendmaakt, dan voeren we hem wel uit. Maar wie klimt voor ons naar de hemel, wie steekt voor ons de oceaan over? Nee, hij ligt binnen je bereik en is uitvoerbaar: je kent hem uit je hoofd, je draagt hem in je hart.
Vandaag geef ik je de keus tussen leven en dood, tussen geluk en ongeluk. Als je je houdt aan de taak die ik je vandaag opleg, als je trouw blijft aan de Heer, je God, de wegen volgt die hij je wijst en zijn geboden, wetten en gedragsregels in acht neemt, dan zul je gelukkig leven in het land dat je in bezit gaat nemen; je zult in aantal toenemen en zijn zegen zal op je rusten. Als je echter de Heer de rug toekeert en niet naar hem luistert, maar je laat verleiden om je voor vreemde goden in aanbidding neer te bui-

gen, dan kondig ik je nu reeds de ondergang aan. Je zult in het land dat je aan de overzijde van de Jordaan in bezit gaat nemen, maar heel kort leven. Ik roep hemel en aarde op als mijn getuigen, vandaag geef ik je de keus tussen leven en dood, tussen zegen en vloek. Kies toch voor het leven: jullie en je nakomelingen zullen gelukkig zijn door trouw te blijven aan de Heer, je God, door naar hem te luisteren en hem je aanhankelijkheid te tonen. Dat is de waarborg voor een gelukkig leven en een langdurig verblijf in het land dat hij onder ede heeft beloofd aan je voorouders Abraham, Isaak en Jakob.'

Deuteronomium 30:1-20

Een boek om te horen

Mozes stelde deze wetgeving te boek en overhandigde de boekrol aan de levitische priesters, die de verbondskist moesten dragen, en aan de vertegenwoordigers van Israël. Hij gaf hun de volgende opdracht: 'Om de zeven jaar is er een jaar van algemene kwijtschelding. Tijdens het loofhuttenfeest van dat zevende jaar, wanneer de Israëlieten verschijnen voor de Heer, jullie God, op de door hem uitgekozen plaats, moeten jullie hun deze wetstekst voorlezen. Iedereen moet het kunnen verstaan. Roep heel het volk op, niet alleen de mannen, maar ook de vrouwen en de kinderen, en de vreemdelingen die in jullie steden wonen. Alleen door deze tekst te horen kunnen zij leren ontzag te hebben voor de Heer, jullie God; alleen dan zullen zij alle bepalingen uit deze wet nauwgezet in praktijk brengen. Dat geldt ook voor hun kinderen, die al deze gebeurtenissen niet hebben meegemaakt; alleen door deze tekst te horen, zullen zij leren ontzag te hebben voor de Heer, jullie God. Doe dat zolang je leeft in het land aan de overkant van de Jordaan, het land dat je nu in bezit gaat nemen.'

Deuteronomium 31:9-13

Het land in zicht

Vanuit de vlakte van Moab beklom Mozes de Nebo, een van de toppen van het Pisgagebergte dat ter hoogte van Jericho ligt. Vandaaraf liet de Heer hem het hele land zien: Gilead tot Dan toe, het hele gebied van Naftali, het gebied van Efraïm en Manasse, het gebied van Juda tot aan de Middellandse Zee, de Negebwoestijn en het Jordaandal bij de Palmstad Jericho tot aan Zoar. De Heer zei: 'Dit is nu het land waarover ik met Abraham, Isaak en Jakob heb gesproken. Hun beloofde ik: Jullie nakomelin-

gen zullen dit land van mij krijgen. Je hebt het nu kunnen zien, maar je mag er niet naartoe gaan.'
Daar in Moab stierf Mozes, de dienaar van de Heer, zoals de Heer gezegd had. Hij werd begraven in een dal in Moab tegenover Bet-Peor. Tot op heden kent niemand de plek waar hij begraven ligt. Toen Mozes stierf, was zijn gezichtsvermogen niet verzwakt en zijn levenskracht niet verminderd. Hij werd honderdtwintig jaar. De Israëlieten treurden in de vlakte van Moab om zijn dood en namen dertig dagen rouw in acht.
Mozes had Jozua, de zoon van Nun, de handen opgelegd, en daardoor was Jozua vervuld van geest en wijsheid. De Israëlieten gehoorzaamden hem en hielden zich daarmee aan de opdracht die de Heer hun door Mozes had gegeven.
In Israël is er nooit meer een profeet geweest als Mozes, niemand met wie de Heer zo vertrouwelijk omging. De Heer heeft niemand zulke machtige daden en wonderen laten doen als Mozes in zijn strijd tegen de farao, de koning van Egypte, tegen zijn hof en heel zijn volk. Niemand is voor de ogen van heel Israël ooit zo krachtig en indrukwekkend opgetreden.

Deuteronomium 34:1-12

Jozua

Overdracht van taken

Na de dood van zijn dienaar Mozes richtte de Heer zich tot Jozua, de zoon van Nun, die Mozes bij zijn werk had geholpen. Hij zei: 'Mijn dienaar Mozes is gestorven. Maak je nu klaar om hier met dit hele volk Israël de Jordaan over te steken naar het land dat ik hun geven zal. Elk stuk grond dat je betreedt, geef ik jullie. Dat heb ik Mozes beloofd. Jullie gebied zal zich uitstrekken van de woestijn in het zuiden tot aan de Libanon, ginds in het noorden. En het omvat het hele land van de Hethieten, van de grote rivier, de Eufraat, in het oosten tot aan de Middellandse Zee in het westen. Zolang je leeft, Jozua, kan geen van je vijanden het tegen je opnemen. Ik zal je helpen, zoals ik Mozes heb geholpen. Ik laat je nooit in de steek, altijd zal ik bij je blijven. Wees vastberaden en moedig, want onder jouw leiding zal dit volk het land in bezit nemen dat ik aan hun voorouders plechtig heb beloofd. Nogmaals, wees zeer vastberaden en moedig, en houd je aan de wetten die mijn dienaar Mozes je heeft voorgeschreven. Wijk daar geen duimbreed vanaf, dan zal alles wat je onderneemt, gelukken. Dat wetboek van Mozes moet je onophoudelijk overdenken, bestudeer het dag en nacht. Laat je leiden door alles wat erin geschreven staat, want dan zal het je voorspoedig gaan, je zult je doel bereiken. Vergeet niet wat ik je opgedragen heb: wees vastberaden en moedig! Laat je niet uit het veld slaan, laat je geen schrik aanjagen. Want ik, de Heer, je God, zal je helpen bij alles wat je onderneemt.'

Jozua 1:1-9

Een doodsbang land

Vanuit Sittim stuurde Jozua in het geheim twee verkenners naar Kanaän. Zij moesten vooral de situatie in Jericho opnemen. Toen ze in de stad gekomen waren, gingen ze naar het huis van een hoer die Rachab heette en brachten daar de nacht door. Maar de koning van Jericho werd gewaarschuwd: 'Er zijn vanavond mannen gekomen, Israëlieten, om het land te verkennen.' Daarop liet de koning aan Rachab zeggen: 'Lever die mannen uit die bij je binnengegaan zijn. Ze zijn hier gekomen om het hele land te verkennen!' Maar de vrouw verborg de beide mannen en antwoordde: 'Ja, er zijn hier een paar mannen geweest, maar waar

ze vandaan kwamen, ik weet het werkelijk niet. Toen het donker werd zijn ze vertrokken, nog voor de poort gesloten werd. Ik weet niet welke kant ze zijn opgegaan. Als jullie hen snel achternagaan, kun je hen nog inhalen.' Ze had de mannen naar het platte dak gebracht en hen verborgen tussen de vlasstengels die ze daar te drogen had gelegd.
De mannen van de koning verlieten de stad en onmiddellijk daarna werd de poort gesloten. Ze zochten de verkenners in de richting van de Jordaan tot aan de doorwaadbare plaatsen.
Nog voor de mannen gingen slapen, kwam Rachab bij hen op het dak en zei: 'Ik weet dat de Heer jullie dit land heeft gegeven. Wij hebben de schrik voor jullie te pakken gekregen en ook de andere bewoners van dit land zijn doodsbang. Want wij hebben gehoord dat de Heer de Rietzee voor jullie heeft drooggelegd toen jullie uit Egypte trokken. Ook hebben we gehoord wat jullie met Sichon en Og, de beide koningen van de Amorieten, gedaan hebben, hoe jullie hen aan de oostkant van de Jordaan volledig vernietigd hebben. Wij werden doodsbenauwd toen we dat hoorden en verloren alle moed. Want de Heer, jullie God, is God zowel boven in de hemel als beneden op de aarde. Zweer mij daarom in naam van de Heer dat jullie voor mijn familie even goed zullen zijn als ik voor jullie ben geweest. Dan heb ik een overtuigend bewijs dat jullie mijn vader en moeder, mijn broers en zusters en hun gezinnen zullen sparen. Red ons van de dood!'
De mannen antwoordden: 'We staan met ons leven voor jullie in als je niemand vertelt dat wij hier geweest zijn. Als de Heer ons dit land heeft gegeven, zullen we onze belofte nakomen en goed voor je zijn.' Toen liet Rachab de mannen met een touw door het raam naar beneden zakken. Haar huis was namelijk in de stadsmuur gebouwd. 'Ga de bergen in,' zei ze, 'dan zijn jullie veilig voor je achtervolgers. Houd je daar drie dagen schuil. Dan zijn zij weer terug en kunnen jullie verdergaan.' De mannen zeiden: 'We kunnen ons alleen houden aan de eed die we gezworen hebben, als je het volgende doet: Als wij straks het land binnenkomen, maak dan dit rode koord vast aan het raam waardoor je ons naar beneden hebt gelaten. Haal je vader en moeder, je broers en de rest van je familie bij je in huis. Als een van hen naar buiten gaat, is het zijn eigen schuld als hij wordt gedood. Wij zijn dan niet verantwoordelijk. Wordt echter iemand bij jou in huis gedood, dan is het onze schuld. Maar zodra je iemand vertelt dat wij hier geweest zijn, zijn we niet langer aan onze eed gebonden.' 'Ik ga ermee akkoord,' zei ze en ze liet hen vertrekken. Toen ze weg waren, bond ze het rode koord aan het venster.
De mannen trokken de bergen in en hielden zich daar drie dagen schuil tot hun achtervolgers waren teruggekeerd. Die hadden overal gezocht, maar geen spoor gevonden. Toen kwamen de beide mannen uit hun schuilplaats in de bergen, staken de Jordaan over en meldden zich bij Jozua. Ze vertelden wat ze hadden

meegemaakt en zeiden: 'De Heer heeft het hele land in onze macht gegeven; alle bewoners van het land zijn doodsbang voor ons.'

Jozua 2:1-24

Een oversteek te voet

De volgende morgen trok Jozua met alle Israëlieten al vroeg weg uit Sittim. Ze kwamen bij de Jordaan en bleven daar drie dagen voor ze aan de overtocht begonnen. De leiders gingen overal in het kamp rond. Zij gaven het volk deze opdracht: 'Als jullie zien dat de levitische priesters de verbondskist van de Heer, jullie God, dragen, breek dan het kamp op en trek erachteraan. Jullie zijn hier nooit eerder geweest, maar de verbondskist zal jullie de weg wijzen. Zorg wel dat er een afstand van ongeveer duizend meter tussen jullie en de verbondskist blijft. Kom niet te dicht in de buurt.'
Jozua zei tegen het volk: 'Morgen zal de Heer wonderen bij jullie doen. Bereid je voor op dit heilig gebeuren.' Tegen de priesters zei hij: 'Ga met de verbondskist voor het volk uit.' Zij namen de verbondskist op en gingen voor het volk uit.
De Heer zei tegen Jozua: 'Vanaf vandaag zal ik zorgen dat je bij alle Israëlieten in hoog aanzien komt te staan. Dan zullen ze inzien dat ik jou help zoals ik Mozes heb geholpen. Geef daarom de priesters het bevel om met de verbondskist in het water te gaan staan, zodra ze bij de oever van de Jordaan zijn gekomen.'
Toen zei Jozua tegen de Israëlieten: 'Kom dichterbij en luister naar wat de Heer, jullie God, te zeggen heeft. De verbondskist van de Heer, de heer van de hele aarde, zal voor jullie uitgaan, de Jordaan in. Daaraan kun je zien dat de levende God bij jullie is en dat hij de Kanaänieten, Hethieten, Chiwwieten, Perizzieten, Girgasieten, Amorieten en Jebusieten zeker zal verdrijven. Kies twaalf mannen uit, uit elke stam van Israël één. Zodra de priesters die de verbondskist dragen hun voeten in het water van de Jordaan zetten, zal het water dat stroomafwaarts komt, afgesneden worden en als een dam blijven staan.'
Toen het volk het tentenkamp opbrak om de Jordaan over te steken, gingen de priesters met de verbondskist voor het volk uit. Zoals elk jaar in de tijd van de voorjaarsoogst had de Jordaan haar hoogste peil bereikt. Maar zodra de priesters met hun voeten in het water kwamen, bleef het water stroomopwaarts staan. Heel in de verte bij Adam, de stad die vlak bij Saretan ligt, rees het water op als een dam. Daardoor werd het water dat naar de Dode Zee stroomde geheel afgesneden. Zo kon het volk bij Jericho de rivier oversteken. Terwijl de Israëlieten over droge grond de rivier overstaken, stonden de priesters met de verbondskist

onbeweeglijk op het droge stuk midden in de Jordaan. En zij bleven daar tot iedereen aan de overkant was.

Jozua 3:1-17

Een laatste oproep tot trouw

Na de verovering van Jericho valt Kanaän in de handen van de Israëlieten. Jozua verdeelt het land onder de twaalf stammen.

Jozua riep alle stammen van Israël bijeen in Sichem. Hij ontbood de leiders, familiehoofden, rechters en opzichters. Zij stelden zich op voor het heiligdom. Jozua zei tegen het volk: 'Dit zegt de Heer, de God van Israël: Jullie voorouders woonden lang geleden aan de overzijde van de Eufraat. Een van hen was Terach, de vader van Abraham en Nachor. Zij vereerden andere goden. Ik heb Abraham, jullie stamvader, daar weggehaald en hem door heel Kanaän laten trekken. Ik schonk hem een groot aantal nakomelingen. Ik gaf hem een zoon, Isaak. En Isaak gaf ik twee zonen, Jakob en Esau. Aan Esau gaf ik het Seïrgebergte in bezit, terwijl Jakob met zijn zonen naar Egypte trok. Later stuurde ik Mozes en Aäron. Ik strafte de Egyptenaren met zware plagen en haalde jullie daar weg. Ik leidde jullie voorouders uit Egypte. Maar toen ze bij de Rietzee gekomen waren, zagen ze dat de Egyptenaren hen achtervolgden met strijdwagens en ruiters. Jullie voorouders riepen mij te hulp en ik scheidde hen van de Egyptenaren door een donkere wolk. Op mijn bevel werden die door de zee verzwolgen. Jullie hebben met eigen ogen gezien hoe ik hen strafte. Toen zwierven jullie lange tijd door de woestijn. Ik bracht je naar het land van de Amorieten, die ten oosten van de Jordaan wonen. Zij vielen je aan, maar ik gaf jullie de overwinning. Ik vernietigde hen volledig en jullie namen hun land in bezit. Toen trok koning Balak van Moab, de zoon van Sippor, tegen jullie op. Hij liet Bileam, de zoon van Beor, halen om jullie te vervloeken. Maar omdat ik weigerde naar Bileam te luisteren, heeft hij jullie niet vervloekt maar juist gezegend. Zo redde ik jullie uit zijn macht. Toen jullie de Jordaan waren overgestoken bij Jericho, moest je het opnemen tegen de inwoners van die stad. En ook nog tegen de Amorieten, Perizzieten, Kanaänieten, Hethieten, Girgasieten, Chiwwieten en Jebusieten. Maar ik gaf jullie steeds de overwinning. Ik zaaide paniek onder hen zodat ze voor jullie op de vlucht sloegen, net zoals de beide koningen van de Amorieten. Zwaard en boog kwamen er niet aan te pas. Ik gaf je een land dat je niet hebt bewerkt, steden die je niet hebt gebouwd en waarin je toch kunt wonen. Jullie eten druiven en olijven, maar wijngaarden en olijfbomen heb je niet geplant.'

'Heb daarom ontzag voor de Heer,' vervolgde Jozua. 'Vereer hem oprecht en trouw. Doe de goden weg die je voorouders aan de overzijde van de Eufraat en in Egypte vereerden. Vereer alleen de Heer.
Wil je dat niet, kies dan nu wie je wilt vereren, de goden van je voorouders aan de overzijde van de Eufraat of de goden van dit land, de goden van de Amorieten. Maar ik en mijn familie, wij vereren de Heer!'
Toen antwoordde het volk: 'Wij denken er niet aan de Heer de rug toe te keren en andere goden te gaan vereren. De Heer is onze God. Hij heeft ons en onze voorouders uit Egypte, dat slavenoord, gehaald. Voor onze ogen heeft hij die machtige wonderen gedaan. We trokken dwars door het gebied van andere volken, maar hij heeft ons beschermd, waar we ook gingen. Hij verjoeg al die volken, net als de Amorieten, de bewoners van dit land. Ook wij zullen de Heer vereren. Hij is onze God!'
Maar Jozua zei: 'Daar zijn jullie niet toe in staat, want de Heer is een heilige God. Hij duldt geen andere goden naast zich. Hij vergeeft jullie je misdaden en zonden niet. Als jullie hem de rug toekeren en vreemde goden gaan vereren, zal hij zich tegen jullie richten. Dan straft en vernietigt hij jullie, ook al is hij jullie vroeger goedgezind geweest.'
'Wij zullen alleen de Heer vereren!' antwoordde het volk. Jozua zei: 'Jullie hebben er nu voor gekozen de Heer te vereren. Je bent er zelf getuige van.' 'Ja,' zeiden ze. 'Doe dan alle vreemde goden die je bezit, weg en richt je helemaal op de Heer, de God van Israël.' Het volk antwoordde: 'De Heer, onze God, zullen wij vereren en gehoorzamen.'
Op die dag sloot Jozua een verbond met het volk. Daar, in Sichem, gaf hij hun wetten en voorschriften. Hij schreef ze op in het wetboek van God. Onder de eik bij het heiligdom van de Heer richtte hij een grote steen op. Hij zei tegen het volk: 'Deze steen zal voor ons als een getuigezijn die alles heeft gehoord wat de Heer tegen ons heeft gezegd. De steen zal getuige blijven en zal voorkomen dat jullie God verloochenen.' Toen stuurde Jozua het volk naar huis, ieder naar zijn eigen gebied.
Enige tijd later stierf Jozua, de zoon van Nun, de dienaar van de Heer. Hij werd honderdtien jaar. Men begroef hem in zijn eigen gebied, in Timnat-Serach in het Efraïmgebergte, ten noorden van de Gaäsberg. Zolang Jozua had geleefd, vereerden de Israëlieten de Heer. En ook daarna deden ze dat, zolang de leiders nog in leven waren die zelf hadden meegemaakt wat de Heer voor de Israëlieten had gedaan.
Het lichaam van Jozef, dat de Israëlieten uit Egypte hadden meegevoerd, werd in Sichem begraven. De nakomelingen van Jozef hadden daar een stuk land in bezit, het land dat Jakob indertijd voor een aanzienlijk bedrag had gekocht van de zonen van Hemor, de vader van Sichem.

Ook Eleazar, de zoon van Aäron, stierf. Men begroef hem in het Efraïmgebergte, op de heuvel die het eigendom was van zijn zoon Pinechas.

Jozua 24:1-33

Rechters

Een slagvaardige profetes

Na de dood van Jozua blijven de Israëlieten niet steeds trouw aan de Heer, en worden ze door de volken onderdrukt. Van tijd tot tijd zorgt de Heer dan voor 'rechters'. Dat zijn mannen of vrouwen die rechtspreken en het volk leiding geven. Zo hielp Ehud uit de stam Benjamin de Israëlieten tegen de koning van Moab.

Na de dood van Ehud deden de Israëlieten opnieuw wat in strijd is met de wil van de Heer. Daarom leverde hij hen over aan Jabin, de koning van Kanaän, die regeerde in Hasor; zijn legeraanvoerder heette Sisera en woonde in Charoset-Haggojim. Jabin had negenhonderd ijzeren strijdwagens en met ijzeren vuist heerste hij over de Israëlieten, twintig jaar lang. Toen schreeuwden zij het uit tot de Heer.
In die tijd was Debora, de vrouw van Lappidot, profetes; zij handhaafde voor de Israëlieten recht en wet. Ze zat meestal onder de Debora-palm, in het bergland van Efraïm, tussen Rama en Betel; daar gingen de Israëlieten naar toe om hun vragen aan haar voor te leggen.
Zij liet Barak, de zoon van Abinoam, bij zich komen uit Kedes in Naftali, en zei tegen hem: 'Dit is het bevel van de Heer, de God van Israël: Ruk uit met tienduizend man uit de stammen Naftali en Zebulon naar de berg Tabor. Ik zal ervoor zorgen dat Sisera, de legeraanvoerder van Jabin, met zijn strijdwagens en zijn troepen tegen u uitrukt. Bij de beek Kison zal ik hem in uw macht geven.' Maar Barak antwoordde: 'Ik ga alleen als u meegaat. Als u niet meegaat, ga ik ook niet.' 'Goed,' zei Debora, 'ik ga mee; maar het succes van deze onderneming zal niet op uw naam komen te staan: de Heer zal Sisera uitleveren aan een vrouw.' En zij ging met Barak op weg naar Kedes. Toen riep Barak de mannen van Zebulon en Naftali op om naar Kedes te gaan; tienduizend man sloten zich bij hem aan en ook Debora ging mee. In de omgeving van Kedes, bij de eik van Saännaïm, had de Keniet Cheber zijn tenten opgezet; hij was weggetrokken van de andere Kenieten, die afstamden van Chobab, de zwager van Mozes.
Intussen bereikte Sisera het bericht dat Barak, de zoon van Abinoam, was opgerukt naar de berg Tabor. Sisera liet vanuit Charoset-Haggojim al zijn ijzeren strijdwagens, negenhonderd in totaal, en al zijn beschikbare troepen uitrukken naar de beek Kison. Toen zei Debora tegen Barak: 'Eropaf! De Heer zal vandaag Sisera

in uw macht geven. Hijzelf gaat voor u uit in de strijd.' En Barak daalde met zijn tienduizend man af van de Tabor. Toen het tot een gewapend treffen kwam, bracht God Sisera met al zijn wagens en zijn hele leger zo in paniek dat ze voor Barak op de vlucht sloegen. Sisera sprong van zijn wagen en vluchtte te voet weg. Barak achtervolgde de wagens en het leger van Sisera tot in Charoset-Haggojim. Heel het leger werd verslagen, niemands leven werd gespaard.
Sisera vluchtte naar de tent van Jaël, de vrouw van de Keniet Cheber, want er bestond vriendschap tussen Jabin, de koning van Hasor, en deze Kenitische familie. Jaël kwam haar tent uit en liep Sisera tegemoet. 'Komt u toch binnen,' zei ze, 'kom toch binnen in mijn tent. Uhoeft niet bang te zijn!' Hij ging haar tent binnen en zij verborg hem achter een gordijn. 'Geef me wat water,' vroeg hij, 'ik heb dorst.' Zij maakte een leren zak met melk open, liet hem drinken en verborg hem weer. Hij zei: 'Ga voor de ingang van de tent staan. Als er iemand aan komt die u vraagt of er iemand binnen is, zeg dan van niet.' Doodmoe als hij was viel Sisera in slaap. Toen nam Jaël een tentpin, pakte een hamer en ging zachtjes op hem af. Ze sloeg de pin dwars door zijn hoofd de grond in; hij was op slag dood.
Daar zag ze Barak aan komen, op jacht naar Sisera. Jaël kwam haar tent uit en liep hem tegemoet. 'Kom mee,' zei ze, 'ik zal u de man wijzen naar wie u zoekt.' Hij ging haar tent binnen: daar lag Sisera, dood, met de pin door zijn slapen. Op die dag dwong God Jabin, de koning van Kanaän, Israël als zijn meerdere te erkennen. Steeds heftiger werd het verzet van de Israëlieten tegen koning Jabin van Kanaän, totdat ze zijn macht hadden gebroken.

Rechters 4:1-24

Een kind van beloften

Opnieuw deden de Israëlieten wat in strijd is met de wil van de Heer. Toen gaf de Heer hen in de macht van de Filistijnen, veertig jaar lang.
In die tijd woonde er in de stad Sora een man die tot de stam Dan behoorde: Manoach heette hij. Zijn vrouw was onvruchtbaar, ze had nooit kinderen gekregen. De engel van de Heer verscheen aan haar en zei: 'U bent altijd onvruchtbaar geweest en hebt nooit kinderen gekregen, maar nu zult u zwanger worden en een zoon ter wereld brengen. Let er daarom goed op, dat u volstrekt geen wijn drinkt en niets eet wat de Heer verboden heeft. Want werkelijk, u zult zwanger worden en een zoon ter wereld brengen. Nooit mag een scheermes zijn hoofd aanraken: als nazireeër zal hij God zijn toegewijd, vanaf zijn geboorte. Hij zal een begin maken met de bevrijding van Israël uit de greep van de

Filistijnen.' Dit ging ze aan haar man vertellen: 'Er is een man bij mij gekomen die van God kwam, tenminste, hij leek op een engel van God; angstig was het! Ik heb hem niet durven vragen waar hij vandaan kwam en hij heeft mij ook niet verteld hoe hij heette. Maar hij zei: U zult zwanger worden en een zoon ter wereld brengen! Drink daarom volstrekt geen wijn en eet niets wat de Heer verboden heeft, want de jongen zal God zijn toegewijd als nazireeër, zijn leven lang.'
Toen bad Manoach: 'Heer, laat de man die u hebt gestuurd, nog eens bij ons komen. Dan kan hij aanwijzingen geven over wat ons te doen staat wanneer de jongen eenmaal is geboren.' En God verhoorde dit gebed: opnieuw kwam de engel bij de vrouw. Ze was op het veld, terwijl Manoach niet bij haar was. Onmiddellijk haastte zij zich naar haar man om het hem te vertellen. 'Hij is er weer,' zei ze, 'die man die toen bij me is gekomen! Manoach ging mee, achter haar aan. Zo kwam hij bij de man en vroeg hem: 'Bent u degene die toen tegen mijn vrouw heeft gesproken?' 'Inderdaad,' antwoordde hij. Toen zei Manoach: 'Als gebeurt wat u hebt toegezegd, waaraan moet de jongen zich dan houden? Wat mag hij doen, wat moet hij laten?' De engel van de Heer antwoordde: 'Uw vrouw moet er goed op letten dat ze zich houdt aan alles wat ik haar heb gezegd. Wat van de wijnstok komt, mag ze niet eten; wijn mag ze volstrekt niet drinken; wat de Heer verboden heeft, mag ze niet eten. Hieraan heeft zij zich te houden.' Omdat Manoach niet besefte dat die man de engel van de Heer was, vroeg hij: 'Mijn vrouw en ik willen graag dat u nog wat blijft. Dan kunnen we een geitenbokje voor u klaarmaken.' Maar de engel antwoordde: 'Omdat u het vraagt, wil ik wel blijven, maar van uw voedsel eet ik niets. Als u iets wilt klaarmaken, offer het dan als een brandoffer aan de Heer.' Daarna vroeg Manoach: 'Hoe is uw naam? Dan weten wij wie we dankbaar moeten zijn, als gebeurt wat u hebt toegezegd.' 'Waarom wilt u mijn naam weten?' antwoordde de engel. 'Dat gaat uw verstand toch te boven.'
Manoach nam een geitenbokje met wat meel en offerde dat op een rotsblok als een brandoffer aan de Heer. Voor de ogen van Manoach en zijn vrouw deed de engel toen iets wat hun verstand te boven ging: in de oplaaiende vlammen van het altaar steeg hij omhoog. Toen Manoach en zijn vrouw dat zagen, wierpen zij zich languit op de grond. Maar de engel liet zich niet meer zien. Op dat moment drong het tot Manoach door dat het de engel van de Heer geweest moest zijn. Tegen zijn vrouw zei hij: 'Wij zullen sterven, want we hebben God gezien!' Maar zij antwoordde: 'Als de Heer ons werkelijk had willen doden, dan had hij ons offer niet aanvaard; evenmin had hij ons dan dit alles laten zien en ons juist nu deze beloften gedaan.'
De vrouw bracht een zoon ter wereld en noemde hem Simson. De jongen groeide op en de Heer zegende hem. De geest van de

Heer zette hem voor het eerst tot daden aan in Machane-Dan, een plaats tussen Sora en Estaol.

Rechters 13:1-25

Verliefd en verloren

Op een keer ging Simson naar Timna. Daar viel zijn oog op een van de Filistijnse meisjes. Toen hij thuiskwam, vertelde hij aan zijn ouders: 'Ik heb daar in Timna een Filistijns meisje gezien. Ga haar vader maar om haar hand vragen, want met haar wil ik trouwen.' Maar zijn ouders zeiden tegen hem: 'Waarom moet je naar die onbesneden Filistijnen gaan? Je kunt toch wel een vrouw vinden onder je familieleden of tenminste onder ons eigen volk?' 'Nee,' antwoordde Simson zijn vader, 'dit meisje moet u vragen; ik ben weg van haar!' Zijn ouders wisten niet dat de Heer dit zo wilde, omdat hij een aanleiding zocht voor de strijd tegen de Filistijnen. Die waren op dat moment heer en meester over Israël.
Zo ging Simson met zijn ouders naar Timna. Onderweg, in een van de wijngaarden bij Timna, stoof een jonge leeuw brullend op hem af. Toen gaf de geest van de Heer hem geweldige kracht: met zijn blote handen scheurde hij de leeuw uiteen alsof het een geitenbokje was. Tegen zijn ouders repte hij er met geen woord over. Hij vervolgde zijn weg en sprak met het meisje, en hij was weg van haar. Niet lang daarna maakte hij de reis opnieuw, nu om met het meisje te gaan trouwen. Hij ging even de weg af om naar de dode leeuw te kijken. Tot zijn verrassing trof hij in het kadaver een bijenzwerm aan, en honing. Met handen vol honing liep hij al etend verder. Toen hij weer bij zijn ouders kwam, gaf hij hun er ook wat van. Maar hij vertelde er niet bij dat hij de honing uit het kadaver van de leeuw had gehaald.
Daarna ging hij met zijn vader naar het ouderlijk huis van het meisje. Daar gaf hij, zoals alle jongemannen dat in die tijd deden, een feest. Nadat haar familieleden met Simson hadden kennisgemaakt, kozen ze dertig leeftijdgenoten uit om hem tijdens het feest gezelschap te houden. Simson zei tegen hen: 'Ik zal jullie eens een raadsel opgeven. Als jullie mij binnen de zeven dagen van dit feest de oplossing kunnen vertellen, krijgt ieder van jullie een stel onder- en bovenkleren van mij. Maar als het jullie niet lukt, dan krijg ik een stel onder- en bovenkleren van ieder van jullie.' 'Akkoord,' antwoordden zij, 'laat je raadsel maar horen.'
Toen vroeg Simson aan hen:
'Het is sterk en het verslindt altijd,
nu biedt het een maaltijd van zoetigheid.'
Drie dagen later waren ze er nog niet achter. Daarom zeiden ze op de vierde dag tegen Simsons vrouw: 'Jij moet de oplossing van

je man zien los te krijgen, zodat wij die te weten komen. Doe je dat niet, dan verbranden we jou en je hele familie. We laten ons hier niet uitnodigen om straatarm te worden!' In tranen kwam Simsons vrouw bij hem en zei: 'Je houdt niet van me! Je wilt eigenlijk niets van mij weten. Je hebt mij niet eens de oplossing verteld van het raadsel dat je aan mijn vrienden hier in Timna hebt opgegeven.' 'Maar die heb ik zelfs aan mijn ouders niet verteld,' antwoordde Simson. 'Waarom moet ik die dan aan jou vertellen?' Onder tranen bleef zij de rest van de feestweek bij hem aandringen. Tenslotte, op de zevende dag, kon Simson er niet langer meer tegen en vertelde haar de oplossing. En zij vertelde die door aan haar vrienden. Nog voordat die dag de zon was ondergegaan, zeiden die mannen uit Timna tegen Simson:
'Wat is zoeter dan honing,
wat is sterker dan een leeuw?'
Maar hij zei: 'Als jullie mijn vrouw niet in de arm hadden genomen, hadden jullie mijn raadsel nooit opgelost!' Toen gaf de geest van de Heer hem geweldige kracht: hij ging naar Askelon en sloeg daar dertig mannen neer; hun kleren gaf hij aan de mannen die zijn raadsel hadden opgelost. Woedend keerde Simson terug naar zijn ouderlijk huis. Zijn vrouw werd gegeven aan een van de dertig jongemannen die hem gezelschap hadden gehouden.
Niet lang daarna, tijdens de tarweoogst, wilde Simson aan zijn vrouw een bezoek brengen; hij had een geitenbokje voor haar meegenomen. 'Ik wil graag mijn vrouw opzoeken in haar eigen vertrek,' zei hij tegen haar vader. Maar deze weigerde hem de toegang. 'Ik was er stellig van overtuigd dat je niets meer van haar wilde weten,' zei hij tegen Simson. 'Daarom heb ik haar aan een van de jongemannen uit je gezelschap gegeven. Maar haar zusje is nog knapper dan zij. Waarom zou je haar niet nemen?' Daarop antwoordde Simson: 'Jullie Filistijnen kunnen mij niet aansprakelijk stellen voor wat ik nu ga doen!' Hij ging weg en ving driehonderd vossen. Die bond hij twee aan twee met de staarten aan elkaar en stak in elke knoop een fakkel. De fakkels stak hij in brand en hij joeg de vossen de korenvelden in. Zo zette hij alles in brand: niet alleen de korenschoven, maar ook al het staande koren, tot zelfs wijngaarden en olijfgaarden toe. 'Wie zou dit gedaan hebben?' vroegen de Filistijnen. Ze kwamen erachter dat Simson het had gedaan, omdat zijn schoonvader hem zijn vrouw had afgenomen en aan een ander had gegeven. Ze gingen naar Timna en verbrandden Simsons vrouw en haar vader. Toen zei Simson: 'Als jullie Filistijnen zo doen, kan ik het ook! Ik gun me geen rust voordat ik jullie met gelijke munt heb betaald.' Hij sloeg er op los en maakte talloze slachtoffers. Daarna trok hij zich terug in een rotskloof bij Etam.

Rechters 14:1-15:8

Ontketende krachten

De Filistijnen vielen Juda binnen, sloegen er hun kamp op en deden een plotselinge aanval op de stad Lechi. De Judeeërs vroegen hun waarom ze hun land waren binnengevallen. Als antwoord kregen ze te horen: 'We zijn hier gekomen om Simson in de boeien te slaan. We zullen hem betaald zetten wat hij ons heeft aangedaan!'
Toen gingen drieduizend Judeeërs naar de rotskloof bij Etam en zeiden tegen Simson: 'U weet toch dat de Filistijnen heer en meester over ons zijn? Waarom brengt u ons dan in moeilijkheden?' 'Ik heb hun alleen maar betaald gezet wat ze mij hebben aangedaan,' antwoordde hij.
Toen zeiden zij: 'Wij zijn hier gekomen om u in de boeien te slaan en u uit te leveren aan de Filistijnen.' 'Geef mij dan wel de verzekering dat jullie mij niet zelf zullen neerstoten,' antwoordde Simson. 'Nee,' zeiden ze, 'wij zijn hier alleen maar om u in de boeien te slaan en u uit te leveren, van doodslaan is geen sprake.' Ze boeiden hem met twee nieuwe touwen en leidden hem weg, de rotskloof uit. In de buurt van Lechi gekomen, kwamen de Filistijnen al schreeuwend op Simson af. Toen gaf de geest van de Heer hem geweldige kracht: moeiteloos trok hij de touwen waarmee zijn armen en polsen waren vastgebonden, stuk als vlasdraad dat wegschroeit in het vuur. Er lag daar een nog harde ezelskaak; die raapte Simson op en daarmee sloeg hij wel duizend Filistijnen dood. Toen zong Simson:
'Met een ezelskaak
heb ik ze neergeslagen,
wel duizend heb ik er opgestapeld
met één zo'n ezelskaak.'
Hierna gooide hij de kaak weg. Hij noemde die plaats Ramat-Lechi: Kaakheuvel.
Omdat Simson erge dorst had gekregen, riep hij tot de Heer en zei: 'Aan u, Heer, heb ik deze geweldige overwinning te danken. Moet ik nu van dorst sterven en in handen vallen van die onbesneden Filistijnen?' Toen liet God daar in het Keteldal bij Lechi de grond splijten en er kwam water uit. Nadat Simson ervan gedronken had, keerden zijn krachten terug en leefde hij weer op. Daarom noemde hij die bron En-Hakkore: Bron van de roeper. Tot op vandaag kan men die in de buurt van Lechi vinden.
Tijdens die Filistijnse overheersing gaf Simson leiding aan Israël, twintig jaar.
Op een keer ging Simson naar Gaza. Daar zag hij een hoer en hij ging bij haar naar binnen. De inwoners van Gaza kwamen erachter dat Simson in de stad was. Ze omsingelden het huis en zetten die hele nacht extra mannen op wacht bij de stadspoort. Verder deden ze nog niets, omdat ze dachten: 'We wachten wel tot het licht wordt en dan vermoorden we hem.' Tot middernacht bleef

Simson slapen, toen stond hij op. Hij greep de beide deuren van de stadspoort vast, tegelijk met de beide deurposten, en rukte ze los, met sluitbalk en al. Het hele gevaarte nam hij op de schouders en droeg het weg, helemaal naar een van de bergtoppen tegenover Hebron.

Rechters 15:9-16:3

Liefde maakt blind

Een poosje later werd Simson verliefd op een Filistijnse vrouw in het dal van de Sorek; Delila heette ze. Toen gingen de Filistijnse stadskoningen naar haar toe en zeiden: 'Probeer van hem te weten te komen hoe het komt dat hij zo geweldig sterk is en hoe we hem kunnen overmeesteren; dan kunnen we hem in de boeien slaan en is zijn macht gebroken. Van elk van ons krijgt u meer dan elfhonderd zilverstukken.' Delila vroeg dan ook aan Simson: 'Zeg, vertel me eens, hoe komt het toch dat je zo geweldig sterk bent? Als iemand jou machteloos zou willen maken, wat voor boeien moet hij dan wel niet gebruiken?' Simson antwoordde: 'Als ik word gebonden met zeven verse pezen, die nog niet zijn uitgedroogd, dan ben ik even zwak als ieder ander.' De Filistijnse stadskoningen lieten zulke pezen bij Delila bezorgen en zij bond de slapende Simson ermee vast. Terwijl in het aangrenzende vertrek een aantal Filistijnen gespannen zat te wachten, riep Delila Simson toe: 'Simson, daar heb je de Filistijnen!' Maar hij scheurde de pezen stuk: ze knapten af als een vlastouw dat te dicht bij het vuur komt. Zo kwamen ze er niet achter wat de oorzaak van zijn kracht was.
'Je hebt me voor de gek gehouden,' zei Delila tegen Simson, 'je hebt me afgescheept met leugens. Toe, vertel me nu eens hoe iemand jou zou kunnen binden.' Hij antwoordde: 'Als ik stevig word gebonden met nieuwe touwen, die nog nooit zijn gebruikt, dan ben ik even zwak als ieder ander.' Toen nam Delila nieuwe touwen en bond hem daarmee vast. Terwijl de Filistijnen gespannen zaten te wachten in het aangrenzende vertrek, riep zij: 'Simson, daar heb je de Filistijnen!' Maar hij rukte de touwen van zijn armen alsof het draadjes waren.
'Je doet niet anders dan mij voor de gek houden,' zei Delila, 'en je scheept me af met leugens. Vertel me nu toch eens hoe iemand jou zou kunnen binden.' 'Je moet mijn zeven haarvlechten inweven in een weefgetouw,' antwoordde hij, 'en de schering stevig vastzetten met een pin.' Nadat Delila dit gedaan had, riep ze: 'Simson, daar heb je de Filistijnen!' Maar uit zijn slaap ontwaakt, rukte hij de pin los met schering en al.
'Je zegt wel dat je van mij houdt,' zei Delila, 'maar in je hart meen je er niets van. Je hebt me nu al drie keer voor de gek

gehouden en mij nog steeds niet verteld hoe het komt dat je zo geweldig sterk bent.' Zo bleef ze maar vragen en aandringen, dag in dag uit. Tenslotte kon hij er niet langer meer tegen; hij vertelde haar alles. 'Nog nooit,' zei hij, 'is er een scheermes op mijn hoofd geweest, omdat ik God ben toegewijd als nazireeër, van klein kind af aan. Als mijn haren worden afgeschoren, verlies ik mijn kracht en ben ik even zwak als ieder ander.' Delila voelde dat hij haar de waarheid had verteld. Ze liet de Filistijnse stadskoningen berichten: 'Nu moet u komen, hij heeft mij alles verteld!' Zij kwamen en brachten het geld voor haar mee. Delila liet Simson inslapen op haar schoot. Toen liet ze iemand komen om zijn zeven haarvlechten af te scheren. Zo kreeg zij Simson in bedwang, want zijn kracht was hij kwijtgeraakt. 'Simson,' riep ze, 'daar heb je de Filistijnen!' Hij werd wakker en dacht: 'Hier red ik me wel uit, ik schud ze wel van me af, net als anders.' Maar hij wist niet dat hij het nu zonder de hulp van de Heer moest stellen. De Filistijnen namen hem gevangen en staken hem de ogen uit; ze brachten hem naar Gaza en legden hem aan twee bronzen kettingen. In de gevangenis werd hij aan het meel malen gezet. Wel begon zijn hoofdhaar onmiddellijk weer aan te groeien.

Rechters 16:4-22

Te vroeg gejuicht

Hierna hielden de Filistijnse stadskoningen een groot offerfeest voor hun god Dagon. Want ze zeiden: 'Onze god gaf Simson, onze vijand, in onze macht!' Toen de mensen Simson zagen, juichten ze: 'Onze god gaf hem in onze macht, onze vijand, de verwoester van ons land, die zoveel slachtoffers heeft gemaakt!' In een vrolijke stemming gekomen, zeiden ze: 'Als we Simson eens hier haalden, dan kunnen we om hem lachen.' Ze lieten hem uit de gevangenis halen, tot vermaak van iedereen. Toen men hem tussen de pilaren opstelde, zei Simson tegen de jongen die hem daarheen leidde: 'Laat mij de pilaren betasten waarop de tempel rust; dan kan ik me daaraan vasthouden.' De tempel was vol mannen en vrouwen; ook de vijf Filistijnse stadskoningen waren er; op het dak alleen al bevonden zich wel drieduizend mannen en vrouwen, die met leedvermaak naar Simson keken.
Toen riep Simson tot de Heer: 'Heer, denk toch aan mij. O God, geef me nog één keer mijn kracht terug om met één slag mijn beide ogen op de Filistijnen te wreken.' Daarop greep Simson de twee middelste pilaren vast, waar de hele tempel op rustte. Met zijn rechterhand tegen de ene en zijn linker tegen de andere, zette hij zich schrap en riep uit: 'Mijn dood zal de dood van de Filistijnen zijn.' Uit alle macht duwde hij en de tempel stortte in,

boven op de stadskoningen en alle andere aanwezigen. Zo maakte Simson bij zijn dood meer slachtoffers dan tijdens heel zijn leven.
Zijn broers en zijn verdere familie kwamen en haalden zijn lichaam weg; ze begroeven hem in het graf van zijn vader Manoach, tussen Sora en Estaol. Twintig jaar had Simson leiding gegeven aan Israël.

Rechters 16:23-31

Ruth

Mee terug naar Israël

In de tijd dat de rechters Israël bestuurden, kwam er hongersnood in het land. Daarom vertrok een zekere Elimelek uit Betlehem, dat in de streek Efrata in Juda ligt, naar het buitenland, naar de hoogvlakte van Moab. Daar bleef hij een tijdlang wonen met zijn vrouw Noömi en hun twee zonen Machlon en Kiljon. Toen Elimelek stierf, bleef zijn vrouw alleen achter met haar twee zonen. Beide zonen trouwden met meisjes uit Moab; het ene meisje heette Orpa, het andere Ruth. Ze woonden er ongeveer tien jaar toen ook Machlon en Kiljon stierven. Noömi bleef helemaal alleen achter: behalve haar man had ze nu ook haar kinderen verloren.
Toen Noömi in Moab hoorde dat de Heer zich het lot van zijn volk had aangetrokken en hun weer te eten had gegeven, maakte zij zich gereed om terug te keren naar Juda. Samen met haar beide schoondochters verliet ze de plaats waar zij al die tijd geweest was. Onderweg zei Noömi tegen hen: 'Gaan jullie nu maar terug naar het huis van je moeder. Ik hoop dat de Heer net zo goed voor jullie zal zijn als jullie voor mijn gestorven zonen en voor mij zijn geweest. Ook hoop ik dat hij ervoor zorgt dat jullie allebei weer een man en een thuis zullen vinden.' Toen kuste zij haar beide schoondochters ten afscheid. Maar die barstten in tranen uit en zeiden: 'Nee, we gaan met u mee naar uw volk.' 'Lieve kinderen,' zei Noömi, 'ga toch terug! Waarom zouden jullie met mij meegaan? Kan ik soms nog zonen krijgen, met wie jullie zouden kunnen trouwen? Werkelijk, jullie moeten teruggaan, ik ben te oud om opnieuw te trouwen. Ook al houd ik mezelf voor dat er nog hoop is en al zou ik vannacht nog met een man slapen, al zou ik nog kinderen krijgen, zouden jullie kunnen wachten tot ze volwassen zijn? Zouden jullie zo lang zonder man kunnen? Welnee, kinderen... onmogelijk! Jullie lot is bitter, maar het mijne nog meer, want de Heer heeft zich tegen mij gekeerd.'
Opnieuw barstten ze in tranen uit. Orpa kuste haar schoonmoeder ten afscheid, maar Ruth kon zich niet van haar losmaken. 'Je schoonzuster gaat terug naar haar volk en haar god,' zei Noömi. 'Ga toch met haar mee!' Maar Ruth antwoordde: 'Dring niet langer aan, ik laat u beslist niet in de steek. Waar u ook heen gaat, ik ga met u mee. Waar u woont, wil ik ook wonen. Bij uw volk wil ik horen en uw God wil ik dienen. Waar u zult sterven, wil ik ook sterven en daar begraven worden. De Heer mag me zwaar straf-

fen, als ik mij door iets anders dan de dood van u laat scheiden.' Toen Noömi zag dat Ruth vastbesloten was met haar mee te gaan, zweeg ze.
Samen gingen ze verder tot ze Betlehem bereikten. Door hun komst raakte de hele stad in rep en roer. 'Is dat werkelijk Noömi?' vroegen de vrouwen. Maar Noömi zei: 'Jullie moeten me niet Noömi: De Gelukkige noemen, maar Mara: De Verbitterde, want de machtige God heeft mij zeer bitter gestemd. Toen ik hier wegging had ik alles, maar met lege handen heeft hij me hier teruggebracht. Waarom zouden jullie mij nog gelukkig noemen, want de machtige Heer heeft zich tegen mij gekeerd en door hem ben ik er nu ellendig aan toe.'
Zo keerde Noömi terug uit Moab samen met haar Moabitische schoondochter Ruth. Hun komst in Betlehem viel samen met het begin van de gersteoogst.

Ruth 1:1-22

Een royaal brood-heer

Nu was Noömi van de kant van haar man Elimelek nog familie van een zekere Boaz, een invloedrijk man. Op een dag zei Ruth tegen Noömi: 'Als u het goedvindt, zal ik naar het land gaan. Er is daar vast wel iemand die mij toestemming geeft aren te rapen.' 'Ga maar, kind,' zei Noömi. Ruth ging dus naar een korenveld om aren te rapen, achter de maaiers aan. Ze had het geluk dat ze op een stuk land kwam dat eigendom was van Boaz, de man uit Elimeleks familie.
Enige tijd later kwam Boaz zelf uit Betlehem en groette de maaiers: 'De Heer zal jullie helpen.' Zij riepen terug: 'De Heer zal u zegenen.' Hij vroeg aan een van zijn arbeiders, die toezicht hield op de maaiers: 'Bij wie hoort die jonge vrouw daar?' 'Dat is de vrouw die met Noömi meegekomen is uit Moab,' antwoordde hij. 'Ze vroeg me of ze achter de maaiers aan mocht gaan om aren te rapen. Vanaf vanmorgen vroeg werkt ze hier nu al, ze heeft zich geen ogenblik rust gegund.' Toen zei Boaz tegen Ruth: 'Luister eens, je moet niet weggaan om aren te gaan rapen op het veld van een ander. Sluit je maar aan bij de vrouwen die hier werken. Blijf bij hen in de buurt en kijk goed waar de maaiers bezig zijn. Mijn arbeiders heb ik opdracht gegeven je niet lastig te vallen; en als je dorst hebt, ga dan rustig wat water drinken uit de kruiken die zij gevuld hebben.' Ruth maakte een diepe buiging en zei: 'Waarom bent u zo goed voor mij? Waarom kijkt u naar mij om? Ik ben een buitenlandse vrouw.' 'Ik heb gehoord,' antwoordde Boaz, 'wat je allemaal voor je schoonmoeder hebt gedaan na de dood van je man. Je hebt je vader, je moeder en je geboorte-

land achtergelaten om naar een volk te gaan dat je nog helemaal niet kende. Laat de Heer, de God van Israël, je belonen voor wat je hebt gedaan. Laat hij je rijkelijk belonen. Bij hem heb je immers bescherming gezocht.' 'Mijn heer,' antwoordde Ruth, 'u bent wel bijzonder goed voor mij. Ik ben niet eens bij u in dienst en toch stelt u mij gerust door vriendelijk met me te praten.'
Toen het etenstijd was, zei Boaz tegen haar: 'Kom erbij zitten en eet met ons mee; doop het brood maar in de wijn.' Zij ging bij de maaiers zitten en Boaz gaf haar geroosterd koren aan. Ze at er zoveel van als ze kon en hield nog over ook.
Toen ze weer aan het werk was gegaan, gaf Boaz zijn mannen de opdracht: 'Laat haar ook tussen de schoven zoeken. Val haar niet lastig! Jullie kunnen haar zelfs een handje helpen door af en toe wat halmen uit de schoven te trekken en die voor haar te laten vallen. Snauw haar niet af, wanneer ze die opraapt.' Zo bleef Ruth tot de avond aren rapen op het land. Toen ze de aren had uitgeklopt, bleek dat ze wel dertig kilo gerst had. Ze nam die mee naar de stad en haar schoonmoeder zag wat ze verzameld had. Ook haalde Ruth de rest van het middagmaal tevoorschijn. 'Waar heb je vandaag aren geraapt?' vroeg Noömi. 'Bij wie heb je gewerkt? God zal de man zegenen die naar je heeft omgekeken.' Toen vertelde Ruth dat ze die dag gewerkt had bij een zekere Boaz. 'Moge de Heer, die trouw blijft aan de levenden en aan de doden, hem zegenen,' zei Noömi. 'Die man is nauw aan ons verwant, hij is een van degenen die als familielid verplicht zijn voor ons te zorgen.' 'Hij heeft me ook nog gezegd dat ik bij zijn arbeiders mag blijven werken tot ze helemaal klaar zijn met de oogst,' zei Ruth. 'Het is inderdaad maar het beste, kind, dat je optrekt met de vrouwen die bij hem in dienst zijn,' zei Noömi. 'Op het land van een ander zouden ze je wel eens lastig kunnen vallen.'
Ruth bleef bij de vrouwen die op het land van Boaz werkten en raapte er aren tot het einde van de gerste- en tarweoogst. Al die tijd bleef ze bij haar schoonmoeder in huis.

Ruth 2:1-23

Thuis op de dorsvloer

Op een dag zei Noömi tegen Ruth: 'Kind, ik moet zien dat ik een thuis voor je vind, waar je gelukkig kunt zijn. Je weet dat Boaz, bij wie je met de andere vrouwen op het land hebt gewerkt, een familielid van ons is. Vanavond gaat hij naar de dorsvloer om de gerst van het kaf te zuiveren. Neem een bad, maak je op, trek andere kleren aan en ga ook naar de dorsvloer. Laat hem vooral niet merken dat je er bent voordat hij gegeten en gedron-

ken heeft. Je moet goed opletten waar hij gaat liggen slapen. Ga er dan heen, sla de deken aan zijn voeteneind op en leg je daar neer. Hij zal je verder wel vertellen wat je moet doen.' 'Goed,' zei Ruth, 'ik zal precies doen wat u zegt.' Ze ging naar de dorsvloer en deed wat haar schoonmoeder haar had opgedragen. Toen Boaz had gegeten en gedronken, voelde hij zich voldaan en ging liggen slapen tegen het opgehoopte koren. Ruth sloop naar hem toe, sloeg de deken aan zijn voeteneind op en ging daar liggen.
Midden in de nacht schrok Boaz wakker. Hij boog zich voorover en zag een vrouw aan het voeteneind liggen. 'Wie ben je?' vroeg hij. En zij antwoordde: 'Ik ben Ruth, uw dienares. Neem me toch in bescherming, u bent immers tegenover de familie verplicht voor mij te zorgen.' 'De Heer zal je zegenen,' zei Boaz. 'Nu weet ik nog beter hoe trouw je bent. Je bent niet achter jongemannen aangelopen, of ze nu arm waren of rijk. Wees niet bang, ik zal precies doen wat je vraagt. De hele stad weet dat je een geweldige vrouw bent. Inderdaad ben ik tegenover de familie verplicht voor jullie te zorgen, maar er is iemand die nog meer aan jullie verwant is. Blijf hier vannacht maar slapen; morgenochtend zullen we zien of hij zijn verplichtingen tegenover jullie wil nakomen. Komt hij zijn verplichtingen na, dan is het goed; maar weigert hij, dan zal ik het zelf doen. Dat zweer ik bij de levende Heer. Blijf nu maar liggen tot het ochtend wordt.' Zo bleef Ruth tot de ochtend aan zijn voeteneind liggen. Nog voor het licht werd stond ze op, zodat niemand haar kon herkennen. Want Boaz had gezegd: 'Het moet vooral niet bekend worden dat er een vrouw op de dorsvloer is geweest.' Boaz zei tegen haar: 'Houd je omslagdoek eens open.' Ze hield hem open en hij mat zes maal een hoeveelheid gerst af en deed die in de omslagdoek. Hij hielp haar met optillen en ging daarna terug naar de stad. Toen Ruth bij haar schoonmoeder kwam, vroeg deze: 'Hoe is het gegaan, kind?' Ruth vertelde haar nauwkeurig wat Boaz voor haar had gedaan. 'Bovendien,' zei ze, 'heeft hij me ook nog al deze gerst gegeven. Hij zei: Je moet niet met lege handen bij je schoonmoeder aankomen.' 'Wacht nu maar rustig af, kind, tot je weet hoe het afloopt,' zei Noömi. 'Ik ben er zeker van dat Boaz de zaak vandaag nog zal regelen.'

Ruth 3:1-18

Een voortlevende naam

Intussen was Boaz naar de vergaderplaats in de stadspoort gegaan. Hij zat er nog maar net of de man over wie hij Ruth had verteld, kwam voorbij. 'Zeg vriend, kom eens hier,' riep Boaz. De

man kwam bij hem zitten. Ook vroeg hij tien leden van het stadsbestuur om erbij te komen zitten. Toen zij hadden plaatsgenomen, zei hij tegen de man die in de eerste plaats verplicht was voor de familie van Elimelek te zorgen: 'Noömi, die uit Moab is teruggekeerd, wil het stuk land verkopen dat eigendom was van onze verwant Elimelek. Het leek me dat ik u dit moest vertellen. Daarom, koop dat stuk land in tegenwoordigheid van degenen die hier zitten en van de leden van het stadsbestuur. Als u inderdaad uw verplichtingen wilt nakomen, doe het dan nu. Maar als u het niet wilt, zeg het me dan, want na u ben ik de enige die in aanmerking komt.' De man antwoordde dat hij het land zou kopen. Maar Boaz zei: 'Wanneer u het land van Noömi koopt, komt ook Ruth in uw bezit, de vrouw uit Moab, die de weduwe van Machlon is; de grond blijft dan op naam staan van haar overleden man.' 'In dat geval kan ik mijn verplichtingen niet nakomen,' antwoordde de man, 'want dat zou ten koste gaan van mijn familiebezit. U moet het land maar kopen, want ik kan het niet doen.'
Nu was het vroeger in Israël de gewoonte om bij verkoop of ruil de zaak als wettig geregeld te beschouwen als de ene partij zijn sandaal uittrok en die aan de andere overhandigde. Op die manier werd de overeenkomst bekrachtigd. Daarom trok de man, toen hij tegen Boaz had gezegd: u moet het land maar kopen, zijn sandaal uit en gaf die aan Boaz. Boaz zei tegen de stadsbestuurders en de overige aanwezigen: 'U bent er vandaag allemaal getuige van dat ik van Noömi het gehele bezit van Elimelek en ook dat van Kiljon en Machlon koop. Daarmee zal Ruth, de vrouw uit Moab, de weduwe van Machlon, mijn vrouw worden. Het familiebezit blijft dan op naam staan van haar overleden man. Zo zal zijn naam voortleven in zijn familie en in zijn stad. U bent er vandaag getuige van!' 'Ja,' zeiden ze, 'wij zijn er getuige van! We hopen dat de Heer de vrouw die in uw huis komt even vruchtbaar zal maken als Rachel en Lea. Zij beiden hebben Israël tot een groot volk gemaakt. Ook hopen we dat het u in Efrata voorspoedig zal gaan en dat u in Betlehem een beroemd man wordt. En dat de Heer u zoveel kinderen zal geven bij deze jonge vrouw dat uw nakomelingen even talrijk zullen zijn als die van Peres, de zoon van Juda en Tamar.'
Zo nam Boaz Ruth tot vrouw en had gemeenschap met haar. De Heer zorgde ervoor dat ze in verwachting raakte en een zoon kreeg. Toen zeiden de vrouwen tegen Noömi: 'Dank aan de Heer. Hij heeft u nu toch een erfgenaam gegeven, die in heel Israël beroemd zal zijn! Die zal u weer vrolijk maken en voor u zorgen op uw oude dag. Uw schoondochter, die zoveel om u geeft, heeft hem ter wereldgebracht. En zij betekent meer voor u dan zeven zonen!' Noömi nam het kind op haar schoot en verzorgde het vanaf die dag. De buurvrouwen zeiden toen: 'Noömi heeft een zoon gekregen' en ze noemden hem Obed. Deze

Obed werd de vader van Isaï, die op zijn beurt de vader werd van David.
Dit zijn de voorouders van David: Peres, Chesron, Ram, Amminadab, Nachson, Salmon, Boaz, Obed, Isaï, de vader van David.

Ruth 4:1-22

1 Samuël

Verhoord gebed

Er was te Ramataïm in het gebied van de Sufieten een man, afkomstig uit het bergland van Efraïm. Hij heette Elkana en was een geboren Efraïmiet; via Jerocham, Elihu en Tochu stamde hij af van Suf. Twee vrouwen had hij: de ene heette Hanna, de andere Peninna. Peninna had kinderen, maar Hanna niet. Jaarlijks ging Elkana naar Silo om zich neer te buigen voor de almachtige Heer en hem een offer te brengen. Daar deden de twee zonen van Eli, Chofni en Pinechas, dienst als priesters van de Heer.
Wanneer Elkana het offer bracht, gaf hij zijn vrouw Peninna en al haar zonen en dochters een stuk van het offervlees. Maar aan Hanna gaf hij een heel mooi stuk. Want hij hield van haar meer dan van Peninna, hoewel de Heer haar geen kinderen liet krijgen. Elkana's andere vrouw kwetste haar dan diep; ze wilde haar opstandig maken, omdat de Heer haar geen kinderen liet krijgen. Zo ging het jaar in jaar uit; iedere keer als Hanna naar het heiligdom van de Heer ging, kwetste Peninna haar zo, dat ze moest huilen en niet wilde eten. Dan vroeg haar man Elkana: 'Hanna, waarom huil je? Waarom eet je niet? Waarom ben je treurig? Beteken ik voor jou niet meer dan tien zonen?'
Op een keer, toen ze in Silo hadden gegeten en gedronken, stond Hanna op. Eli, de priester, zat op zijn stoel bij de ingang van het heiligdom van de Heer. Ze bad, diepbedroefd als zij was, tot de Heer en liet haar tranen de vrije loop. Plechtig beloofde ze: 'Almachtige Heer, heb toch oog voor mijn ellende. Denk aan mij, uw nederige dienares, vergeet mij niet. Als u mij een zoon wilt geven, geef ik hem voor heel zijn leven aan u: geen scheermes zal over zijn hoofd gaan.' Toen ze lang zo tot de Heer bleef bidden, lette Eli op haar mond. Omdat ze in zichzelf sprak, bewogen alleen haar lippen en was haar stem niet te horen. Daarom dacht Eli dat zij dronken was en hij zei tegen haar: 'Moet ik je nog lang zo dronken zien? Ga weg en slaap je roes uit.' 'U vergist u, mijn heer,' antwoordde Hanna, 'ik heb niet gedronken. Ik ga gebukt onder een zware last en heb mijn hart uitgestort voor de Heer. Denk niet dat ik een slechte vrouw ben. Ik heb zo lang gesproken, omdat ik overstelpt ben door zorg en verdriet.'
'Ga dan in vrede,' zei Eli. 'De God van Israël zal u geven wat u hem gevraagd hebt.'
'Ik dank u voor uw vriendelijkheid,' zei Hanna nederig en ze ging weg. Ze keek niet langer bedroefd en nam weer deel aan de maaltijden.

De volgende morgen vroeg bogen ze zich neer voor de Heer en gingen terug naar huis, naar Rama. Elkana had gemeenschap met zijn vrouw Hanna en de Heer dacht aan haar. Ze werd zwanger en bracht het jaar daarop een zoon ter wereld. Ze noemde hem Samuël. 'Want ik heb de Heer om hem gevraagd,' zo legde ze uit. Toen Elkana weer met zijn gezin naar Silo ging om de Heer het jaarlijkse offer te brengen en zijn belofte in te lossen, ging Hanna niet mee. 'Pas als het kind van de borst is, neem ik hem mee naar Silo,' zei ze tegen haar man. 'Dan zal hij voor de Heer verschijnen en daar voor altijd blijven.' 'Doe wat je goedvindt,' antwoordde Elkana, 'en blijf maar thuis tot je hem geen borstvoeding meer geeft. De Heer heeft zijn woord al gehouden.' Zijn vrouw bleef dus thuis en voedde haar zoon totdat ze hem niet meer aan de borst had. Zodra ze hem niet meer zelf voedde, nam ze hem mee naar Silo. Ook nam ze een driejarige stier, ruim twintig kilo meel en een kruik wijn mee. Ze bracht Samuël naar het heiligdom van de Heer, zo jong als hij was. Ze slachtten de stier en brachten de jongen naar Eli. 'Neem me niet kwalijk, mijn heer,' zei Hanna, 'zo waar als u leeft, ik ben de vrouw die hier bij u tot de Heer stond te bidden. Om deze jongen heb ik de Heer gebeden en hij heeft mij gegeven wat ik hem heb gevraagd. Daarom sta ik hem nu af aan de Heer. Zijn leven lang blijft hij de Heer toegewijd.'
En Samuël boog zich daar neer voor de Heer.

1 Samuël 1:1-28

Herhaalde oproep

De jonge Samuël hielp bij de eredienst onder toezicht van Eli. In die tijd werd het woord van de Heer zelden gehoord en kwamen visioenen nauwelijks voor.
Eens lag Eli in zijn kamer te rusten. Zijn ogen waren zo slecht geworden dat hij niets meer kon zien. Samuël lag in het heiligdom van de Heer, waar de verbondskist van God stond. Tegen de morgen, toen de lamp die voor God brandde nog niet was gedoofd, riep de Heer Samuël. 'Ja,' antwoordde hij en snel liep hij naar Eli. 'Ja, hier ben ik. U hebt mij toch geroepen?' 'Nee, ik heb je niet geroepen,' antwoordde Eli. 'Ga maar weer liggen.' En Samuël ging weer liggen.
De Heer riep Samuël opnieuw, en Samuël stond op en ging naar Eli. 'Ja, hier ben ik. U hebt mij toch geroepen?' 'Nee, ik heb je niet geroepen, mijn jongen. Ga maar weer liggen.'
Nu had Samuël de Heer nog niet leren kennen, want de Heer had zich nooit eerder aan hem bekendgemaakt door het woord tot hem te richten.
Weer riep de Heer Samuël, nu voor de derde keer. Hij stond op en ging naar Eli. 'Ja, hier ben ik. U hebt mij toch geroepen?' Nu

drong het tot Eli door dat het de Heer was die de jongen riep. Daarom zei hij: 'Ga maar weer liggen, en als je geroepen wordt, zeg dan: Spreek, Heer, uw dienaar luistert.' Samuël ging weer op zijn plaats liggen. Toen ging de Heer daar staan en riep evenals de vorige keren: 'Samuël, Samuël!' En Samuël antwoordde: 'Spreek, uw dienaar luistert.' 'Let op!' zei de Heer tegen Samuël. 'Ik ga in Israël zo iets verschrikkelijks doen dat de oren zullen tuiten van ieder die het hoort. Op die dag zal ik Eli straffen; al mijn bedreigingen tegen zijn familie zal ik van begin tot eind uitvoeren. Ik heb hem al meegedeeld dat ik het vonnis over zijn familie onherroepelijk zal voltrekken. Want hij is schuldig: hij wist dat zijn zonen mij verachtten, maar hij heeft hen niet bestraft. Daarom heb ik Eli's familie gezworen: Geen enkel offer kan ooit jullie schuld weer goedmaken.'
Samuël bleef tot de ochtend liggen en opende toen de deuren van het heiligdom van de Heer. Hij zag ertegenop, Eli het visioen te vertellen. Maar Eli riep hem: 'Samuël, mijn jongen!' 'Ja, hier ben ik,' antwoordde Samuël. 'Wat heeft de Heer tegen je gezegd?' vroeg Eli. 'Houd het niet voor mij geheim. God zal je zwaar straffen als je ook maar iets geheim houdt.' Toen deelde Samuël hem alles mee, zonder iets achter te houden. 'Hij is de Heer,' zei Eli. 'Hij moet doen wat hij goed vindt.'
Samuël groeide op en de Heer stond hem bij. Hij zorgde dat al Samuëls woorden hun doel bereikten. Zo kwam heel Israël, van Dan in het noorden tot Berseba in het zuiden, tot de erkenning dat Samuël een profeet was die het vertrouwen had van de Heer. De Heer bleef namelijk in Silo verschijnen en maakte zich daar aan Samuël bekend door het woord tot hem te richten.
En Samuëls woorden drongen in heel Israël door.

1 Samuël 3:1-4:1a

Konings-ruil

Oud geworden, stelde Samuël zijn zonen aan als leiders over Israël. De oudste heette Joël, zijn jongere broer Abia en beiden gaven leiding in Berseba. Maar ze volgden niet het voorbeeld van hun vader: ze waren op eigen voordeel uit, namen geschenken aan en verdraaiden het recht. Daarom kwamen alle vertegenwoordigers van Israël bij elkaar en gingen naar Samuël in Rama. 'U bent oud geworden,' zeiden ze tegen hem, 'en uw zonen volgen uw voorbeeld niet. Stel daarom een koning aan om ons te besturen, een koning zoals alle volken die hebben.'
Samuël vond hun verzoek: 'Geef ons een koning om ons te besturen,' een slechte zaak. Daarom wendde hij zich in gebed tot de Heer, maar die antwoordde hem: 'Willig het verzoek van het volk maar in en doe alles wat ze vragen, want ze hebben niet jou

maar mij aan de kant gezet: mij willen ze niet meer als hun koning. Van de dag af dat ik hen uit Egypte heb gehaald tot op de dag van vandaag, hebben ze nooit anders gedaan dan mij verlaten en andere goden dienen; zo doen ze nu ook tegen jou. Willig hun verzoek dus maar in, maar waarschuw ze terdege door hun te wijzen op de rechten van de koning die over hen zal heersen.'
Toen bracht Samuël het volk, dat hem om een koning had gevraagd, alles over wat de Heer had gezegd. Verder zei hij: 'Dit zullen de rechten zijn van de koning die over u zal heersen: uw zonen zal hij u afnemen en indelen bij zijn strijdwagens en ruiterij en voor zijn wagen uit laten lopen. Hij zal hen aanstellen als officieren over duizend of vijftig man. Ze moeten zijn akkers ploegen, zijn oogst binnenhalen, zijn wapens maken en zijn strijdwagens uitrusten. Uw dochters zal hij u afnemen en aanstellen tot zalfbereidsters, kooksters en baksters. Hij zal beslag leggen op uw beste landerijen, wijngaarden en olijfgaarden en ze aan zijn hofdienaren geven. Van de opbrengst van uw velden en wijngaarden zal hij het tiende deel opeisen en het geven aan zijn lakeien en hofdienaren. Hij zal u uw slaven en slavinnen, uw sterkste jongemannen en uw ezels afnemen om ze voor zichzelf aan het werk te zetten. Ook van uw schapen en geiten zal hij het tiende deel opeisen. Ja, u zult zelf zijn slaven worden. Als u dan schreeuwt om weer van uw koning af te komen die u zelf hebt gekozen, zal de Heer u geen antwoord geven.'
Maar het volk weigerde naar Samuël te luisteren en zei: 'Nee, we moeten en zullen een koning hebben! Dan pas zijn we gelijk aan alle andere volken. Onze koning zal ons leiding geven, voor ons uittrekken en onze oorlogen voeren.' Toen Samuël het antwoord van het volk gehoord had, bracht hij het de Heer over. De Heer zei tegen Samuël: 'Willig hun verzoek maar in en stel een koning over hen aan.' Toen zei Samuël tegen de Israëlieten: 'Laat ieder naar zijn stad teruggaan.'

1 Samuël 8:1-22

Een held tegen een herder

Samuël krijgt van God opdracht om Saul uit de stam Benjamin aan te stellen als koning van Israël. Saul en zijn zoon Jonatan voeren nu de strijd aan tegen de Filistijnen. Maar Saul doet niet wat God van hem wil.

De Filistijnen riepen hun troepen onder de wapenen; ze trokken zich samen te Soko in Juda en sloegen hun kamp op in Efes-Dammim tussen Soko en Azeka. Ook Saul en de Israëlieten trokken zich samen; zij sloegen hun kamp op in het Eikendal en

stelden zich gevechtsklaar tegenover de Filistijnen op. De Filistijnen stonden op de berghelling aan de ene kant, de Israëlieten op de berghelling aan de andere kant; tussen hen in lag het dal.
Uit de rijen van de Filistijnen kwam een kampvechter naar voren, Goliat, afkomstig uit Gat. Hij was bijna drie meter lang. Hij had een bronzen helm op zijn hoofd en droeg een borstpantser van schubben dat ongeveer vijftig kilo woog. Bronzen platen bedekten zijn benen en een bronzen kromzwaard hing over zijn schouder. De schacht van zijn lans leek wel een boom uit een weefgetouw en de ijzeren punt woog ongeveer zes kilo. Een schilddrager liep voor hem uit. Hij bleef in het dal staan en riep naar de linies van de Israëlieten: 'Waarom zouden jullie optrekken en slag leveren? Ik vertegenwoordig immers de Filistijnen en jullie zijn maar dienaren van Saul! Kies iemand van jullie uit en laat hij hier beneden met mij vechten. Als hij mij aankan en mij verslaat, zullen wij jullie onderdanen zijn. Maar als ik hem aankan en hem versla, zullen jullie onze onderdanen zijn en ons dienen. Vandaag,' zo vervolgde de Filistijn, 'daag ik de slagorden van de Israëlieten uit: stuur mij iemand voor een tweegevecht!' Op het horen van die woorden werden Saul en alle Israëlieten vreselijk bang. Zo stelde de Filistijn zich veertig dagen lang elke ochtend en avond gevechtsklaar op.
David was een zoon van iemand uit Betlehem in Efrata in Juda, die Isaï heette. Isaï had acht zonen en was in Sauls tijd te oud om onder de wapenen te gaan. Zijn oudste drie zonen daarentegen waren Saul in de strijd gevolgd. Eliab was de oudste, de tweede zoon heette Abinadab en de derde Samma. David was de jongste; de oudste drie hádden dienst genomen in Sauls leger. Geregeld ging David van Sauls hof terug naar Betlehem om de schapen van zijn vader te hoeden.
Op een keer zei Isaï tegen zijn zoon David: 'Hier heb je ruim dertig kilo geroosterd graan en tien broden; breng die vlug naar je broers in het legerkamp en bezorg deze tien kazen bij de aanvoerder. Ga kijken hoe je broers het maken en neem van hen een levensteken mee terug. Ze zijn met Saul en alle soldaten van Israël in het Eikendal aan het vechten met de Filistijnen.'
's Morgens vroeg, nadat hij aan een ander het hoeden van de schapen had overgelaten, ging David op weg zoals Isaï hem had opgedragen. Hij kwam bij het kamp aan juist toen het leger onder het aanheffen van de strijdkreet de linies betrok. De Israëlieten en de Filistijnen stelden zich weer gevechtsklaar tegenover elkaar op. David gaf zijn last af bij de bewaker van de legerbagage en haastte zich naar de gevechtslinie. Daar aangekomen, vroeg hij zijn broers hoe ze het maakten. Hij was nog met ze aan het praten toen de Filistijnse kampvechter, Goliat uit Gat, weer uit de slagorden van de Filistijnen tevoorschijn kwam en even uitdagend sprak als altijd. Dat hoorde David. Toen de Israëlieten Goliat zagen, gingen ze allen hevig geschrokken op de vlucht. 'Hebben

jullie hem weer zien komen?' zeiden ze. 'De spot drijven met Israël, dat is zijn enige bedoeling. Wie hem verslaat, zal door de koning vorstelijk beloond worden, de koning zal hem zijn dochter geven en zijn familie vrijstelling van diensten verlenen in Israël.' David vroeg aan de omstanders: 'Wat gebeurt er met de man die deze Filistijn verslaat en Israël in ere herstelt? Want wat moet er van deze onbesneden Filistijn worden nu hij de slagorden van de levende God heeft uitgedaagd?' Iedereen gaf hem hetzelfde antwoord: 'Zo en zo zal er gebeuren met de man die hem verslaat.' Eliab, Davids oudste broer, hoorde hem met de mannen praten. Hij maakte zich kwaad en vroeg: 'Wat doe je hier eigenlijk, en bij wie heb je dat handjevol schapen in de steppe achtergelaten? Ik weet hoe brutaal en vals je bent. Je bent alleen maar hier gekomen om naar het gevecht te kijken!' 'Wat heb ik gedaan?' antwoordde David. 'Is dit soms niet belangrijk?' Hij wendde zich tot een ander met dezelfde vraag en kreeg hetzelfde antwoord als eerst.
De woorden van David bleven niet onopgemerkt en men meldde het Saul. Die liet hem bij zich komen. David zei tegen Saul: 'We moeten om die Filistijn de moed niet verliezen. Ik zal met hem het gevecht aangaan.' 'Jij kunt onmogelijk met die Filistijn gaan vechten,' wierp Saul tegen. 'Je bent nog maar een jongen, hij echter is een geboren vechter.' Maar David antwoordde: 'Majesteit, ik ben herder geweest in dienst van mijn vader. Wanneer een leeuw of soms een beer een lam uit de kudde kwam roven, ging ik achter hem aan, sloeg hem neer en redde het lam uit zijn muil. En viel de leeuw mij aan, dan greep ik hem bij zijn baard en sloeg hem dood. Leeuwen en beren heb ik neergeslagen. Het zal die onbesneden Filistijn net zo vergaan, want hij heeft de slagorden van de levende God uitgedaagd. De Heer heeft mij gered uit de greep van leeuwen en beren, hij zal mij ook redden uit de greep van de Filistijn.' 'Ga,' zei Saul tegen David. 'De Heer zal je helpen.' Toen hielp hij David in zijn wapenrusting; hij zette hem een bronzen helm op en deed hem een borstpantser aan. Tenslotte gordde David zijn zwaard over zijn uitrusting en probeerde te lopen, want hij was er niet in geoefend. 'Ik kan er niet in lopen,' zei David tegen Saul, 'ik ben er niet in geoefend.' Hij trok alles weer uit, pakte zijn stok, zocht in de beek vijf gladde stenen uit en stopte ze in zijn herderstas. Toen ging hij met zijn slinger in de hand op de Filistijn af. Voorafgegaan door zijn schilddrager naderde de Filistijn David dichter en dichter. Toen hij David van top tot teen opnam, kreeg hij minachting voor hem, omdat hij nog een jongen was met een blozend gezicht en een gaaf uiterlijk. 'Ben ik soms een hond, dat je met een stok op mij afkomt?' zei de Filistijn. En hij vervloekte David in naam van zijn goden. 'Kom maar op,' riep hij David toe, 'dan zal ik je vlees aan de aasgieren en de roofdieren geven!' 'U komt op me af vertrouwend op zwaard, lans en kromzwaard,' antwoordde David. 'Maar ik kom

op u af vertrouwend op de almachtige Heer, de God van de slagorden van Israël. U hebt hem uitgedaagd, maar op deze dag zal hij u in mijn macht geven. Ik zal u neerslaan en u het hoofd afhouwen. Op deze dag zal ik de lijken van het Filistijnse leger aan de aasgieren en de wilde dieren geven. Dan zal heel de aarde weten dat Israël een God heeft en heel deze menigte zal weten dat de Heer voor de overwinning geen zwaard en lans nodig heeft. Het gaat hier om de Heer; het is zijn strijd. Hij heeft jullie al in onze macht gegeven.'
Toen de Filistijn tot de aanval overging en al dichterbij kwam, snelde David op hem toe en ging tot de tegenaanval over. Hij stak zijn hand in de tas, nam er een steen uit, slingerde die weg en trof de Filistijn zo hard tegen het voorhoofd dat de steen erin doordrong en de Filistijn voorover op de grond viel.
David overwon de Filistijn,
hij won met slinger en steen;
dodelijk trof hij de Filistijn,
een zwaard had hij niet nodig.
Snel liep hij op de Filistijn toe, ging bij hem staan, trok het zwaard van de Filistijn uit de schede en gaf hem de genadeslag door hem het hoofd af te slaan. Toen de Filistijnen zagen dat hun held dood was, sloegen ze op de vlucht. Nu sprongen de manschappen van Israël en Juda op, hieven de strijdkreet aan en achtervolgden de Filistijnen tot vlak bij Gat en tot de poorten van Ekron. De gesneuvelde Filistijnen lagen op de weg van Saäraïm af tot Gat en Ekron toe. Terug van hun felle achtervolging op de Filistijnen plunderden de Israëlieten hun legerkamp. David pakte het hoofd van de Filistijn en bracht het naar Jeruzalem, maar de wapens legde hij in zijn tent.

1 Samuël 17:1-54

Vriendschap en afgunst

Toen Saul David het kamp had zien verlaten om te vechten met de Filistijn, had hij aan Abner, zijn legeraanvoerder, gevraagd: 'Van wie is die jongen een zoon, Abner?' 'Majesteit,' had Abner geantwoord, 'zo waar u leeft, ik weet het niet.' 'Doe dan navraag van wie die jongeman een zoon is,' had de koning vervolgens gezegd.
Toen David na zijn overwinning op de Filistijn naar het kamp terugkeerde, nam Abner hem mee naar Saul. Het hoofd van de Filistijn had David nog in de hand. 'Van wie ben jij een zoon, jongen?' vroeg Saul. 'Ik ben de zoon van uw dienaar Isaï uit Betlehem,' antwoordde David.
Na Davids gesprek met Saul voelde Jonatan zich sterk tot David aangetrokken en begon zielsveel van hem te houden. Die dag

nam Saul David in dienst en hij stond hem niet toe, terug te keren naar zijn ouderlijk huis.
Jonatan sloot met David een vriendschapsverbond: ze zouden van elkaar houden als van zichzelf. Hij deed zijn mantel af en gaf die aan David; ook zijn wapenrok gaf hij, met zijn zwaard, zijn boog en zijn riem.
Alle tochten waarop Saul David uitstuurde, werden een succes. Daarom stelde Saul hem aan over een legerafdeling, wat de instemming had van heel het volk en ook van Sauls hofdienaren.
Bij de intocht van de soldaten, toen David terugkeerde van zijn overwinning op de Filistijn, liepen in heel Israël de vrouwen zingend en dansend de steden uit. Ze gingen koning Saul tegemoet, met tamboerijnen, vreugdegeroep en triangels, en opgetogen zongen zij:
'Saul versloeg ze bij duizenden,
David bij tienduizenden.'
Dat beviel Saul allerminst en hij maakte zich er danig kwaad over. 'Ze kennen David tienduizenden toe,' dacht hij, 'en mij maar duizenden. Alleen het koningschap ontbreekt hem nog.' Van toen af hield hij David in het oog.

1 Samuël 17:55-18:9

Een barmhartige zoon

Saul merkt dat God aan de kant van David staat. Hij probeert David tot tweemaal toe te doden. David vindt een goed heenkomen in de woestijn.

Enkele bewoners van de woestijn Zif gingen naar Gibea en zeiden tegen Saul: 'Weet u dat David zich schuilhoudt op de heuvel Chakila tegenover de Jesimonsteppe?' Onmiddellijk trok Saul met drieduizend man Israëlitische keurtroepen naar de woestijn Zif om David op te sporen. Op de heuvel Chakila tegenover de Jesimonsteppe sloeg hij zijn tenten op, aan de kant van de weg. Toen David merkte dat Saul hem tot in de woestijn achternagekomen was, stuurde hij verkenners uit; zo verkreeg hij betrouwbare gegevens over Sauls positie. Toen ging David naar de plaats waar Saul zijn tenten had opgeslagen en nam de plek op waar Saul met Abner, de zoon van Ner, zijn legeraanvoerder, lag te slapen. Saul bleek midden in het kamp te liggen, met zijn soldaten in een kring om zich heen. 'Wie durft met me mee naar Saul in het legerkamp?' vroeg David aan Achimelek, een Hethiet, en aan Abisai. 'Ik,' antwoordde Abisai; hij was de zoon van Seruja en de broer van Joab.
's Nachts drongen David en Abisai tot bij de soldaten door en wat zagen ze: Saul lag te slapen midden in het kamp met zijn lans

aan zijn hoofdeinde in de grond gestoken, Abner en de manschappen lagen in een kring om hem heen. 'Nu heeft God uw vijand in uw macht gegeven,' zei Abisai tegen David. 'Laat me hem met zijn eigen lans aan de grond nagelen. Eén stoot is voldoende!' 'Nee, ruim hem niet uit de weg!' antwoordde David. 'Wie kan zich ongestraft aan Gods eigen koning vergrijpen? Zo waar als de Heer leeft, hijzelf zal Saul treffen: of hij sterft een natuurlijke dood omdat zijn tijd is gekomen, of hij verliest het leven in een veldslag. De Heer beware mij ervoor dat ik me zou vergrijpen aan zijn koning! Vooruit, pak de lans daar bij zijn hoofdeinde en de waterkruik, en laten we dan weggaan!'
Zo haalde David de lans en de waterkruik aan Sauls hoofdeinde weg. Toen vertrokken ze. Niemand zag het, niemand merkte het, niemand werd wakker. Ze sliepen allemaal door, want de Heer had hen in een diepe slaap gebracht. David stak het dal over en ging op een bergtop staan, ver weg, op veilige afstand. Hij riep naar de manschappen en naar Abner, de zoon van Ner: 'Abner, geef eens antwoord!'
'Wie ben jij wel dat je naar de koning roept?' vroeg Abner.
David antwoordde: 'U bent toch een man zoals er geen tweede is in Israël! Waarom hebt u dan bij uw koning niet de wacht gehouden? Er is iemand het kamp binnengedrongen om uw koning uit de weg te ruimen. U heeft uw taak slecht vervuld. Bij de levende Heer: jullie verdienen de dood omdat jullie zijne majesteit, Gods eigen koning, niet beschermd hebben. Kijk maar eens waar de lans en de waterkruik zijn, die de koning aan zijn hoofdeinde had staan!'
Saul herkende Davids stem en vroeg: 'Is dat jouw stem, mijn zoon David?' 'Ja, mijn heer de koning,' antwoordde David. En hij vervolgde: 'Waarom, majesteit, zit u toch achter mij aan? Wat heb ik gedaan? Wat heb ik op mijn geweten? Wil toch luisteren, mijn heer de koning, naar wat ik u te zeggen heb. Als het de Heer is die u tegen mij opzet, breng hem dan met een geurig offer tot andere gedachten. Maar als het mensen zijn, laat de Heer ze dan vervloeken. Want ze hebben mij verdreven uit het land dat de Heer toebehoort en sluiten mij buiten met de woorden: Ga maar andere goden dienen. Voorkom toch dat mijn bloed zal vloeien op vreemde bodem, ver van de Heer. De koning van Israël is uitgerukt om één enkele vlo op te sporen, zoals men jacht maakt op een patrijs in de bergen.'
'Ik heb verkeerd gedaan,' antwoordde Saul. 'Kom terug, mijn zoon David! Ik zal je geen kwaad meer doen, want vandaag is gebleken dat jij waarde hecht aan mijn leven. Ik ben dwaas geweest en heel ernstig tekortgeschoten.'
'Hier is uw lans, koning!' zei David. 'Laat een van uw manschappen hem komen halen. De Heer beloont mensen die rechtvaardig zijn en trouw. Want vandaag had hij u in mijn macht gegeven, maar ik heb mij niet willen vergrijpen aan Gods eigen koning.

Daarom hoop ik dat de Heer evenveel waarde hecht aan mijn leven als ik vandaag aan het uwe en dat hij mij redt uit alle gevaren.'
'Ik dank je, mijn zoon David,' zei Saul. 'Je zult zeker slagen, wat je ook onderneemt.'
David ging weg en Saul keerde naar zijn woonplaats terug.

1 Samuël 26:1-25

Het veld van eer!?

Intussen leverden de Filistijnen slag met Israël. De Israëlieten gingen voor hen op de vlucht en velen sneuvelden in het Gilboagebergte. De Filistijnen drongen door tot bij Saul en doodden zijn drie zonen, Jonatan, Abinadab en Malkisua.
Toen richtte de strijd zich in alle hevigheid op Saul zelf. De boogschutters kregen hem onder schot, en Saul werd zo verschrikkelijk bang dat hij tegen zijn wapendrager zei: 'Trek je zwaard en steek mij dood. Anders steken die onbesneden Filistijnen me dood en leven ze zich op mij uit.' Maar de wapendrager schrok ervoor terug en weigerde. Daarom greep Saul zijn eigen zwaard en stortte zich erin.
Toen de wapendrager zag dat Saul dood was, stortte ook hij zich in zijn zwaard en volgde hij Saul in de dood. Zo stierven Saul, zijn drie zonen, zijn wapendrager en al zijn manschappen op een en dezelfde dag.
De Israëlieten die in de buurt van de vlakte van Jizreël en in de buurt van de Jordaan woonden, verlieten hun steden en vluchtten weg. Want ze hadden gemerkt dat de Israëlitische soldaten op de vlucht geslagen waren en dat Saul en zijn zonen dood waren. De Filistijnen trokken de verlaten steden binnen en bezetten die. Toen de Filistijnen de volgende dag de gesneuvelde Israëlieten kwamen plunderen, troffen ze Saul en zijn drie zonen dood aan in het Gilboagebergte. Ze sloegen hem het hoofd af en beroofden hem van zijn wapenrusting. Toen stuurden ze in het Filistijnse land boodschappers rond om in de tempels van hun afgoden en onder het volk het goede nieuws te vertellen. Sauls wapenrusting legden zij in de tempel van de godin Astarte en zijn lijk staken zij vast aan de muur van Bet-San.
Toen de inwoners van Jabes in Gilead hoorden wat de Filistijnen met Saul hadden gedaan, rukten ze uit met alle mannen die de wapens konden hanteren. Ze liepen de hele nacht door en haalden de lijken van Saul en zijn zonen van de muur van Bet-San af. In Jabes terug verbrand-den zij de lijken. De beenderen begroeven ze onder de tamarisk in Jabes en ze vastten zeven dagen.

1 Samuël 31:1-13

2 Samuël

Dode helden

Toen zong David dit klaaglied op Saul en zijn zoon Jonatan. Dit Lied van de boog is opgenomen in de bundel van Jasar om het de Judeeërs te leren.
'Uw leiders, o Israël, uw trots,
liggen gesneuveld op uw heuvels.
Ach, uw helden zijn gevallen.

Ga het niet vertellen in Gat,
roep het niet rond in Askelon.
Anders verheugen zich de Filistijnse vrouwen
en breken zij uit in gejuich.

Bergen van Gilboa,
laat dauw noch regen neerdalen
op uw hoge weiden.
Want daar ligt vertrapt
het schild van de helden,
het schild van Saul,
niet langer ingevet voor de strijd.

De boog van Jonatan trof altijd doel
in het bloed van vijanden,
in de buik van helden;
het zwaard van Saul sloeg immer raak.

Saul en Jonatan,
zo geliefd, zo innemend,
in leven en dood niet te scheiden,
sneller dan arenden,
sterker dan leeuwen.

Vrouwen van Israël,
treur over Saul,
die u vorstelijk kleedde in purper,
u met gouden sieraden tooide.

Ach, de helden zijn gevallen
in het heetst van de strijd.
Jonatan ligt gesneuveld op uw heuvels.

Jonatan, je verlies bedroeft mij,
mijn vriend, je was mij zeer lief;
jouw liefde was mij meer waard
dan de liefde van vrouwen.

Ach, de helden zijn gevallen,
de wapens zijn verloren.'

2 Samuël 1:17-27

Eén koning over allen

Alle stammen van Israël kwamen naar Hebron en zeiden tegen David: 'Wij komen hier bij u, omdat wij nauw aan u verwant zijn. Ook hebt u al eerder, toen Saul nog koning over ons was, het leger van Israël aangevoerd. Bovendien heeft de Heer tegen u gezegd: Jij zult herder en vorst zijn over mijn volk, over Israël.' Zo kwamen alle vertegenwoordigers van Israël naar koning David in Hebron. Hij sloot daar ten overstaan van de Heer met hen een verdrag en zij zalfden David tot koning over Israël. David was dertig jaar toen hij koning werd. Hij is veertig jaar koning geweest: in Hebron zeveneneenhalf jaar over Juda en in Jeruzalem drieëndertig jaar over heel Israël en Juda.

2 Samuël 5:1-5

Een moord om een vrouw

Bij het aanbreken van het voorjaar, de tijd waarop koningen gewoonlijk ten strijde trekken, stuurde David heel Israël eropuit onder leiding van Joab en zijn officieren. Ze zaaiden dood en verderf onder de Ammonieten en sloegen het beleg om Rabba. Zelf bleef David in Jeruzalem.
Op een keer, het liep tegen de avond, stond David op van zijn rustbed voor een wandeling op het dakterras van zijn paleis. Vanaf het dakterras zag hij een vrouw die aan het baden was, en die vrouw was heel mooi. Hij liet uitzoeken wie ze was en kreeg te horen: 'Het is Batseba, de dochter van Eliam en de vrouw van de Hethiet Uria.' Door enkele hofdienaren liet hij haar halen en toen ze bij hem was gekomen, had hij gemeenschap met haar, terwijl ze pas ongesteld was geweest. Toen keerde ze naar huis terug. Ze werd zwanger en stelde David daarvan in kennis. Daarop liet David aan Joab het bevel overbrengen hem de Hethiet Uria te sturen, en Joab volgde dat bevel op. Toen Uria bij hem gekomen was, vroeg David hem hoe het met Joab en de soldaten ging en of de oorlog voorspoedig verliep. Daarna zei David tegen

Uria: 'Ga naar huis en rust wat uit bij je vrouw,' en toen Uria het paleis verliet, liet hij hem een vorstelijk maal achterna brengen. Maar in plaats van naar huis te gaan, legde Uria zich te slapen bij het personeel van de koning in het poortgebouw van het paleis. Toen aan David werd gemeld dat Uria niet naar huis was gegaan, vroeg David hem: 'Waarom bent u niet naar huis gegaan? U hebt toch net een lange reis achter de rug?' Maar Uria antwoordde: 'De verbondskist en het leger van Israël en Juda zijn ondergebracht in tenten en mijn commandant Joab en zijn officieren hebben hun kamp in het open veld. Zou ik dan naar huis gaan om te eten en te drinken en om bij mijn vrouw te slapen? Zo waar als u leeft, dat doe ik nooit!' 'Blijf vandaag nog hier,' zei David, 'dan laat ik u morgen gaan.' Die dag bleef Uria dus nog in Jeruzalem. De volgende morgen nodigde David hem bij zich aan tafel en voerde hem dronken. Maar 's avonds zocht Uria weer zijn slaapplaats op bij het personeel van de koning. Naar huis gaan deed hij niet.
De volgende morgen schreef David aan Joab een brief en liet die door Uria bezorgen. De inhoud van die brief luidde: 'Zet Uria in op een vooruitgeschoven post waar het hard zal toegaan en ontneem hem de dekking in de rug. Dan wordt hij geraakt en vindt hij de dood.' Bij de stormloop op de stad zette Joab Uria dus in op een plaats waarvan hij wist dat de vijand er een sterke verdediging had.
Toen de bewoners van de stad een uitval deden en met Joab slaags raakten, sneuvelde een aantal van Davids soldaten en officieren en ook de Hethiet Uria vond de dood. Joab liet aan David verslag uitbrengen van het verloop van het gevecht en gaf de boodschapper de volgende opdracht: 'Vertel de koning eerst van begin tot eind het verloop van het gevecht. De koning zal wel boos worden en vragen: Waarom hebben jullie je in het gevecht zo dicht bij de stad gewaagd? Jullie konden toch weten dat ze vanaf de stadsmuur zouden schieten! Wie heeft indertijd Abimelek, de zoon van Jerubbaäl, dodelijk getroffen? Heeft niet een vrouw hem vanaf de stadsmuur van Tebes met een molensteen kunnen doodgooien? Waarom zijn jullie de muur dan zo dicht genaderd? Dan zul je antwoorden: Ook uw dienaar Uria, de Hethiet, heeft de dood gevonden.'
De boodschapper ging op weg en bij David gekomen, meldde hij alles wat Joab hem had opgedragen. Hij zei tegen David: 'Majesteit, op een gegeven ogenblik kregen de Ammonieten de overhand. Ze deden in het open veld een uitval tegen ons. Wij dreven ze terug tot de ingang van de poort, maar toen kwamen wij onder schot van de boogschutters op de muur en sneuvelden enkelen van uw soldaten. Ook uw dienaar Uria, de Hethiet, heeft de dood gevonden.'
'Spreek Joab als volgt moed in,' beval David de boodschapper: 'Trek u dit vooral niet aan. Oorlogvoeren kost mensenlevens,

hoe dan ook. Voer een nog krachtiger aanval op de stad uit en maak haar met de grond gelijk.'
Toen de vrouw van Uria het bericht kreeg dat haar man dood was, ging zij in de rouw. Na beëindiging van de rouwtijd liet David haar in zijn paleis wonen. Ze werd zijn vrouw en schonk hem een zoon. Maar de Heer keurde af wat David had gedaan.
Daarom stuurde de Heer Natan naar David en bij hem gekomen, zei Natan: 'Er waren twee mannen in dezelfde stad; de ene was rijk, de andere arm. De rijke had schapen, geiten en koeien in overvloed, maar de arme bezat niets anders dan één enkel lammetje dat hij gekocht had. Hij had het opgefokt en het groeide bij hem op, samen met zijn kinderen. Het at van zijn bord, het dronk uit zijn beker en het lag bij hem op schoot, ja, het betekende voor hem evenveel als een dochter. Op een keer kreeg de rijke bezoek, maar hij kon het niet over zijn hart verkrijgen een van zijn eigen schapen, geiten of koeien klaar te maken voor zijn gast. Daarom nam hij het lam van de arme en maakte dat voor zijn bezoeker klaar.'
David werd woedend op die man en zei tegen Natan: 'Bij de levende Heer, de man die dat heeft durven doen verdient de doodstraf, en omdat hij zo meedogenloos heeft gehandeld, zal hij het lam viervoudig moeten vergoeden.' 'Die man bent u,' antwoordde Natan. 'Dit zegt de Heer, de God van Israël: Ik heb je gezalfd tot koning van Israël en je gered uit de greep van Saul. Zijn personeel en zijn bezit heb ik aan jou overgedragen, zijn vrouwen heb ik je in de armen gelegd en Israël zowel als Juda heb ik onder jouw bestuur gebracht. En als dat te weinig was, zou ik je er van alles bij kunnen geven! Waarom heb je dan mijn woorden in de wind geslagen en gedaan wat in strijd is met mijn wil? Je hebt de Hethiet Uria gedood; je hebt zijn vrouw genomen en hem omgebracht in de strijd tegen de Ammonieten. Daarom zal er in jouw koningshuis altijd moord en doodslag voorkomen, want jij hebt mij aan de kant gezet, de Hethiet Uria zijn vrouw afgenomen en haar je vrouw gemaakt. Ik, de Heer, zeg je dit: Je eigen familie wordt een bron van rampen voor je. Je zult moeten aanzien dat ik jou je vrouwen afneem en hen aan een ander geef, die hier op klaarlichte dag bij hen zal slapen. Jij hebt in het diepste geheim gehandeld, maar ik zal deze bedreiging uitvoeren ten aanschouwen van heel Israël en in het volle daglicht.' David zei tegen Natan: 'Ik heb tegen de Heer gezondigd.' 'De Heer vergeeft uw zonde,' antwoordde Natan, 'u zult niet sterven. Maar omdat u door deze daad de Heer diep hebt beledigd, moet wel uw pasgeboren kind sterven.'
Toen ging Natan naar huis en de Heer trof het kind van David en van Uria's vrouw met een ernstige ziekte. David bad God voor het kind; hij vastte streng en in zijn slaapkamer bracht hij de nachten liggend op de grond door. De oudste hofdienaren drongen er bij hem op aan dat hij van de grond zou opstaan, maar hij weigerde

en wilde niet met hen eten. Zeven dagen later stierf het kind. De hofdienaren zagen er tegenop, David het overlijden van zijn kind mee te delen. Ze dachten: 'Toen het kind nog in leven was, wilde hij al niet naar ons luisteren. Wat moeten we nu? Als we hem vertellen dat het kind is overleden, begaat hij nog een ongeluk.' Toen David zijn hofdienaren met elkaar zag fluisteren, begreep hij dat zijn kind was gestorven. 'Is mijn kind dood?' vroeg hij hun. 'Ja, het is dood,' antwoordden zij. David stond van de grond op; hij nam een bad, wreef zich in met olijfolie en trok andere kleren aan. Toen ging hij het heiligdom van de Heer binnen en boog zich daar neer. Terug in zijn paleis vroeg hij om eten; ze zetten hem een maaltijd voor en hij at. 'Waarom doet u zo?' vroegen zijn hofdienaren. 'Toen het kind nog leefde, vastte u en stortte u tranen, maar zodra het dood was, stond u van de grond op en ging u eten.' 'Zolang het kind in leven was,' antwoordde hij, 'heb ik gevast en tranen gestort omdat ik dacht: Misschien is de Heer met me begaan en blijft het kind leven. Maar nu is het dood. Waarom zou ik dan nog langer vasten? Kan ik het soms terughalen? Ik ben wel op weg naar hem, maar hij keert niet terug naar mij.'
Toen ging David zijn vrouw Batseba troosten en had gemeenschap met haar. Ze bracht een zoon ter wereld en hij noemde hem Salomo. De Heer hield van het kind en hij gaf de profeet Natan opdracht hem Jedidja te noemen: Lieveling van de Heer.

2 Samuël 11:1-12:25

1 Koningen

Van vader op zoon

Toen Davids levenseinde naderde, gaf hij zijn zoon Salomo de volgende aanwijzingen: 'Ook ik moet nu heengaan, net als iedereen. Wees vastberaden, laat zien wat je kunt. Houd je aan de opdracht van de Heer, je God, door de wegen te volgen die hij je wijst en door je te houden aan zijn wetten, geboden, uitspraken en vermaningen, zoals die zijn neergelegd in de wet van Mozes. Dan zul je succes hebben in alles wat je onderneemt. Dan zal de Heer ook de belofte houden die hij mij heeft gedaan met de woorden: Als je zonen het rechte pad houden door mij trouw en met hart en ziel te dienen, dan zal op de troon van Israël altijd een van je nakomelingen zitten.'
Kort daarop stierf David; hij werd in de Davidsburcht begraven. Hij is veertig jaar lang koning geweest over Israël: zeven jaar in Hebron en drieëndertig jaar in Jeruzalem. Toen nam Salomo de heerschappij van zijn vader David over en zijn koningschap stond rotsvast.

1 Koningen 2:1-4, 10-12

De gave van onderscheid

Salomo werd de schoonzoon van de farao, de koning van Egypte, door te trouwen met diens dochter. Hij liet haar wonen in de Davidsburcht, totdat hij gereedgekomen was met de bouw van zijn paleis, de tempel van de Heer en de muur om Jeruzalem. Omdat er tot dan toe nog geen tempel ter ere van de Heer was gebouwd, vierde het volk de offerfeesten gewoonlijk op de offerhoogten. Salomo zelf toonde zijn liefde voor de Heer door de aanwijzingen van zijn vader op te volgen, maar ook had hij de gewoonte de offerdieren te slachten en te verbranden op die offerhoogten. Zo ging koning Salomo voor het brengen van offers op een keer naar Gibeon, de belangrijkste offerhoogte van het land; op het altaar bracht hij wel duizend brandoffers. Daar in Gibeon verscheen de Heer 's nachts aan Salomo in een droom. 'Vraag wat je wilt,' sprak God, 'ik zal het je geven.' Salomo antwoordde: 'Heer, mijn God, u hebt mijn vader David uw grote liefde getoond, omdat hij u trouw heeft gevolgd en steeds eerlijk en oprecht tegenover u is geweest. Die liefde hebt u hem wel bij uitstek bewezen door hem een zoon te schenken die nu op zijn

troon mag zitten. U bent het dus zelf geweest die mij koning hebt gemaakt, de opvolger van mijn vader David. Maar ik ben nog zo jong en ik mis ervaring. Bovendien zie ik mij geplaatst voor het volk van uw keuze, een volk zo talrijk dat het onmogelijk is te tellen. Leer mij luisteren, zodat ik uw volk leiding kan geven en goed van kwaad weet te onderscheiden. Want hoe kan ik anders leiding geven aan dit belangrijke volk van u?'
De Heer vond het een goede zaak dat Salomo hem hierom vroeg. Daarom antwoordde God: 'Je hebt niets voor jezelf gevraagd, geen lang leven, geen rijkdom, niet de dood van je vijanden, nee, je hebt gevraagd om goed te kunnen luisteren en zo recht van onrecht te kunnen onderscheiden. Daarom zal ik je wens vervullen en je begiftigen met zoveel wijsheid en inzicht dat niemand je kan evenaren, in het verleden noch in de toekomst. Ja, ik zal je ook geven wat je niet hebt gevraagd: rijkdom en roem, zoveel dat tijdens je leven geen koning je zal evenaren. En als je de wegen volgt die ik je wijs, door je te houden aan mijn wetten en geboden naar het voorbeeld van je vader, dan zal ik je ook nog een lang leven schenken.'
Toen Salomo wakker werd, begreep hij dat hij een droom had gehad. In Jeruzalem aangekomen, ging hij voor de verbondskist van de Heer staan om brandoffers op te dragen en offers voor de heilige maaltijd. Voor al zijn dienaren gaf hij een feest.

1 Koningen 3:1-15

Rechtvaardige verdeling

Op een keer kwamen twee publieke vrouwen bij de koning hun opwachting maken. Toen ze voor hem stonden, nam een van hen het woord. 'Majesteit, ik vraag uw aandacht. Deze vrouw en ik wonen in hetzelfde huis en in dat huis heb ik pas een kind ter wereld gebracht. Zij was erbij. Drie dagen na mijn bevalling bracht ook zij een kind ter wereld; we waren samen thuis, we hadden geen vreemden op bezoek, alleen wij beiden waren in huis. Maar 's nachts stierf haar kind; in haar slaap was zij er bovenop gaan liggen. Midden in de nacht, toen ik nog sliep, stond zij op, nam mijn zoontje bij mij weg en legde hem bij haar in bed; haar eigen zoontje legde ze bij mij neer. Toen ik 's morgens opstond om mijn zoontje te voeden, ontdekte ik dat hij dood was. 's Ochtends bekeek ik hem nog eens goed en toen bleek dat het niet mijn zoontje was.' 'Dat is niet waar,' zei de andere vrouw, 'het levende jongetje is van mij, het dode van jou.' 'Nee,' antwoordde de eerste, 'het dode jongetje is van jou, het levende is van mij.' En dat bleven ze herhalen. Toen zei de koning: 'De een beweert: Het levende jongetje is van mij, het dode van jou; de ander ontkent het en zegt: Niet waar, het dode jon-

getje is van jou, het levende van mij.' Daarop beval de koning: 'Haal een zwaard.' Toen ze hem een zwaard gebracht hadden, beval hij: 'Hak het levende kind in tweeën en geef beide vrouwen een helft!' Maar alles in de moeder van het levende kind verzette zich daartegen; ze smeekte: 'Alstublieft, majesteit, geef het levende kind aan haar, maar dood het niet!' 'Nee,' zei de andere vrouw, 'hak het maar door. Krijg ik het niet, dan jij ook niet.' Toen deed de koning uitspraak en hij zei: 'Geef de eerste vrouw het levende kind! Dood het niet, zij is de moeder!'
Toen de Israëlieten hoorden welk vonnis de koning had geveld, kregen ze ontzag voor hem. Want ze zagen in dat God hem, om het recht te handhaven, met wijsheid had vervuld.

1 Koningen 3:16-28

Gods huis

In het vierhonderdtachtigste jaar na de uittocht van de Israëlieten uit Egypte, in het vierde jaar van zijn regering, in de tweede maand van het jaar, de maand Ziw, begon Salomo met de bouw van de tempel. De tempel die koning Salomo voor de Heer liet bouwen, was dertig meter lang, tien meter breed en vijftien meter hoog. De hal voor de grote zaal van de tempel was vijf meter diep en tien meter breed, even breed dus als de tempel zelf. De tempel voorzag hij van vensters met kozijnen en traliewerk. Tegen de tempel, dat wil zeggen tegen de muren die de grote zaal en de achterzaal omsloten, bouwde hij rondom een galerij. Daarvoor bracht hij over de hele omtrek balken aan. De onderste galerij was twee en een halve meter breed, de middelste drie meter en de bovenste drie en een halve meter. Dat kwam omdat hij de bouwmuren van de tempel aan de buitenkant had laten inspringen, want hij wilde geen steunpunten in de tempelmuren zelf aanbrengen. Bij het bouwen van de tempel werden alleen stenen gebruikt die kant-en-klaar van de steengroeve kwamen; tijdens de bouw van de tempel hoorde men dus geen hamers, houwelen of andere ijzeren gereedschappen klinken. In de middelste galerij rechts van de tempel bevond zich een trapgat; via trappen kwam men op de middelste en van de middelste op de bovenste galerij. Toen hij de romp van de tempel had afgebouwd, legde hij op de tempel een plat dak van balken en planken van cederhout. De galerijen die hij tegen de tempel aanbouwde, waren twee en een halve meter hoog; de tempel zelf zette hij in een bekisting van cederhout.
Toen sprak de Heer tot Salomo: 'Als jij mijn wetten nakomt, je houdt aan mijn uitspraken en al mijn geboden uitvoert en naleeft, zal ik aan jou de belofte nakomen die ik je vader David heb gedaan: Ik zal in deze tempel die jij aan het bouwen bent, mid-

den onder de Israëlieten wonen en ik zal mijn volk Israël niet in de steek laten.'

Toen liet koning Salomo de vertegenwoordigers van Israël, alle stam- en familiehoofden, bij zich komen in Jeruzalem om de verbondskist van de Davidsburcht, dat is de berg Sion, over te brengen naar de tempel. Op het loofhuttenfeest in de maand Etanim, de zevende maand van het jaar, kwamen alle vertegenwoordigers van Israël bij hem. De priesters tilden de verbondskist van de Heer op en droegen hem naar de tempel op de berg, tegelijk met de ontmoetingstent en de bijbehorende heilige voorwerpen. De levieten hielpen hen daarbij. Koning Salomo en alle Israëlieten die waren toegestroomd, stelden zich voor de verbondskist op en offerden zoveel schapen en runderen dat een nauwkeurige telling onmogelijk was. Daarna brachten de priesters de verbondskist van de Heer de tempel binnen en zetten hem op zijn plaats in de achterzaal, het meest heilige vertrek van de tempel, onder de vleugels van de engelfiguren. De engelfiguren hielden hun vleugels uitgespreid naar de verbondskist en bogen zich beschermend over de kist met zijn draagstokken. Die draagstokken waren zo lang dat men de einden daarvan vanuit de grote zaal alleen kon zien als men vlak voor de achterzaal stond. Wat verder weg waren ze niet meer te zien. Daar zijn ze gebleven tot op de dag van vandaag. In de kist bevonden zich alleen de twee stenen platen die Mozes erin had gelegd op de berg de Horeb, waar de Heer het verbond had gesloten met de Israëlieten na hun uittocht uit Egypte. Zodra de priesters het heiligdom hadden verlaten, vulde een wolk de tempel en daardoor konden de priesters niet meer de tempel in om er hun diensten te verrichten. Want de Heer had in al zijn majesteit bezit genomen van de tempel.

1 Koningen 6:1-13; 8:1-11

Wereldberoemd

De koningin van Seba hoorde van de roem waarmee Salomo was overladen ter ere van de Heer. Zij reisde naar Jeruzalem om Salomo op de proef te stellen met moeilijke vragen. Met een machtige stoet kamelen die waren beladen met kruiden en heel veel goud en edelstenen, kwam zij in Jeruzalem aan. Bij Salomo ontvangen legde zij hem alle kwesties voor die haar bezighielden. Op geen van haar vragen bleef koning Salomo het antwoord schuldig; niets was zo ondoorgrondelijk of hij kon het haar duidelijk maken. De koningin van Seba zag niet alleen hoe wijs Salomo was, zij zag ook het paleis dat hij had gebouwd, de gerechten die werden opgediend, de hovelingen die aanzaten, de bedienden die klaarstonden en de gewaden die ze droegen, de

dranken die werden geschonken en de vuuroffers die Salomo opdroeg in de tempel van de Heer. Zij was diep onder de indruk en zei tegen de koning: 'Wat ik in mijn land over u en uw wijsheid heb gehoord, blijkt waar te zijn. Ik heb het niet kunnen geloven voordat ik hier kwam en het met eigen ogen zag. Maar men heeft mij nog niet de helft verteld; uw wijsheid en geluk gaan de verhalen die ik heb gehoord, verre te boven. Wat zijn uw onderdanen te benijden! Wat zijn vooral uw dienaren hier te benijden die van zo dichtbij uw wijze uitspraken kunnen horen! Dank aan de Heer, uw God, die zoveel van u houdt dat hij u heeft gezet op de troon van Israël en wiens liefde voor Israël zo grenzeloos is dat hij u koning heeft gemaakt om wet en recht te handhaven!'
Zij gaf koning Salomo zesendertighonderd kilo goud en een grote hoeveelheid kruiden en edelstenen. Zoveel kruiden als de koningin van Seba aan koning Salomo heeft gegeven, zijn nooit meer aangevoerd. Van zijn kant gaf koning Salomo aan de koningin van Seba niet alleen de geschenken die zij van een koning als hij gewoonlijk ontving: hij gaf haar alles wat haar hart begeerde. Toen aanvaardde zij met haar hofdienaren de terugreis naar haar land.

Verdere bijzonderheden over Salomo, zijn daden en zijn wijsheid staan opgetekend in de jaarboeken van Salomo. In Jeruzalem heeft Salomo veertig jaar lang over heel Israël geregeerd. Hij stierf en werd begraven in de Davidsburcht. Zijn zoon Rechabeam volgde hem op.

1 Koningen 10:1-10, 13; 11:41-43

De eenheid verbroken

Rechabeam ging naar Sichem, want daar waren alle Israëlieten samengekomen om hem tot koning uit te roepen. Toen Jerobeam, de zoon van Nebat, ervan hoorde, was hij nog in Egypte, waarheen hij was gevlucht voor koning Salomo. Maar omdat hij in Egypte lijdelijk bleef toezien, stuurde men boden om hem te ontbieden. Toen hij was aangekomen en ook de hele volksraad, zeiden de Israëlieten tegen Rechabeam: 'Uw vader heeft ons een hard juk opgelegd. Daarom zullen wij u alleen dienen als u het harde werk waartoe hij ons heeft gedwongen, verlicht en ons het zware juk afneemt dat hij ons heeft opgelegd.' 'Kom overmorgen bij mij terug,' antwoordde Rechabeam. Toen ze waren weggegaan, raadpleegde Rechabeam de vertegenwoordigers van het volk die zijn vader Salomo nog ter zijde hadden gestaan. 'Wat raadt u mij aan, het volk te antwoorden?' vroeg hij. 'Als u een dienaar van het volk wilt zijn,' zeiden zij, 'bewijs hun dan een

dienst door gunstig te beslissen en hen vriendelijk te woord te staan; dan zullen zij u altijd onderdanig zijn.' Maar hij sloeg de raad die de vertegenwoordigers van het volk hem hadden gegeven, in de wind en ging te rade bij de jongemannen die samen met hem waren opgegroeid en hem ter zijde stonden. 'Wat raden jullie mij aan?' vroeg hij. 'Het volk heeft mij gevraagd het juk dat mijn vader hun heeft opgelegd, lichter te maken. Wat zullen we hun antwoorden?' Zijn leeftijdgenoten zeiden: 'Het volk heeft zich tot u gewend met de vraag, het zware juk te verlichten dat uw vader hun heeft opgelegd. Nu moet u hun het volgende antwoorden: Mijn pink is dikker dan mijn vaders middel. Heeft mijn vader u een zwaar juk opgelegd, ik zal het nog zwaarder maken; heeft mijn vader u met de zweep afgeranseld, ik zal een gesel gebruiken.' Toen Jerobeam met het volk volgens afspraak op de derde dag bij Rechabeam terugkwam, gaf de koning het volk een afwijzend antwoord. Hij sloeg de raad van de vertegenwoordigers van het volk in de wind en volgde het advies op van de jongeren, door te antwoorden: 'Heeft mijn vader u een zwaar juk opgelegd, ik zal het nog zwaarder maken; heeft mijn vader u met de zweep afgeranseld, ik zal een gesel gebruiken.' De koning willigde het verzoek van het volk dus niet in. De Heer had hierop aangestuurd, want hij wilde de belofte aan Jerobeam houden, die hij de profeet Achia had laten overbrengen.
Toen de Israëlieten inzagen dat de koning niet bereid was naar hen te luisteren, antwoordden ze:
'Met David hebben we niets te maken! De zoon van Isaï heeft niets bij ons te zoeken! Terug naar huis, Israëlieten! Het koningshuis van David zorgt maar voor zichzelf!'
Toen gingen de Israëlieten naar huis terug. Alleen over die Israëlieten die in de steden van Juda woonden, bleef Rechabeam koning.

1 Koningen 12:1-17

Een levenwekkende profeet

Het koninkrijk Juda en het koninkrijk Israël (de Tien Stammen) gaan elk hun eigen weg. Achab, een van Israëls koningen, doet alles wat God verboden heeft. De profeet Elia moet hem tot de orde roepen.

Elia uit Tisbe in Gilead zei tegen Achab: 'Bij de levende Heer, de God van Israël, in wiens dienst ik sta: in geen jaren zal er dauw of regen komen, behalve wanneer ik het zeg.'
Toen sprak de Heer tot Elia: 'Ga hier vandaan in oostelijke richting en verberg u in het dal van de Kerit, die uitmondt in de Jordaan. Drinken kunt u uit de beek en voedsel zal ik u daar laten

brengen door raven.' Hij deed wat de Heer had gezegd en ging wonen in het dal van de Kerit, die uitmondt in de Jordaan. De raven bezorgden hem iedere morgen en iedere avond brood en vlees, en hij dronk uit de beek.
Maar doordat er in het land geen regen viel, droogde de beek na verloop van tijd uit. Toen sprak de Heer tot hem: 'Ga naar Sarefat dat onder Sidon valt en blijf er enige tijd wonen. Een weduwe daar heb ik opgedragen u van alles te voorzien.' Hij ging dus op weg naar Sarefat, en toen hij bij de stadspoort kwam, trof hij daar een weduwe aan die hout aan het sprokkelen was. Hij riep haar toe: 'Haal alstublieft een beetje water voor mij; ik heb dorst.' Ze was al op weg om het te halen, toen hij riep: 'Breng alstublieft ook een stuk brood mee.' 'Bij de levende Heer, uw God,' antwoordde zij, 'ik heb niets meer in voorraad, alleen nog een handvol meel in de pot en een restje olijfolie in de kruik. Ik was hier wat hout aan het sprokkelen en wilde iets gaan klaarmaken voor mij en mijn zoon. We kunnen nog één keer eten en dan wacht ons de dood.' 'Maak u geen zorgen,' antwoordde Elia, 'ga naar huis en doe wat u van plan was. Maar maak van het beetje olie en meel eerst brood voor mij; als u me dat bent komen brengen, kunt u daarna iets klaarmaken voor uzelf en uw zoon. Want de Heer, de God van Israël, zegt: Het meel in de pot raakt niet op en de olie in de kruik wordt niet minder totdat ik het weer laat regenen.' Toen ging ze weg en deed wat Elia had gezegd. Ze hadden elke dag te eten, Elia, de vrouw en haar gezin. Het meel in de pot raakte niet op en de olie in de kruik werd niet minder, zoals de Heer door Elia had gezegd.
Enige tijd later werd de zoon van de vrouw des huizes ziek. De ziekte werd zo ernstig dat er tenslotte geen leven meer in hem was. Toen zei de vrouw tegen Elia: 'Profeet, hoe heb ik het nu met u? Bent u soms bij me gekomen om God te herinneren aan mijn zonden en zo mijn zoon de dood in te sturen?' 'Geef me uw zoon,' antwoordde hij. Hij nam de jongen van haar schoot, bracht hem naar boven, naar de kamer waar hij logeerde, en legde hem op zijn bed. Toen riep hij de Heer aan en zei: 'Heer, mijn God, waarom hebt u nu juist de weduwe bij wie ik te gast ben, zo smartelijk getroffen?' Hij ging driemaal languit op het kind liggen en riep daarbij de Heer aan met de woorden: 'Heer, mijn God, laat toch de levensadem in dit kind terugkeren!' En de Heer verhoorde Elia: de adem keerde terug in het kind en het kwam tot leven. Toen nam Elia het kind in zijn armen en droeg het naar beneden. Hij gaf het kind aan zijn moeder en zei: 'Kijk, uw zoon leeft.' 'Nu weet ik zeker dat u door God gezonden bent,' antwoordde de vrouw, 'en dat men kan vertrouwen op wat de Heer door u zegt.'

1 Koningen 17:1-24

Bij God op de berg

Achab vertelde Izebel alles wat Elia had gedaan, ook dat hij alle profeten van Baäl met het zwaard had omgebracht. Toen liet Izebel door een boodschapper aan Elia het volgende berichten: 'De goden mogen mij zwaar straffen, als u morgen om deze tijd niet hetzelfde lot ondergaat als deze profeten.' Bang geworden vluchtte Elia voor zijn leven. Toen hij Berseba in Juda bereikte, liet hij daar zijn dienaar achter. Alleen trok hij verder, de woestijn in; na een dag lopen ging hij onder een bremstruik zitten en wenste hij dat hij dood was. 'Het is nu genoeg, Heer,' zei hij. 'Neem mij maar uit het leven weg, ik ben niet beter dan mijn voorouders.' Toen ging hij onder de bremstruik liggen slapen. Maar opeens was er een engel die hem wakker maakte en zei: 'Sta op en eet wat.' Toen hij opkeek, zag hij aan zijn hoofdeinde een koek, gebakken op gloeiende stenen, en een kruik water. Hij at en dronk wat en ging weer liggen. Maar de engel van de Heer maakte hem opnieuw wakker en zei: 'Sta op en eet nog iets, want er staat je nog een verre reis te wachten.' Hij stond op, at en dronk en door de kracht van dit voedsel liep hij in veertig dagen en nachten naar de berg van God, de Horeb. Daar ging hij een grot binnen en overnachtte er.
Toen richtte de Heer tot hem het woord: 'Wat kom je hier doen, Elia?' 'Heer, almachtige God,' antwoordde hij, 'ik heb me volledig voor uw zaak ingezet. Maar de Israëlieten hebben het verbond dat u met hen hebt gesloten, naast zich neergelegd; ze hebben uw altaren omvergehaald en uw profeten omgebracht met het zwaard; alleen ik ben nog over en nu proberen ze ook mij uit de weg te ruimen.' 'Kom naar buiten,' beval de Heer, 'en ga voor een ontmoeting met mij op de berg staan.' Toen kwam de Heer voorbij. Voor hem uit raasde een storm die de bergen deed splijten en de rotsen verbrijzelde, maar de Heer bevond zich niet in de storm. Na de storm volgde een aardbeving en ook in de aardbeving bevond de Heer zich niet. En op de aardbeving volgde vuur en ook in het vuur bevond de Heer zich niet. Op het vuur volgde een ademloze stilte. Zodra Elia dat hoorde, bedekte hij zijn gezicht met zijn mantel en ging naar buiten. Bij de ingang van de grot bleef hij staan. 'Wat kom je hier doen, Elia?' klonk een stem. 'Heer, almachtige God,' antwoordde hij, 'ik heb me volledig voor uw zaak ingezet. Maar de Israëlieten hebben het verbond dat u met hen hebt gesloten, naast zich neergelegd; ze hebben uw altaren omvergehaald en uw profeten omgebracht met het zwaard; alleen ik ben nog over en nu proberen ze ook mij uit de weg te ruimen.' 'Keer terug en ga naar de woestijn van Damascus,' beval de Heer. 'Als je daar bent aangekomen, zalf dan Hazaël tot koning van Aram. Zalf daarna Jehu, de zoon van Nimsi, tot koning van Israël en zalf Elisa, de zoon van Safat uit Abel-Mechola, tot profeet om je op te volgen. Wie aan het zwaard van

Hazaël weet te ontkomen, zal door Jehu worden gedood en wie ook nog aan het zwaard van Jehu weet te ontkomen, zal door Elisa worden gedood. Maar ik zal ervoor zorgen dat er in Israël zevenduizend man overblijven die zich niet buigen voor Baäl en zijn beeld niet kussen.'
Elia verliet de Horeb en trof Elisa, de zoon van Safat, op het land aan. Onder zijn leiding waren ze met twaalf koppels ossen aan het ploegen; hijzelf liep achter het twaalfde koppel. In het voorbijgaan wierp Elia hem zijn mantel om. Onmiddellijk liet Elisa de ossen in de steek en ging Elia achterna. 'Mag ik voordat ik u volg, eerst nog mijn vader en moeder vaarwel kussen?' vroeg Elisa. 'Keer maar terug,' antwoordde Elia. 'Wat heb ik u eigenlijk aangedaan?' Toen ging Elisa terug; hij greep zijn koppel ossen en slachtte ze. Hij kookte het vlees op het hout van de jukken en gaf het te eten aan het werkvolk. Toen volgde hij Elia en werd zijn dienaar.

1 Koningen 19:1-21

Een moord om een wijngaard

Hierna gebeurde het volgende. Koning Achab van Samaria had een paleis in Jizreël en aan dat paleis grensde een wijngaard die van een zekere Nabot uit Jizreël was. 'Sta mij uw wijngaard af,' zei Achab tegen Nabot. 'Hij ligt vlak naast mijn paleis en ik kan hem goed gebruiken om er groente te kweken. In ruil geef ik u een wijngaard van betere kwaliteit of als u dat liever hebt, betaal ik u de volle prijs.' Maar Nabot antwoordde: 'Bij de Heer, geen sprake van dat ik afstand zou doen van de grond die is overgegaan van vader op zoon!' Terneergeslagen en woedend ging Achab naar huis, omdat Nabot uit Jizreël had geweigerd afstand te doen van de grond van zijn voorouders. Thuisgekomen ging hij zonder te eten op een divan liggen met zijn gezicht naar de muur. Zijn vrouw Izebel ging naar hem toe en zei: 'Hoe komt het dat je zo terneergeslagen bent en niet eet?' 'Ik had een gesprek met Nabot uit Jizreël,' antwoordde Achab. 'Sta mij uw wijngaard af, zei ik tegen hem. Ik betaal ervoor of ik geef u er een andere voor in de plaats als u dat liever hebt. Maar hij weigerde zijn wijngaard af te staan.' 'Jij hebt toch de macht als koning van Israël!' antwoordde Izebel. 'Sta op en eet wat en wees gerust, ik zorg er wel voor dat jij de wijngaard van die Nabot krijgt.'
Ze schreef brieven op naam van Achab, voorzag die van zijn zegel en zond ze naar de bestuurders en de aanzienlijkste mannen van Nabots woonplaats. De inhoud van de brieven luidde: 'Roep een vastendag uit en geef, wanneer het volk samenkomt, aan Nabot een ereplaats. Zet tegenover hem twee mannen, schurken, die hem beschuldigen van godslastering en majesteitsschen-

nis. Leid hem dan weg en stenig hem.' De stadsbestuurders en de aanzienlijkste mannen in Nabots woonplaats deden wat Izebel in haar brieven van hen had gevraagd. Ze riepen een vastendag uit en gaven, toen het volk samenkwam, aan Nabot een ereplaats. Twee mannen, schurken, namen tegenover hem plaats en beschuldigden hem ten aanhoren van het volk van godslastering en majesteitsschennis. Ze leidden Nabot buiten de stad en stenigden hem. Aan Izebel stuurden ze het bericht: 'Nabot is gestenigd.' Zodra Izebel hoorde dat Nabot was gestenigd, zei ze tegen Achab: 'Je kunt bezit nemen van de wijngaard die Nabot uit Jizreël je niet wilde verkopen. Nabot is niet meer in leven, Nabot is dood.' Toen Achab hoorde dat Nabot dood was, ging hij in eigen persoon naar Jizreël om de wijngaard van Nabot in bezit te nemen. Toen richtte de Heer het woord tot Elia uit Tisbe: 'Ga naar koning Achab van Samaria. Hij is op het ogenblik in de wijngaard van Nabot. Hij is daarnaartoe gegaan om hem in bezit te nemen. Zeg tegen hem het volgende: Dit zegt de Heer: Eerst iemand vermoorden en dan ook nog zijn wijngaard in bezit nemen! Op de plek waar de honden het bloed van Nabot hebben opgelikt, op diezelfde plek zullen ze ook uw bloed oplikken!'
Toen Achab Elia zag, zei hij: 'Mijn vijand heeft me dus weer weten te vinden!' 'Ja,' antwoordde Elia. 'U hebt tot elke prijs willen doen wat in strijd is met de wil van de Heer. Daarom staat u een ramp te wachten, zegt de Heer. Ik zal u wegvagen en al uw mannelijke nakomelingen, van groot tot klein, uitroeien. Omdat u mijn woede hebt opgewekt en Israël tot zondige praktijken hebt gebracht, zal ik ervoor zorgen dat uw koningshuis hetzelfde lot ondergaat als dat van Jerobeam, de zoon van Nebat en als dat van Basa, de zoon van Achia. En wat Izebel betreft, de honden zullen haar verslinden bij de muur van Jizreël. Wie van uw familie in de stad sterft, zal worden verslonden door honden, en wie op het land sterft, door roofvogels.'
Inderdaad, er is niemand geweest die zo tot elke prijs heeft gedaan wat in strijd is met de wil van de Heer als Achab. En het was Izebel, zijn vrouw, die hem daartoe heeft aangezet. Meer dan schandelijk was het zoals hij dweepte met de afgodsbeelden naar het voorbeeld van de Amorieten, die de Heer voor de Israëlieten van hun grond had verdreven.
Zodra Elia was uitgesproken, scheurde Achab zijn kleren en deed een boetekleed aan. Hij vastte, sliep in zijn boetekleed en liep berouwvol rond. Toen richtte de Heer het woord tot Elia uit Tisbe: 'Heb je gezien hoe Achab zich voor mij heeft vernederd? Omdat hij dat gedaan heeft, zal de ramp die ik over zijn koningshuis heb aangekondigd, niet tijdens zijn leven plaatsvinden maar tijdens het leven van zijn zoon.'

1 Koningen 21:1-29

2 Koningen

Een meester en vader gaat heen

De tijd was niet ver meer, dat de Heer de profeet Elia in de hemel zou opnemen door een stormwind. Elia en Elisa hadden Gilgal verlaten en onderweg zei Elia tegen Elisa: 'Blijf jij hier, ik moet van de Heer verder naar Betel.' Maar Elisa antwoordde: 'Bij de levende Heer en bij uw leven: ik laat u niet in de steek.' Zo gingen zij naar Betel.
Nu woonde er in Betel een groep profeten. Ze gingen naar Elisa toe en zeiden: 'Weet u dat de Heer vandaag uw meester van u gaat wegnemen?' 'Ik weet het,' antwoordde hij, 'praat er maar niet over.' In Betel zei Elia tegen Elisa: 'Blijf jij hier, ik moet van de Heer verder naar Jericho.' Maar Elisa antwoordde: 'Bij de levende Heer en bij uw leven: ik laat u niet in de steek.' Zo gingen ze naar Jericho.
Nu woonde er ook in Jericho een groep profeten. Ze gingen naar Elisa toe en zeiden: 'Weet u dat de Heer vandaag uw meester van u gaat wegnemen?' 'Ik weet het,' antwoordde hij, 'praat er maar niet over.' In Jericho zei Elia tegen Elisa: 'Blijf jij hier, ik moet van de Heer verder naar de Jordaan.' Maar Elisa antwoordde: 'Bij de levende Heer en bij uw leven: ik laat u niet in de steek.' Zo gingen ze samen verder. Vijftig leden van de profetengroep volgden hen, maar toen Elia en Elisa bij de Jordaan stilhielden, bleven zij op eerbiedige afstand staan. Elia deed zijn mantel af, rolde hem op en sloeg ermee op het water. Dat vloeide naar rechts en links weg, zodat zij beiden droogvoets konden oversteken. Toen zij aan de overkant stonden, zei Elia tegen Elisa: 'Wat kan ik nog voor je doen voordat ik van je word weggenomen?' 'Geef mij een dubbel deel van uw geestesgaven!' vroeg Elisa. 'Je vraagt wel iets heel moeilijks,' antwoordde Elia, 'maar als je er getuige van mag zijn dat ik van je word weggenomen, gaat je wens in vervulling; anders niet.'
Al pratende liepen zij verder. Plotseling werden zij van elkaar gescheiden door een wagen van vuur, getrokken door paarden van vuur, en Elia steeg in een stormwind op naar de hemel. Elisa was er getuige van en riep uit: 'Vader, vader, u betekende voor Israël evenveel als een leger van wagens en paarden!' Toen hij Elia niet langer met zijn ogen kon volgen, greep hij zijn kleren vast en scheurde die uit droefheid in tweeën. Hij raapte de mantel op die van Elia was afgevallen en keerde terug naar de oever van de Jordaan. Nu sloeg ook hij met de mantel op het water, en hij riep uit: 'Heer, God van Elia, waar bent u?' Toen hij met de

mantel op het water had geslagen, vloeide het naar rechts en links weg, zodat hij de Jordaan kon oversteken.
Toen de leden van de profetengroep uit Jericho hem zagen aankomen, zeiden ze: 'De geestesgaven van Elia zijn nu overgegaan op Elisa.' Ze liepen hem tegemoet en bogen zich diep voor hem neer. 'We zijn hier met vijftig flinke mannen,' zeiden ze, 'en stellen voor uw meester te gaan zoeken. Misschien heeft de Heer hem meegenomen op de wind en hem neergezet op een of andere berg of in een dal.' 'Nee, dat moeten jullie niet doen,' antwoordde hij. Maar zij hielden zo lang aan dat hij wel moest toegeven en zei: 'Ga dan maar.' Ze gingen hem dus zoeken, vijftig man sterk, drie dagen lang, maar ze konden hem niet vinden. In Jericho wachtte Elisa hen op en toen ze terugkwamen, zei hij: 'Ik had jullie toch gezegd hem niet te gaan zoeken.'

2 Koningen 2:1-18

Zo meester (Elia), zo leerling (Elisa)

Op een keer riep een vrouw van wie de man tot een profetengroep behoorde, de hulp in van Elisa. 'Mijn man is gestorven, mijn heer,' sprak ze. 'U weet dat hij altijd een toegewijd dienaar van de Heer is geweest. Maar er is een schuldeiser gekomen die mijn twee kinderen als slaven wil meenemen.' 'Wat kan ik voor u doen?' vroeg Elisa. 'Zeg mij wat u nog in huis hebt.' 'Niets anders dan een kruikje olijfolie,' antwoordde zij. 'Ga bij al uw buren vaten lenen,' zei Elisa, 'lege vaten, en zoveel als u maar krijgen kunt. Ga dan met uw zonen uw huis binnen, doe de deur op slot en giet de olie over in de vaten; en als een vat vol is, zet u het opzij.' Ze ging met haar zonen haar huis binnen en deed de deur op slot; en terwijl haar zonen de vaten aandroegen, bleef zij maar gieten. Toen de vaten vol waren, vroeg ze een van haar zonen nog een vat te brengen. 'Er is er geen meer,' antwoordde hij. En meteen hield de olijfolie op te stromen. De vrouw ging het aan de profeet vertellen en die zei: 'Ga de olie verkopen en betaal uw schuld met de opbrengst. Van wat er overblijft kunnen u en uw zonen leven.'

Op doorreis kwam Elisa langs Sunem. Daar woonde een rijke vrouw die bij hem aandrong te blijven eten. Sindsdien onderbrak hij elke keer als hij langs Sunem kwam, de reis om er de maaltijd te gebruiken. Eens zei de vrouw tegen haar man: 'Ik weet zeker dat de man die altijd bij ons langskomt, heel dicht bij God staat. Ik stel voor dat we op het dakterras een kleine kamer maken en die inrichten met een bed, een tafel, een stoel en een olielamp. Daar kan hij dan logeren, als hij weer bij ons aankomt.'
Op zekere dag kwam Elisa weer langs; hij nam zijn intrek in de

dakkamer om wat uit te rusten. Daarna vroeg hij zijn dienaar Gechazi de gastvrouw te roepen. Toen Gechazi haar geroepen had, bleef zij op eerbiedige afstand staan. Elisa zei tegen Gechazi: 'Zeg haar het volgende: Wat behandelt u ons eerbiedig en wat doet u een moeite voor ons! Kan ik iets voor u doen? Zal ik bij de koning of bij de aanvoerder van het leger een goed woord voor u doen?' 'Nee, dat is niet nodig,' was haar antwoord, 'ik kan altijd terugvallen op mijn familie.' 'Kan ik dan niets voor haar doen?' vroeg Elisa aan Gechazi. 'Zeker wel!' antwoordde hij. 'Zij is kinderloos en haar man is al op leeftijd.' 'Ga haar roepen,' beval Elisa. Toen Gechazi haar geroepen had, bleef zij bij de deur staan. Elisa sprak: 'Volgend jaar om deze tijd zult u een zoon in uw armen dragen.' 'Och, mijn heer de profeet,' antwoordde zij, 'spiegel me toch niets voor!'
De vrouw werd inderdaad zwanger en bracht een jaar later omstreeks dezelfde tijd een zoon ter wereld, zoals Elisa had gezegd. Het kind werd groter en op zekere dag ging hij het land op naar zijn vader, bij de maaiers. Plotseling riep hij: 'Vader, mijn hoofd, mijn hoofd!' 'Breng hem naar zijn moeder!' beval zijn vader een van de knechten. De knecht tilde hem op en bracht hem naar zijn moeder. Tot de middag zat de jongen bij haar op schoot; toen stierf hij. Ze droeg hem naar boven, legde hem op het bed van de profeet, sloot de deur af en ging het land op. 'Ik wil zo snel mogelijk heen en terug naar de profeet,' riep ze haar man toe. 'Geef me dus een knecht met een ezel mee.' 'Waarom wil je vandaag naar hem toe?' vroeg hij. 'Het is toch geen nieuwemaansfeest of sabbat!' 'Laat mij nu maar gaan,' antwoordde ze. Zij zadelde de ezel en beval de knecht: 'Drijf de ezel zonder ophouden aan en onderbreek de rit alleen wanneer ik het je zeg.' Zo ging zij op weg naar de profeet op de berg Karmel. Toen de profeet haar op enige afstand zag aankomen, zei hij tegen zijn dienaar Gechazi: 'Daar komt de vrouw uit Sunem! Ga haar vlug tegemoet en vraag hoe het met haar gaat en met haar man en haar kind.' Zij antwoordde: 'Alles gaat goed.' Toen zij bij de profeet op de berg was aangekomen, omklemde zij zijn voeten. Gechazi liep op haar toe om haar weg te duwen, maar de profeet zei: 'Laat haar met rust. Zie je niet wat een verdriet ze heeft? Maar de Heer heeft mij niet meegedeeld waarover.' Toen zei de vrouw: 'Heb ik u soms om een zoon gevraagd, mijn heer? Heb ik u niet meteen gezegd: Spiegel mij niets voor?' Hierop wendde Elisa zich tot Gechazi: 'Bind je kleren op, neem mijn staf en loop zo hard als je kunt. Blijf niet staan om iemand te groeten en groet niet terug als iemand jou groet. Je moet mijn staf op de jongen leggen.' Maar de moeder van de jongen zei tegen Elisa: 'Zo waar als de Heer leeft en zo waar als u leeft: ik ga niet zonder u!' Toen stond Elisa op en ging met haar mee.
Intussen had Gechazi al een flinke voorsprong. Hij legde de staf op de jongen. Maar de jongen gaf geen geluid noch een ander

teken van leven. Gechazi keerde terug en toen hij Elisa tegenkwam, zei hij: 'De jongen is niet wakker geworden.' Na aankomst ging Elisa de kamer binnen en zag de jongen dood op zijn bed liggen. Hij sloot de deur af, zodat hij met de jongen alleen was, en bad tot de Heer. Daarna ging hij zo op het kind liggen, dat hun mond, hun ogen en hun handen elkaar raakten. Doordat hij zich zo over hem uitstrekte, begon het lichaam van het kind weer warm te worden. Toen stond hij op, liep eenmaal de kamer op en neer en strekte zich weer over het kind uit. De jongen begon te niezen, tot zeven keer toe, en deed zijn ogen open. Elisa riep Gechazi en vroeg hem de moeder te roepen. Toen Gechazi haar geroepen had en zij gekomen was, zei Elisa: 'Til uw zoon op.' Zij ging het vertrek binnen, viel aan zijn voeten neer en bracht hem hulde. Toen tilde zij haar zoon op en ging de kamer uit.

Tijdens de hongersnood keerde Elisa terug naar Gilgal. Er woonde daar een profetengroep, en toen zij onder Elisa's leiding bijeenzaten, zei hij tegen zijn dienaar: 'Zet de grote pot op en maak voor hen een warm maal klaar.' Een van hen ging het veld in om kaasjeskruid te zoeken. Maar het enige wat hij vond was een wilde plant. Daarvan plukte hij de pompoenachtige vruchten tot zijn mantel vol was en ging ermee terug. Hij sneed ze aan stukken en deed ze in de pot, hoewel het onzeker was of ze eetbaar waren. Het eten werd opgeschept, maar zodra de mannen van het maal hadden geproefd, riepen zij luid: 'Profeet, de dood zit in de pot!' En zij konden er niet van eten. 'Haal wat meel,' zei Elisa. Hij deed dat in de pot en zei: 'Schep nu voor de mensen op. Nu is het te eten.' Toen was het gerecht in de pot niet langer gevaarlijk.
Een andere keer kwam een man uit Baäl-Salisa de profeet iets aanbieden uit de nieuwe oogst: twintig gerstebroden en een kleine hoeveelheid graan. Elisa gaf zijn dienaar opdracht dit aan de groep profeten te eten te geven, maar die antwoordde: 'Hoe kan ik dat nu voorzetten aan honderd mensen?' 'Dien het hun toch maar op,' hield Elisa vol, 'want de Heer heeft gezegd: Ze zullen eten en nog overhouden ook!' Toen zette hij het hun voor. Ze begonnen te eten en hielden nog over, zoals de Heer had gezegd.

2 Koningen 4:1-44

Reinigend water

Naäman was de aanvoerder van het Aramese leger en omdat de Heer door hem aan Aram een grote overwinning had bezorgd, was hij zeer gezien bij de koning van Aram en werd hij door iedereen geacht. Maar deze man met zijn bijzondere kwaliteiten had een huidziekte. Nu hadden de Arameeërs op een van hun

strooptochten een meisje uit Israël buitgemaakt dat tenslotte in dienst was gekomen van de vrouw van Naäman. Op een keer zei ze tegen haar meesteres: 'Kon mijn meester maar eens de profeet ontmoeten die in Samaria woont! Die zou hem wel van zijn huidziekte genezen.' Naäman ging de koning meedelen wat het meisje uit Israël had gezegd. De koning van Aram antwoordde: 'Wend je dan tot de koning van Israël; ik zal je een brief voor hem meegeven.' Naäman ging dus op weg, met bij zich driehonderd kilo zilver, zestig kilo goud en tien stel feestgewaden. In de brief die hij bij zich had voor de koning van Israël, stond: 'Door middel van deze brief wil ik uw aandacht vragen voor mijn officier Naäman. Wees zo goed hem van zijn ziekte te genezen.'
Zodra de koning van Israël de brief had gelezen, scheurde hij uit wanhoop zijn kleren en riep: 'Hoe kan de koning van Aram mij nu vragen iemand van zijn huidziekte te genezen? Ben ik soms een god die beschikt over leven en dood? Het is duidelijk: hij zoekt een aanleiding om mij de oorlog te verklaren.'
Toen de profeet Elisa hoorde dat de koning zijn kleren had gescheurd, liet hij hem weten: 'Waarom hebt u uw kleren gescheurd? Stuur die man maar naar mij, dan zal hij ondervinden dat er een profeet is in Israël!' Op zijn wagen, getrokken door paarden, kwam Naäman aanrijden. Hij bleef voor de ingang van Elisa's huis staan. Elisa liet hem door een boodschapper zeggen: 'Ga u zeven keer wassen in de Jordaan, dan krijgt u weer een gave huid.' Woedend ging Naäman weg. 'Ik had gedacht,' zei hij, 'dat Elisa persoonlijk naar buiten zou komen en beleefd voor mij zou blijven staan, om daarna de naam van de Heer, zijn God, aan te roepen, met zijn hand over de zieke plek te strijken en mij zo van de huidziekte te genezen. Zijn de rivieren van Damascus, de Abana en de Parpar, soms niet beter dan alle waterstromen van Israël? Om een gave huid te krijgen had ik me evengoed in de rivieren van Damascus kunnen wassen!' En verontwaardigd keerde hij terug.
Maar zijn dienaren benaderden hem en zeiden: 'Vader, als de profeet u iets moeilijks had opgedragen, had u het zonder meer gedaan. Maar nu hij gezegd heeft: Om een gave huid te krijgen moet u zich gaan wassen, oppert u allerlei bezwaren.' Toen liep hij de Jordaan in en dompelde zich zevenmaal onder, zoals de profeet had opgedragen. En zijn huid werd weer gaaf, zo gaaf als die van een kind.

2 Koningen 5:1-14

Het einde van stad en staat

Het koninkrijk Israël bezwijkt onder de macht van Assyrië. Juda houdt het langer vol. Maar de grootmacht Babel is in aantocht.

Sedekia was eenentwintig jaar toen hij aan de macht kwam. Hij regeerde elf jaar in Jeruzalem. Zijn moeder heette Chamutal; zij was een dochter van Jirmejahu en kwam uit Libna. Sedekia deed wat in strijd is met de wil van de Heer, net als Jojakim. Het gevolg was dat de Heer zo woedend werd op Jeruzalem en op Juda dat hij hen verstootte. Sedekia kwam in opstand tegen de koning van Babel.
Op de tiende dag van de tiende maand in het negende jaar van Sedekia's regering rukte koning Nebukadnessar van Babel met heel zijn leger tegen Jeruzalem op. Hij omsingelde het en bouwde een belegeringswal. Het beleg van de stad duurde tot het elfde regeringsjaar van koning Sedekia.
Op de negende dag van de vierde maand van dat elfde jaar werd er een bres in de stadsmuur geslagen. De hongersnood was toen zo erg geworden dat de plattelandsbevolking niets meer te eten had. Hoewel de Chaldeeërs de stad omsingeld hielden, gingen alle soldaten er 's nachts vandoor via de poort die tussen de beide stadsmuren stond en uitkwam op de koninklijke tuin. De koning vluchtte in de richting van de Jordaanvallei. Maar het Chaldese leger zette de achtervolging in en haalde hem op de vlakte van Jericho in. Heel zijn leger werd uiteengeslagen. Zelf werd hij gevangengenomen en naar Ribla gebracht, waar koning Nebukadnessar zijn hoofdkwartier had. Daar spraken ze het vonnis over hem uit. Eerst moest Sedekia getuige zijn van de terechtstelling van zijn zonen, daarna stak men hem de ogen uit, sloeg hem in boeien en voerde hem naar Babel weg.
Op de zevende dag van de vijfde maand in het negentiende regeringsjaar van koning Nebukadnessar van Babel trok Nebuzaradan, commandant van de lijfwacht en raadsman van de koning van Babel, Jeruzalem binnen. Hij stak niet alleen de tempel en het paleis in brand, maar ook alle huizen, in het bijzonder die van de rijken. Zijn soldaten haalden de muren van Jeruzalem omver. Nebuzaradan voerde weg wie er nog in de stad waren overgebleven, een schamele rest, onder wie ook degenen die naar de koning van Babel waren overgelopen. Alleen de allerarmsten liet hij blijven voor de bewerking van de wijngaarden en de akkers.
De Chaldeeërs sloopten ook de bronzen zuilen, de spoelkarren en het bronzen bassin, die in de tempel van de Heer stonden; het brons brachten zij naar Babel. Verder legden zij beslag op de potten, de scheppen, de messen en de pannen, kortom op alle bronzen voorwerpen die in de eredienst werden gebruikt. De

commandant van de lijfwacht nam ook de vuurroosters en de offerschalen mee en alles wat maar van goud of zilver was. Salomo had indertijd de twee zuilen, het bassin en de spoelkarren laten maken voor de tempel van de Heer; het gewicht aan brons van al die voorwerpen was niet te wegen. De hoogte van de ene zuil was negen meter en boven op de zuil stond een bronzen sierstuk van anderhalve meter. De bovenkant van dat sierstuk was omgeven door vlechtwerk en granaatappels en zowel het vlechtwerk als de granaatappels waren geheel van brons. De andere zuil was net zo.
De commandant van de lijfwacht nam ook de hogepriester Seraja gevangen, de priester Sefanja die Seraja hielp en de drie mannen die toezicht hielden op de ingang van de tempel. Onder de mensen die in de stad werden gevangengenomen, waren: een minister die het bevel voerde over het leger, vijf raadslieden van de koning en de secretaris van de legeraanvoerder, die de burgers van het land onder de wapenen riep, en ook nog zestig vertegenwoordigers van het platteland. Nebuzaradan, de commandant van de lijfwacht, nam ook hen gevangen en bracht hen voor de koning van Babel die zijn hoofdkwartier had in Ribla in het gebied van Hamat. Daar liet de koning hen terechtstellen. Zo werd de bevolking van Juda uit haar land weggevoerd.

2 Koningen 24:18-25:21

Ezra

Het begin van de weg terug

Koning Kores maakt een eind aan het Babylonische koninkrijk. Darius volgt Kores als koning op.

In het eerste regeringsjaar van Kores, de koning van Perzië, wilde de Heer de belofte vervullen die hij door de profeet Jeremia had gedaan. Daarom bewoog hij koning Kores ertoe om in alle delen van zijn rijk het volgende besluit af te kondigen en dat ook schriftelijk vast te leggen:
'Dit zegt koning Kores van Perzië: Alle koninkrijken van de aarde heeft de Heer, de God van de hemel, mij gegeven. Hij is het die mij heeft opgedragen voor hem een tempel te bouwen in Jeruzalem in Juda. Laat een ieder van u, waar dan ook, die tot het volk van deze God behoort, met Gods hulp naar Jeruzalem in Juda trekken om de tempel weer op te bouwen, de tempel van de Heer, de God van Israël, de God die in Jeruzalem woont. Alle overigen, die waar dan ook als vreemdeling vertoeven, moeten hun plaatsgenoten steunen met zilver, goud, huisraad, vee en met bijdragen voor de tempel in Jeruzalem.'

Op bevel van koning Darius deed men in Babylonië naspeuringen in de rijksarchieven waar de belangrijkste stukken werden opgeborgen. En in Achmeta, een stad in de provincie Medië, vonden ze een rol waarop het volgende geschreven stond:
'Ter herinnering:
Het eerste regeringsjaar van koning Kores.
Koning Kores heeft dit besluit uitgevaardigd: Wat de tempel in Jeruzalem betreft, de tempel zal worden herbouwd en weer een plaats worden waar men offers kan opdragen. De oude fundamenten zullen worden aangehouden. De tempel zal dertig meter hoog worden en dertig meter breed. De muren zullen bestaan uit drie lagen van gehouwen stenen en uit één laag balken. De onkosten zullen door de koninklijke schatkist gedragen worden. Ook alle gouden en zilveren voorwerpen die koning Nebukadnessar uit de tempel heeft weggehaald en overgebracht naar Babel, zullen worden vrijgegeven. Ze gaan terug naar de tempel in Jeruzalem, ze zullen op hun oorspronkelijke plaats worden neergezet.'

Ezra 1:1-4; 6:1-5

Een kenner van Gods wet

Vele jaren later, onder de regering van Artachsasta, de koning van Perzië, was er in Babel een zekere Ezra. Via zijn vader Seraja en zijn voorvaders Azarja, Chilkia, Sallum, Sadok, Achitub, Amarja, Azarja, Merajot, Zerachja, Uzzi, Bukki, Abisua, Pinechas en Eleazar stamde hij af van Aäron, de hogepriester. Deze Ezra ondernam een reis van Babel naar Jeruzalem. Hij was een geleerd man, deskundig in de wet die de Heer, de God van Israël, door Mozes had uitgevaardigd. Daar hij de bescherming genoot van de Heer, zijn God, had de koning al zijn verzoeken ingewilligd.
Een aantal Israëlieten ging met hem mee naar Jeruzalem, onder wie priesters, levieten, muzikanten, poortwachters en tempelknechten. Het was in het zevende regeringsjaar van Artachsasta. Op de eerste dag van de eerste maand in het zevende regeringsjaar van koning Artachsasta vertrok hij uit Babel en precies vier maanden later, op de eerste dag van de vijfde maand, kwam hij in Jeruzalem aan, dankzij de bescherming van zijn God. Ezra was vastbesloten zich in de wet van de Heer te verdiepen en haar in praktijk te brengen, en in Israël de bepalingen en voorschriften van de wet te onderwijzen.
Hier volgt het afschrift van de brief die koning Artachsasta meegaf aan de priestergeleerde Ezra, die deskundig was in de tekst van de geboden en de bepalingen die de Heer aan Israël had opgelegd.
'Artachsasta, de grote koning, aan de priester Ezra, deskundige in de wet van de God van de hemel, enzovoort, enzovoort.
Door mij is het volgende bevolen: Al wie in mijn rijk tot het volk Israël behoort, tot zijn priesters en levieten, kan als hij dat wil, met u meegaan naar Jeruzalem. De koning en zijn zeven raadslieden hebben u immers uitgezonden om in Juda en Jeruzalem een onderzoek in te stellen aan de hand van de wet van uw God, die in uw bezit is. U moet er ook het zilver en het goud naartoe brengen dat de koning en zijn raadslieden vrijwillig hebben gegeven aan de God van Israël, die zijn woning in Jeruzalem heeft. Bovendien al het goud en zilver dat u in de provincie Babel kunt inzamelen, en verder de vrijwillige bijdragen die uw landgenoten en priesters hier geven voor de tempel van hun God in Jeruzalem. En u, Ezra, snel met de wijsheid die God u heeft gegeven, bestuurders en rechters aan om recht te spreken voor heel het volk in Trans-Eufraat. En aan hen die de wet van uw God niet kennen, moeten zij die bekendmaken. Iedereen die weigert de wet van uw God en de wet van de koning uit te voeren, moet zonder uitstel worden berecht en worden veroordeeld tot doodstraf, lijfstraffen, geldboete of gevangenschap.'
Dank aan de Heer, de God van onze voorouders, die de koning het plan heeft ingegeven om de tempel van de Heer eer en aanzien te verlenen. Hij zorgde ervoor dat de koning, zijn raadgevers

en al zijn rijksgroten mij, Ezra, goedgezind waren. Dankzij de bescherming van de Heer, mijn God, vatte ik moed en riep ik verschillende Israëlitische familiehoofden bijeen om hen te vragen mij op mijn reis te vergezellen.

Ezra 7:1-16, 25-28

Nehemia

Heimwee naar Jeruzalem

Het verslag van Nehemia, de zoon van Chakalja.
In de maand Kislew van het twintigste regeringsjaar van koning Artachsasta van Perzië, toen ik dienst deed in de burcht Susan, kwam Chanani, een van mijn broers, met enkele andere mannen uit Juda in de stad aan. Ik vroeg hun hoe de Judeeërs het maakten die aan alle gevaar ontkomen waren en de ballingschap overleefd hadden, en hoe het met de stad Jeruzalem gesteld was. Zij zeiden mij: 'De Judeeërs die de ballingschap hebben overleefd en daar in de provincie leven, verkeren in barre omstandigheden en zijn het mikpunt van spot. Want de muur van Jeruzalem ligt in puin en de poorten zijn in vlammen opgegaan.' Toen ik dat hoorde, zeeg ik neer en barstte ik in tranen uit. Dagenlang rouwde ik, ik vastte en bad tot de God van de hemel: 'Ach, Heer, God van de hemel, u bent zo groot en indrukwekkend. U houdt u aan uw verbond, u blijft trouw aan wie van u houden en uw geboden naleven. Luister alstublieft aandachtig, sluit uw ogen niet. Luister naar het gebed van uw dienaar. Dag en nacht bid ik tot u voor de Israëlieten die u dienen. Ik beken dat wij, Israëlieten, tegen u gezondigd hebben, ook mijn familie en ikzelf. Wij hebben u onrecht aangedaan, wij hebben de geboden, wetten en voorschriften niet nageleefd die u ons had opgelegd door uw dienaar Mozes. Vergeet toch niet wat u Mozes hebt voorgehouden: Als jullie ontrouw worden, zal ik je naar alle kanten uiteenslaan. Maar keren jullie weer tot mij terug en breng je mijn geboden in praktijk, dan haal ik jullie terug, ook al waren jullie verjaagd tot in de verste uithoeken. Ik breng je dan weer naar de plaats die ik heb uitgekozen om er vereerd te worden. Heer, de Israëlieten zijn uw dienaren, uw volk; u hebt hen door uw krachtig optreden bevrijd. Ach, Heer, luister alstublieft aandachtig naar mijn gebed en naar het gebed van allen die u dienen en van harte vereren. Laat mij vandaag slagen en zorg ervoor dat de koning mij goedgezind is.'
Ik was wijnschenker aan het hof van de koning.

Nehemia 1:1-11

Herstelprogramma

In het twintigste regeringsjaar van Artachsasta, in de maand Nisan, toen de koning wijn wilde drinken, schonk ik de beker in en reikte hem die bedroefd aan. Nooit eerder had de koning mij zo gezien en daarom vroeg hij mij: 'Waarom kijkt u zo bedroefd? Ziek bent u niet, dus moet u wel hartzeer hebben.' Ik schrok hevig en zei: 'Majesteit, ik wens u een lang leven toe. Maar hoe zou ik blij kunnen kijken, als de stad waar mijn voorouders begraven liggen, verwoest is en haar poorten in vlammen zijn opgegaan?' 'Wat zou u dan willen?' vroeg de koning. In stilte riep ik de hulp in van de God van de hemel en ik antwoordde: 'Majesteit, als het u goeddunkt en als u mij goedgezind bent, geef mij dan verlof om naar Juda te gaan en de stad waar mijn voorouders begraven liggen, weer op te bouwen.' Daarop vroeg de koning mij, terwijl de koningin naast hem zat: 'Hoelang gaat de reis duren en wanneer kunt u terug zijn?' Toen ik hem een tijd noemde, gaf hij mij verlof om te gaan. 'Majesteit,' zei ik, 'geef mij als het u goeddunkt een schriftelijke volmacht mee voor de landvoogden over het gebied ten westen van de Eufraat, opdat zij mij doorgang naar Juda verlenen. Geef mij ook een bevelschrift mee voor Asaf, de opzichter van de koninklijke houtvesterijen, waarin staat dat hij mij hout moet leveren voor de poortdeuren van de burcht die bij de tempel hoort, voor de stadsmuren en voor mijn eigen ambtswoning.' En dankzij de steun van mijn God gaf de koning mij alle gevraagde stukken.
Na aankomst overhandigde ik de landvoogden over het gebied ten westen van de Eufraat de stukken van de koning. De koning had mij ook een geleide meegegeven van officieren en ruiters.
Sanballat uit Choron en Tobia, een ambtenaar afkomstig uit Ammon, waren hevig verontwaardigd toen zij hoorden dat er iemand was aangekomen die het welzijn van de Israëlieten wilde behartigen.
Zo kwam ik in Jeruzalem. Na drie dagen ging ik er in de nacht met enkele mannen op uit. Aan niemand had ik verteld wat ik op ingeving van mijn God voor Jeruzalem wilde doen. Ook had ik geen ander dier bij me dan de ezel waarop ik reed. 's Nachts reed ik de Dalpoort uit en ging ik langs de Slangenbron naar de Aspoort. Daar stelde ik een onderzoek in naar de ingestorte muren van Jeruzalem en naar de verbrande stadspoorten. Vervolgens reed ik door naar de Bronpoort en naar de Koningsvijver. Omdat het terrein voor mijn rijdier onbegaanbaar werd, klom ik diezelfde nacht nog door het dal omhoog en onderzocht de muur nauwkeurig. Toen keerde ik om en ging ik door de Dalpoort weer huiswaarts.
Het stadsbestuur wist niet waar ik naartoe was gegaan en wat ik wilde gaan doen. Want tot dan toe had ik niemand iets verteld, noch aan de priesters, noch aan de vooraanstaande burgers, noch

aan de bestuurders of wie ook maar met de bouw van de muur te maken hadden. Maar nu zei ik tegen hen: 'U ziet zelf hoe ellendig wij eraantoe zijn, want Jeruzalem ligt in puin en de poorten zijn in vlammen opgegaan. Daarom stel ik voor de stadsmuur te herstellen, dan zijn we niet langer het mikpunt van spot.' Ik vertelde hun hoe mijn God mij gesteund had en dat de koning mij zijn toestemming had gegeven. Toen zeiden ze: 'Goed, laten we met het herstel beginnen.' En zij pakten de zaak krachtig aan.
Toen Sanballat uit Choron en Tobia, de ambtenaar afkomstig uit Ammon, en Gesem, een Arabier, hiervan hoorden, lachten zij ons uit en verachtten ons. Zij zeiden: 'Wat komen jullie hier doen? Bereiden jullie soms een opstand voor tegen de koning?' Maar ik antwoordde hun: 'Met de hulp van de God van de hemel zullen wij slagen. Wij zijn zijn dienaren, wij bouwen rustig door. Jullie horen in Jeruzalem niet thuis, jullie kunnen hier van oudsher geen rechten laten gelden.'

Nehemia 2:1-2:20

Leestijd en feesttijd

Op de eerste dag van de zevende maand, toen alle Israëlieten eenmaal in hun steden woonden, kwam het volk massaal bijeen op het plein voor de Waterpoort. Zij vroegen Ezra, die een kenner van de wet was, het boek te gaan halen waarin de wet stond die de Heer door Mozes aan Israël had opgelegd. De priester Ezra bracht het wetboek naar de plaats waar de mensen zich verzameld hadden, mannen, vrouwen en ook kinderen voorzover die tot de jaren van verstand gekomen waren. Daar op het plein voor de Waterpoort las hij hun daaruit voor, vanaf de morgen tot aan de middag. En iedereen luisterde aandachtig. Ezra, de kenner van de wet, stond daarbij op een houten verhoging die voor die gelegenheid was gemaakt. Rechts van hem stonden Mattitja, Sema, Anaja, Uria, Chilkia en Maäseja, en links van hem Pedaja, Misaël, Malkia, Chasum, Chasbaddana, Zekarja en Mesullam.
Toen Ezra het boek opende, was dat voor iedereen duidelijk te zien, omdat hij hoger stond dan het volk. Zodra hij het boek opende, gingen ze allemaal staan. Ezra bracht hulde aan de Heer, de grote God, en allen riepen instemmend 'Amen' en hieven hun handen op. Toen knielden zij neer en bogen zich in aanbidding voor de Heer, het gezicht op de grond. Het volk ging weer staan toen de levieten hun de wet begonnen uit te leggen. Het waren: Jesua, Bani, Serebja, Jamin, Akkub, Sabbetai, Hodia, Maäseja, Kelita, Azarja, Jozabad, Chanan en Pelaja. Zij lazen voor uit het boek, uit Gods wet, en gaven daarbij een toelichting. En zij legden uit wat er was voorgelezen, zodat iedereen het kon begrijpen.

Toen het volk kennis nam van de inhoud van de wet, kreeg iedereen de tranen in de ogen. Maar gouverneur Nehemia, de priester Ezra, de kenner van de wet, en de levieten die uitleg hadden gegeven, zeiden: 'Deze dag is aan de Heer, uw God, gewijd, het is een heel bijzondere dag. Er is dus helemaal geen reden voor rouw of tranen. Ga thuis een feestmaal klaarmaken met lekker eten en heerlijke dranken, en deel daarvan uit aan de mensen die zich dat niet kunnen veroorloven. Deze dag is aan onze Heer gewijd. Wees niet treurig, put kracht uit de vreugde die de Heer u geeft.' Ook de levieten brachten de mensen tot bedaren: 'Wees stil en treur niet langer, want dit is een bijzondere dag.' Tenslotte gingen allen naar huis. Ze aten en dronken en lieten anderen in hun feestmaal delen. Zo vierden ze een groot feest, want ze hadden begrepen wat hun was meegedeeld.
De tweede dag kwamen alle familiehoofden met de priesters en de levieten bij Ezra om zich te verdiepen in de inhoud van de wet. Ze kwamen tot de volgende ontdekking: de wet die de Heer door Mozes had opgelegd, schreef voor dat de Israëlieten tijdens het feest in de zevende maand in hutten moesten wonen. Ook schreef de wet voor dat ze in alle steden van het land en in Jeruzalem het volgende bevel moesten laten omroepen: 'Ga de bergen in, haal takken van de olijfboom, de oleaster, de mirte, van palmbomen en andere loofbomen, en maak er hutten van zoals is voorgeschreven.' De mensen gingen toen takken halen en maakten er hutten van op daken en binnenplaatsen, ook op de binnenplaatsen van de tempel, en op de pleinen bij de Waterpoort en de Efraïmpoort. Heel de Israëlitische gemeenschap, allen die uit de ballingschap waren teruggekeerd, maakten loofhutten en gingen erin wonen. Sinds de tijd van Jozua, de zoon van Nun, hadden de Israëlieten dat niet meer gedaan. Er heerste een geweldige feestvreugde. Zeven dagen lang, vanaf de eerste dag van het feest tot en met de laatste dag, las Ezra voor uit het boek, uit Gods wet, en vierde men feest. Op de achtste dag was er, zoals was voorgeschreven, een slotbijeenkomst.

Nehemia 7:72b-8:18

Job

Berooid en beroerd

Er leefde in het land Us een eerlijk en oprecht man. Hij heette Job. Hij had ontzag voor God en ging het kwaad uit de weg. Zeven zonen had hij en drie dochters. Hij bezat zevenduizend schapen en geiten, drieduizend kamelen, duizend runderen en vijfhonderd ezelinnen; hij had veel mensen in dienst; Job was de rijkste man van heel het Oosten.
Zijn zonen hadden de gewoonte, om de beurt in hun huis een feest te geven, waarbij zij ook hun zusters uitnodigden. Als iedereen aan de beurt geweest was, liet Job hen bij zich komen om hen weer met God in het reine te brengen. 's Morgens vroeg bracht hij dan een offer voor ieder van hen, want, dacht hij, zij hebben misschien gezondigd en God in hun hart vervloekt. Dat was zijn vaste gewoonte.
Op een dag dat de leden van het hemelse hof bij de Heer hun opwachting maakten, kwam ook Satan met hen mee. 'Waar ben je geweest?' vroeg de Heer aan Satan. Hij antwoordde: 'Ik heb rondgezworven over de aarde.' 'Heb je ook gelet op mijn dienaar Job?' vroeg de Heer. 'Er is geen tweede zoals hij op aarde. Hij is eerlijk en oprecht, heeft ontzag voor mij en gaat het kwaad uit de weg.' Satan antwoordde: 'Niet voor niets heeft hij ontzag voor u. U hebt hem, zijn gezin en heel zijn bezit in bescherming genomen. U zegent alles wat hij onderneemt, zodat zijn bezit zich steeds meer uitbreidt. Maar vernietig eens alles wat hij heeft: hij zal u openlijk vervloeken.' 'Goed,' zei de Heer tegen Satan, 'alles wat hij heeft, is in je macht, maar van hemzelf blijf je af.' Toen ging Satan weg.
Op een dag dat de zonen en dochters van Job bij hun oudste broer thuis weer aan het feestvieren waren, kwam een van de knechten naar Job toe met het bericht: 'Wij waren met de runderen aan het ploegen en de ezelinnen liepen vlakbij in het weiland te grazen, toen de Sabeeërs ons overvielen. De runderen en ezelinnen namen ze mee, en uw knechten sloegen ze neer. Ik ben nog de enige die het u kan vertellen.' Hij was nog niet uitgesproken, of een andere knecht kwam binnen: 'De bliksem heeft de schapen en geiten getroffen en ook de herders gedood. Ik ben nog de enige die het u kan vertellen.' Hij was nog niet uitgesproken, of een ander kwam binnen: 'De Chaldeeërs overvielen uw kudde kamelen van drie kanten. De kamelen namen ze mee en uw knechten doodden ze. Ik ben nog de enige die het u kan vertellen.' Hij was nog niet uitgesproken, of weer een ander

kwam binnen: 'Uw zonen en dochters waren aan het feestvieren bij uw oudste zoon thuis, toen plotseling vanuit de woestijn een zware storm opstak en van alle kanten op het huis viel. Het huis stortte in en iedereen werd bedolven onder het puin. Ze kwamen allemaal om het leven. Ik ben nog de enige die het u kan vertellen.' Toen scheurde Job zijn kleren, schoor zijn hoofd kaal, wierp zich plat op de grond, en zei:
'Naakt werd ik geboren,
naakt word ik begraven.
De Heer heeft mij alles gegeven,
de Heer nam het ook weer af.
Geprezen zij de Heer.'
Ondanks alles zondigde Job niet, hij maakte God geen enkel verwijt.
Toen de leden van het hemelse hof hun opwachting bij de Heer gingen maken, ging Satan weer met hen mee. 'Waar ben je geweest?' vroeg de Heer aan hem. Satan antwoordde: 'Ik heb rondgezworven over de aarde.' 'Heb je ook gelet op mijn dienaar Job?' vroeg de Heer. 'Er is geen tweede zoals hij op aarde. Hij is eerlijk en oprecht, heeft ontzag voor mij en gaat het kwaad uit de weg. Zijn gedrag is nog altijd even onberispelijk, zelfs nadat je mij ertoe gebracht hebt hem zonder enige aanleiding te ruïneren.' Satan antwoordde: 'Ja natuurlijk, een mens wil alles wel opgeven, als hij maar kan blijven leven. Maar tref hem eens in zijn gezondheid: hij zal u openlijk vervloeken.' Toen zei de Heer tegen Satan: 'Goed, doe met hem wat je wilt, maar laat hem in leven.'
Satan ging weg en sloeg toe. Job werd van top tot teen bedekt met etterende zweren. Hij ging buiten de stadspoort zitten, midden in het stof en vuil, en krabde zich met een scherf. Toen zei zijn vrouw tegen hem: 'Heb je nog steeds zoveel ontzag voor die God? Vervloek hem voor je sterft.' Maar hij antwoordde: 'Zo praat alleen een dwaas! Zouden we van God wel geluk aanvaarden, maar geen ellende?' Ondanks alles kwam er geen onvertogen woord over zijn lippen.

Job 1:1-2:10

Een schreeuw uit de diepte

Elifaz uit Teman, Bildad uit Suach en Sofar uit Naäma, drie vrienden van Job, hoorden wat hem overkomen was. Zij besloten samen naar hem toe te gaan als blijk van meeleven, zij wilden hem gaan troosten. Uit de verte was hij voor hen onherkenbaar. Ze begonnen luid te klagen, scheurden hun kleren en strooiden stof op hun hoofd. Zeven dagen en zeven nachten zaten ze bij hem op de grond zonder een woord uit te brengen, want ze zagen hoe vreselijk hij moest lijden.

Tenslotte verbrak Job het zwijgen en vervloekte de dag waarop hij was geboren:

'Weg met de dag waarop ik werd geboren;
weg met de nacht waarin ik werd verwekt.
Die dag had duisternis moeten blijven,
laat God hem vergeten,
zodat er geen licht meer over straalt.
Laat het een zwarte dag worden,
een dag van diepe duisternis,
bedekt door donkere wolken,
dreigend door zonsverduistering.
Was die dag maar nacht gebleven,
dan kwam hij niet voor bij de dagen van het jaar,
telde niet mee bij de dagen van de maanden.
Was die nacht maar onvruchtbaar gebleven.
Was er toen maar geen vreugde geweest.
Vervloek die nacht, bezweerders van de dag,
jullie die het zeemonster Leviatan bedwingen.
Waren de morgensterren maar niet opgekomen,
dan had die nacht vergeefs op het morgenrood gewacht
en was geen glimp van de dageraad verschenen.
Helaas, de schoot van mijn moeder bleef niet gesloten,
ellende heeft die nacht me niet bespaard.

Was ik maar gestorven toen ik ter wereld kwam,
was ik maar gestikt bij mijn geboorte.
Waarom nam mijn moeder mij op schoot?
Waarom voedde ze mij aan de borst?
Ik zou nu ongestoord in het graf liggen,
dan zou ik slapen en rust hebben,
samen met koningen en bestuurders
die paleizen bouwden, nu vervallen tot puin,
samen met vorsten die leefden in rijkdom
en hun huizen vulden met zilver en goud.
Of was ik maar in de grond gestopt als een misgeboorte,
als een kind dat nooit het levenslicht zag.
In het graf is het met de hebzucht van misdadigers gedaan.
Wie de uitputting nabij is, komt er tot rust:
gevangenen kunnen er ongestoord slapen,
het geschreeuw van de opzichters bereikt hen niet meer.
Iedereen komt daar terecht:
er is geen verschil tussen slaaf en heer.

Waarom schenkt God het levenslicht aan ongelukkige mensen?

Waarom geeft hij het leven aan mensen die verbitterd zijn?
Zij zien uit naar de dood,
maar hij wil niet komen,
zij graven liever hun eigen graf
dan dat zij naar schatten zoeken.
Zij zouden blij zijn met hun einde,
in het graf zijn ze pas gelukkig.
Waarom leeft een mens als er geen uitzicht is,
als God hem de weg verspert?
Ik heb geen ander voedsel dan verdriet,
geen andere drank dan mijn tranen.
Waar ik doodsbang voor was, overvalt me nu,
wat me altijd al angst aanjoeg, komt op me af.
Ik heb rust noch duur,
ik word gekweld door talloze vragen.'

Job 2:11-3:26

Een antwoord uit de storm I

Jobs vrienden komen aanzetten met de gebruikelijke antwoorden. Dan neemt God het woord.

Toen richtte de Heer zich vanuit een storm tot Job:
'Wie durft er zonder kennis van zaken te spreken
en mijn beleid kortzichtig te beoordelen?
Zet je schrap, verweer je,
want ik ga vragen stellen en jij moet antwoorden.

Toen ik de fundamenten voor de aarde legde,
waar was je toen?
Vertel het, als je er iets van afweet.
Wie heeft haar afmetingen bepaald?
Jij bent toch op de hoogte!
Wie heeft alles met een meetlint afgepast?
Waarop werden haar zuilen neergelaten,
wie heeft de eerste steen gelegd?
Op die dag juichten de morgensterren
en het hemelse hof jubelde het uit.
Wie heeft de zee binnen haar grenzen gebracht,
toen zij was losgebroken uit de schoot van de aarde?
Wolken liet ik zweven boven de zee
en ik hulde haar in duistere nevels,
toen ik haar aan banden legde
en achter slot en grendel zette;
ik zei: Tot hier en niet verder,

hier worden je trotse golven gebroken.
Heb jij ooit de morgen ontboden
en de ochtend opdracht gegeven
om de aarde bij de uiteinden vast te grijpen
en slechte mensen eraf te schudden?
Als leem onder een zegel
verandert de aarde door het ochtendlicht
en gaat lijken op een kleurig kleed.
Maar slechte mensen wordt het daglicht ontnomen,
hun kracht wordt gebroken.
Ben jij doorgedrongen tot de bronnen van de zee,
heb jij rondgewandeld in de diepte van de oceaan?
Weet jij hoe je het dodenrijk moet binnengaan,
heb jij de poorten van die duistere wereld gezien?
Weet jij hoe groot de wereld is?
Vertel op, je weet er toch alles van!
Waar is de woonplaats van het licht,
waar houdt de duisternis zich op?
Kun je ze de weg terug wijzen
en ze weer thuisbrengen?
Jij weet dat toch allemaal,
jij bent al zo lang geleden geboren,
jij hebt al zo'n lang leven achter de rug!
Ben jij ooit in de opslagplaatsen van de sneeuw geweest,
heb je de voorraadschuren van de hagel gezien?
Ik houd er hagel en sneeuw achter de hand,
om ermee te straffen in tijden van oorlog.
Waar is de plaats waar het zonlicht zich verdeelt
en de oostenwind zich verspreidt over de aarde?
Wie heeft een geul gegraven voor de stortregens,
wie heeft de weg gebaand voor de donderwolken,
zodat het regent, zelfs boven verlaten streken,
boven de woestijn, waar niemand woont?
Wie besproeit de barre wildernis
om zelfs daar jong groen te laten opschieten?
Heeft de regen een vader?
Wie verwekt de dauwdruppels?
Wie is de moeder van het ijs?
Wie brengt de rijp voort die uit de hemel valt?
Hoe komt het dat het water hard wordt als steen
en de zee een ijsvlakte wordt?
Kun jij de Plejaden intomen
of de ketting rond de Orion verbreken?
Kun jij de Regensterren op tijd laten opkomen
en de Grote en Kleine Beer temmen?
Ken jij de wetten van het heelal
en bepaal jij hun werking op aarde?
Kun jij bevelen roepen naar de wolken,

zodat een watervloed zich over je uitstort?
Kun jij de bliksem op weg sturen,
is hij aan jou gehoorzaam?
Wie geeft de ibis in wanneer de Nijl gaat stijgen
en wie laat de haan weten wanneer de regen komt?
Wie is in staat de wolken te tellen
en ze als waterkruiken leeg te gieten,
zodat het stof op de aarde aaneenkleeft
en tot klonterige kluiten wordt?

Kun jij op buit jagen voor de leeuwin
en de hongerige welpen te eten geven,
als ze zijn weggedoken in hun holen
of op de loer liggen onder de struiken?
Wie geeft er voedsel aan de raven,
als hun jongen rondfladderen zonder eten
en tot mij om hulp roepen?
Bepaal jij wanneer de berggeiten werpen
en de hinden moeten kalven?
Tel jij de maanden dat ze drachtig zijn
en ken jij de tijd dat hun jongen worden geboren?
Ze krommen zich, beginnen te persen
en brengen hun jong ter wereld.
Dat groeit op en wordt sterk,
trekt eropuit, het veld in,
en keert niet meer naar zijn moeder terug.
Wie heeft de wilde ezel de vrijheid gegeven,
zodat hij ongehinderd kan rondrennen?
Ik gaf hem de woestijn als woongebied,
de onherbergzame zoutvlakte werd zijn thuis.
Hij spot met de drukte van de stad,
luistert niet naar het geschreeuw van de drijvers.
De bergen waar hij ronddwaalt, zijn zijn weide,
daar zoekt hij alles wat groen is.
Zou de buffel voor jou willen werken
en 's nachts bij jou in de stal willen staan?
Zou je hem kunnen beteugelen,
zodat hij volgzaam het dal voor je ploegt?
Kun je op zijn grote kracht vertrouwen
en het werk aan hem overlaten?
Verwacht je van hem, dat hij de oogst binnenhaalt
en het koren op de dorsvloer bijeenbrengt?
De struisvogel staat opgewekt te klapwieken,
maar schuilt er wel veel zorg in die vleugels en veren?
Zij legt haar eieren gewoon op de grond
en laat ze warm worden in het zand,
maar zij vergeet dat er dieren rondlopen
die ze met hun poten kunnen vertrappen.

Zij is hard voor haar jongen, alsof ze niet van haar zijn,
het deert haar niet als haar werk vergeefs is,
want ik heb haar geen verstand gegeven
en geen inzicht.
Maar ze is paard en ruiter te vlug af,
ze springt op, rent weg en lacht ze uit.
Heb jij het paard zijn kracht gegeven
en zijn nek met manen versierd?
Laat jij het opspringen als een sprinkhaan,
terwijl het angstaanjagend briest en snuift?
Ongeduldig schraapt het de grond
en stort zich onstuimig in de strijd;
het spot met vrees en kent geen angst,
het slaat niet op de vlucht,
al rammelt de pijlkoker vlakbij
en flikkeren de lansen en speren in de zon.
Briesend en snuivend schiet het vooruit,
is niet meer te houden als de hoorn schalt;
bij iedere stoot op de hoorn hinnikt het,
het ruikt de strijd al op afstand
en hoort de bevelen die de aanvoerders schreeuwen.
Dankt de sperwer het aan jouw inzicht dat hij vliegt
en zijn vleugels uitslaat op weg naar het zuiden?
Is het op jouw bevel,
dat de gier hoog in de bergen zijn nest bouwt?
Hij nestelt zich in de rotsen en slaapt daar;
op een rotspiek ligt zijn vesting,
vandaar speurt hij naar voedsel,
hij tuurt in de verte;
zijn jongen drinken het bloed.
Waar lijken zijn, is ook de gier.'

En de Heer zei tegen Job:
'Je klaagt de almachtige God aan
en roept hem ter verantwoording.
Heb je soms nog meer verwijten?'

Job antwoordde:
'Ik heb lichtvaardig gesproken;
wat zou ik daarop nog kunnen zeggen?
Ik leg mezelf het zwijgen op.
Want één keer is genoeg geweest,
een tweede keer waag ik het niet meer.'

Job 38:1-40:5

Een antwoord uit de storm II

En de Heer sprak opnieuw vanuit de storm:
'Zet je schrap, verweer je,
want ik ga vragen stellen en jij moet antwoorden.

Wil je beweren dat ik onrecht doe
en mij schuldig verklaren om zelf vrijuit te gaan?
Ben jij even sterk als ik?
Kun jij ook spreken met zo'n donderend geweld?
Laat je gezag dan gelden,
bekleed je met macht en majesteit.
Laat je woede de vrije loop,
laat de hoogmoedigen voor je buigen,
verneder ze, breek hun trots
en verpletter die schurken.
Sluit ze allemaal op in het dodenrijk,
zet ze gevangen daar onder de aarde.
Dan zal zelfs ik je hulde bewijzen,
omdat je met eigen kracht hebt overwonnen.

Kijk eens naar het nijlpaard,
– ik heb jullie beiden gemaakt –
het vreet gras als een rund.
Kijk eens naar zijn stevige lendenen
en zijn krachtige buikspieren.
Zijn staart staat omhoog als een ceder,
de spieren lopen in bundels over zijn billen.
Zijn ribben zijn sterk als bronzen buizen,
zijn beenderen als ijzeren staven.
Dat is pas één van mijn meesterwerken.
Alleen ik kan hem in toom houden.
De heuvels waar de dieren spelen,
leveren hem zijn voedsel.
Hij gaat liggen onder de lotusplanten,
verbergt zich in het riet van het moeras.
Hij schuilt in de schaduw van de lotusplanten
en ligt midden tussen de waterwilgen.
Dreigend stijgt het water in de rivier,
maar hij schrikt er niet voor terug;
hij blijft rustig,
al slaan de golven van de Jordaan tegen zijn bek.
Wie durft hem bij zijn kop te pakken
en een touw door zijn neus te halen?

Kun jij de krokodil vangen met een haak
en hem een bit in de bek leggen?
Kun jij een riet door zijn neus halen

en met een doorn zijn kaak doorboren?
Zou hij je dan om genade smeken
en vriendelijke dingen tegen je zeggen?
Zou hij een overeenkomst met je sluiten
om voorgoed bij jou in dienst te komen?
Kun je met hem spelen als met een tamme vogel
en hem aan de lijn leggen voor je slavinnen?
Zouden de vissers hem van je willen kopen,
zouden de kooplui hem willen verhandelen?
Kun je zijn huid volsteken met harpoenen,
zijn kop met vishaken?
Probeer hem maar eens aan te raken!
Dat gevecht zal je altijd heugen.
Wie hem denkt te vangen, komt bedrogen uit.
Als je hem ziet, sla je al van schrik achterover.
Niemand waagt het, hem uit te dagen.
Wie durft oog in oog met hem te staan?
Wie hem aanvalt, zal ik belonen,
met al wat onder de hemel is.
En dan heb ik het nog niet eens over zijn ledematen,
zijn sterke rug en sierlijke bouw.
Wie kan zijn huid afstropen
of door zijn dubbele pantser stoten?
Wie durft zijn bek open te rukken,
die bek met angstaanjagende tanden?
Zijn rug is als een rij schilden,
nauw aaneengesloten, ondoordringbaar;
de schubben sluiten precies op elkaar aan,
geen lucht komt ertussen;
ze zitten vastgeklemd en grijpen zo in elkaar,
dat men ze niet vaneen krijgt.
Niest hij, dan zie je het licht weerkaatsen,
zijn ogen schitteren als de opkomende zon.
Vlammen slaan uit zijn bek,
de vonken vliegen eraf.
Rook komt er uit zijn neusgaten,
zoals de damp van een kokende ketel.
Zijn adem zet kolen in vlam,
hij spuwt vuur uit zijn bek.
In zijn nek schuilt zijn kracht,
hij zaait paniek om zich heen.
Zijn spieren zijn één bonk stevigheid,
onwrikbaar om hem heen.
Zijn hart is als een steen,
zo hard als de onderste molensteen.
Als hij zich opricht,
deinzen de dapperste strijders terug,
verslagen slaan ze op de vlucht.

Valt men hem aan met een zwaard, het haalt niets uit,
speer, lans en pijlpunt breken op hem stuk;
ijzer is voor hem stro,
koper niet meer dan vermolmd hout;
pijlen jagen hem niet op de vlucht
en slingerstenen zijn strostoppels voor hem;
een knuppel is niet meer dan een strohalm
en om een suizende werpspies lacht hij.
Zijn buik zit vol puntige scherven,
als een eg snijdt hij door de modder.
De oceaan laat hij borrelen als een pot,
de zee wordt een ketel kokende olie;
een lichtend spoor laat hij achter,
de hoge golven krijgen witte koppen.
Zo machtig als hij is er geen,
hij kent geen angst;
hij kijkt neer op alle trotse wilde dieren,
want hij is hun koning.'

Job antwoordde:
'Ik weet dat u alles kunt,
voor u is niets onmogelijk.
U vroeg:
Wie durft er zonder kennis van zaken te spreken?
Ik geef het toe,
ik sprak over zaken waar ik geen verstand van heb,
wonderbaarlijke dingen die ik niet kan begrijpen.
U zei: Luister, laat mij aan het woord;
ik zal vragen stellen en jij moet antwoorden.
Ik kende u alleen van horen zeggen,
maar nu heb ik u met eigen ogen gezien.
Daarom herroep ik alles,
hier doe ik boete, in zak en as.'

Job 40:6-42:6

Goddelijke beloning

Nadat de Heer tot Job gesproken had, richtte hij zich tot Elifaz: 'Ik ben woedend op jou en je twee vrienden; jullie hebben mij geen recht gedaan zoals Job. Haal daarom zeven jonge stieren en zeven rammen en breng ze naar mijn dienaar Job; draag ze op als offer voor jullie zelf, terwijl Job voor jullie zal bidden. Dan zal ik hem ter wille zijn en jullie niet voor je dwaasheid straffen, hoewel jullie mij geen recht hebben gedaan.' Elifaz uit Teman, Bildad uit Suach en Sofar uit Naäma deden wat de Heer had gezegd en de Heer was Job ter wille. Nadat Job voor zijn vrienden had gebeden,

gaf de Heer aan Job heel zijn bezit terug; hij verdubbelde het zelfs.
Toen kwamen zijn broers en zusters en al zijn vroegere kennissen naar hem toe en zij aten bij hem thuis. Ze troostten hem en leefden met hem mee, omdat de Heer zo'n ramp op hem had afgestuurd. Ze gaven hem allemaal geld en een goudenring. En de Heer zegende Job nu nog meer dan vroeger: Job kreeg veertienduizend schapen en geiten, zesduizend kamelen, tweeduizend runderen en duizend ezelinnen. Hij kreeg zeven zonen en drie dochters. Zijn oudste dochter noemde hij Duifje, de tweede Kaneelbloesem en de jongste Oogschaduw. Jobs dochters waren de mooiste vrouwen die er te vinden waren; hun vader liet hen met hun broers meedelen in de erfenis. Daarna leefde Job nog honderdveertig jaar; hij kreeg zijn kleinkinderen en zelfs zijn achterkleinkinderen nog te zien. Job stierf op zeer hoge leeftijd.

Job 42:7-17

Psalmen

Tweeërlei weg

Gelukkig de mens
die niet de raad volgt
van wie zonder God leven,
die niet omgaat
met wie slecht zijn,
die niet aan tafel wil zitten
met wie alleen maar spotten.
Gelukkig de mens
die vreugde vindt
in de woorden van de Heer,
ze steeds weer overdenkt,
overdag en 's nachts.
Hij is als een boom aan het water,
een boom die altijd vrucht draagt
als het de tijd ervoor is,
en waarvan nooit de bladeren verdorren.
Zo'n mens zal slagen,
wat hij ook doet.

Maar zo gaat het niet
met mensen die zonder God leven.
Zij lijken op het kaf,
weggeblazen door de wind.
Niets blijft er van hen over
als God komt oordelen.
Als hij zijn volk bijeenroept,
sluit de Heer hen buiten.
De rechtvaardigen worden door hem geleid,
mensen die leven zonder hem gaan ten onder.

Psalm 1

Een grote naam

Voor de voorzanger.
Op de wijs van het lied uit Gat.
Een psalm uit de bundel van David.

Heer, onze Heer,
hoe groot is uw naam
overal op aarde!

U die aan de hemel uw luister spreidt,
voor u is de stem van kinderen, van de allerkleinsten,
het bolwerk waarmee u vijanden stuit,
het wapen waarmee u hen doet zwijgen,
aan wraakzucht een einde maakt.

Als ik naar de hemel kijk,
het werk van uw vingers,
naar de maan en de sterren,
door u daar vastgezet,
dan denk ik:
Wat is toch de mens dat u om hem geeft,
wat betekent hij dat u voor hem zorgt?
U hebt hem weinig minder dan een god gemaakt,
hem met glorie en eer gekroond.
U laat hem heersen
over alles wat u gemaakt hebt,
alles hebt u aan zijn voeten gelegd:
de schapen en de runderen,
de wilde dieren op het land,
de vogels in de lucht en de vissen in de zee,
alles wat zich een weg zoekt door het water.

Heer, onze Heer,
hoe groot is uw naam
overal op aarde!

Psalm 8

Stille getuigen

Voor de voorzanger.
Een psalm uit de bundel van David.

De hemel getuigt van Gods grootheid,
het gewelf verkondigt wat hij heeft gemaakt.
De ene dag geeft het door aan de andere,
de ene nacht maakt het aan de volgende bekend.
Het is een taal zonder woorden,
geluiden hoort men niet.
Toch gaat hun stem over heel de aarde,
dringt hun taal tot de uithoeken door.

Aan de hemel schiep God voor de zon een tent.
Stralend komt hij tevoorschijn,
als een bruidegom uit zijn bruidsvertrek.
Fier als een held begint hij zijn loop.
Aan het ene eind van de hemel gaat hij op,
aan het andere eind voltooit hij zijn baan;
niets blijft voor zijn gloed verborgen.

De richtlijnen van de Heer zijn volmaakt,
ze geven levenskracht.
Wat de Heer afkondigt, is betrouwbaar,
het maakt de onervarene wijs.
Wat de Heer beveelt, is juist;
het is een bron van vreugde.
Wat de Heer gebiedt, is zonneklaar,
de ogen gaan ervan stralen.
Het woord van de Heer is zuiver,
altijd blijft het gelden.
De uitspraken van de Heer zijn betrouwbaar,
hun juistheid valt niet te betwisten.
Ze zijn begerenswaardiger dan goud,
dan het allerzuiverste goud;
ze zijn zoeter dan honing,
dan honing, zo uit de raat.

Heer, ik ben uw dienaar,
door uw wet laat ik mij voorlichten;
wie haar naleeft, wordt rijk beloond.
Zuiver mij van mijn verborgen zonden,
want iedereen maakt fouten
zonder het te weten.
Bewaar mij voor hoogmoed,
laat die geen macht over mij krijgen.
Dan zal ik volmaakt zijn
en vrij van opstandigheid.
Laten mijn woorden en gedachten
uw goedkeuring hebben.
U, Heer, bent mijn rots,
u bevrijdt mij.

Psalm 19

Bij God aan tafel

Een psalm uit de bundel van David.
De Heer is mijn herder,
mij zal niets ontbreken.
Hij brengt mij naar groene weiden,
laat me rusten aan het water.
Hij geeft mij kracht
en leidt me langs veilige paden,
zoals hij beloofd heeft.
Al ga ik door een diepdonker dal,
ik hoef geen gevaar te duchten,
want u, Heer, bent bij me,
uw staf en uw stok beschermen mij.

Heer, u nodigt mij uit aan uw tafel,
mijn tegenstanders moeten het aanzien;
u zalft mijn hoofd met balsem,
u vult mijn beker tot de rand.
Uw goedheid, uw liefde ervaar ik,
mijn leven lang,
in uw huis mag ik wonen,
tot in lengte van dagen.

Psalm 23

Bij God thuis

Uit de bundel van David.

De Heer is mijn licht, mijn behoud,
voor niemand ben ik bang.
Hij beschermt mijn leven,
niets hoef ik te vrezen.
Vallen mijn vijanden mij aan,
bloeddorstig als wilde dieren,
zij struikelen, bijten in het zand.
Al komt een heel leger op mij af,
ik ken geen angst;
al drijven ze mij in het nauw,
ik blijf vertrouwen.
Ik vraag van de Heer maar één ding,
ik heb maar één wens:
in zijn tempel te wonen,
mijn leven lang,
zijn gastvrijheid te genieten,
bij hem thuis te zijn.

Word ik bedreigd,
hij verbergt me in zijn huis;
op de rots waar hij woont,
laat hij mij schuilen.
Door vijanden word ik omringd,
maar nu kan ik hen weerstaan.
Offers zal ik brengen voor de Heer,
ik juich van vreugde,
spelen en zingen zal ik in zijn tempel.

Luister naar mij, Heer,
om u roep ik;
heb medelijden
en antwoord mij.
Mijn hart trekt naar u, Heer,
u wil ik zien, u wil ik kennen.
Verberg u dan niet voor mij,
wijs mij niet af in uw woede.
U hebt me altijd geholpen,
laat mij ook nu niet in de steek,
laat mij niet over aan mijn lot,
u bent mijn behoud.
Ouders kunnen hun kinderen nog verlaten,
maar u, Heer, zult bij mij blijven.
Wijs mij de weg, Heer,
leid mij langs veilige wegen,
mijn vijanden bedreigen mij.
Lever mij niet over aan hun willekeur:
zij leggen valse beschuldigingen af
en ze zijn belust op geweld.
In dit leven nog zal ik ervaren
hoe goed de Heer is.
Wat zou ik moeten beginnen
als ik daaraan twijfelde?
Stel uw hoop op de Heer.
Houd moed en wanhoop niet.
Stel uw hoop op de Heer.

Psalm 27

Verlangen naar God

Voor de voorzanger.
Een lied. Uit de kring van Korach.

Zoals een hert naar water,
zo smacht ik naar u, o God;

u bent mijn leven,
ik verlang naar u, o God.
Wanneer mag ik bij u komen,
wanneer zal ik weer voor u staan?
Dag en nacht huil ik,
tranen zijn mijn enig voedsel,
want steeds weer moet ik horen:
'Waar is nu je God?'
Met weemoed denk ik terug
aan de tocht naar de tempel,
aan de menigte feestgangers,
de juichkreten, de dankliederen.

Mijn ziel, wat drukt je terneer,
waarom ben je zo onrustig?
Op God wil ik vertrouwen,
eens zal ik hem weer prijzen,
hem, mijn behoud, mijn God.

Mijn ziel is bedrukt, Heer,
daarom denk ik aan u,
hier, ver van uw tempel,
in het Hermongebergte,
bij de berg Misar,
hier, aan de bronnen van de Jordaan.
Om mij heen kolkt het water,
oorverdovend stort het neer
en roept nieuwe kolken op.
U overspoelt mij, Heer,
het water slaat over mij heen!

De Heer zal mij zijn liefde geven, elke dag,
zijn lied zal ik horen, elke nacht,
een gebed tot de God
die mij in leven houdt.
Ik zal tegen hem zeggen:
'U bent mijn toevlucht.
Waarom bent u mij vergeten,
waarom ben ik in rouw gedompeld,
door mijn vijanden gekweld?'
Spottend vragen ze de hele dag:
'Waar is nu je God?'
Het snijdt mij door de ziel.

Mijn ziel, wat drukt je terneer,
waarom ben je zo onrustig?
Op God wil ik vertrouwen,

eens zal ik hem weer prijzen,
hem, mijn behoud, mijn God.

Doe mij recht, God,
verdedig mij tegen mijn aanklagers,
ze zitten vol bedrog en onrecht,
trouw aan u kennen ze niet.
U bent toch mijn beschermer,
waarom hebt u mij verstoten?
Waarom ben ik in rouw gedompeld,
door mijn vijanden gekweld?
Blijf aan mijn zijde,
licht mij bij,
begeleid mij
naar uw heilige berg,
naar uw tempel.
Dan zal ik naderen tot uw altaar,
tot u, mijn grootste vreugde.
Voor u, God, zal ik zingen,
spelend op de lier.
U bent mijn God.

Mijn ziel, wat drukt je terneer,
waarom ben je zo onrustig?
Op God wil ik vertrouwen,
eens zal ik hem weer prijzen,
hem, mijn behoud, mijn God.

Psalm 42; 43

Een sterke burcht

Voor de voorzanger.
Een lied uit de kring van Korach.
Op de wijs van het lied ‘De meisjes’.

God is onze toevlucht,
hij geeft ons kracht;
in de grootste nood
heeft hij ons geholpen.
Daarom kennen wij geen angst,
al beeft de aarde,
al verzinken de bergen in zee.
Laat het water maar bruisen en schuimen,
laat de bergen maar beven onder de beukende golven.

Een rivier stroomt door de stad van God,
tot vreugde van de mensen.
Het is de stad van de hoogste God,
hijzelf is binnen haar muren,
daarom zal zij niet vallen.
Voor de ochtend aanbreekt,
komt hij haar te hulp.
En als hij zijn stem verheft,
sidderen de volken,
wankelen de koninkrijken,
lijkt de aarde te vergaan.

De almachtige Heer is aan onze zijde,
onze burcht is de God van Jakob!

Kijk toch wat de Heer doet:
hij kan oorlogen aanrichten
overal op aarde,
hij kan oorlogen doen ophouden
waar ook op aarde;
bogen breekt hij,
lansen splijt hij,
strijdwagens laat hij in vlammen opgaan.
'Leg je wapens neer,' roept hij,
'weet dat ik God ben,
ik heers over de volken,
ik heers over de aarde.'

De almachtige Heer is aan onze zijde,
onze burcht is de God van Jakob!

Psalm 46

Een goddelijk onderdak

Voor de voorzanger.
Op de wijs van het lied uit Gat.
Een psalm uit de kring van Korach.

Almachtige Heer,
hoe dierbaar is mij uw huis.
Ik hunker ernaar in uw tempel te zijn,
met hart en ziel juich ik u toe,
u, de levende God.
Zelfs een mus vindt er onderdak
en de zwaluw bouwt er haar nest;
bij uw altaar, almachtige Heer,

bij u, mijn koning en mijn God,
brengt zij haar jongen groot.
Gelukkig zij die in uw tempel wonen,
altijd brengen zij u hulde.
Gelukkig zij die hun kracht vinden bij u,
vol verlangen gaan zij naar u op weg;
trekken zij door dorre dalen,
dan worden het oasen;
de vroege regen daalt er als een zegen neer.
Onvermoeid trekken ze verder,
in Sion zien ze u, o God.

Heer, almachtige God,
luister naar mijn gebed;
God van Jakob,
schenk mij aandacht.
Wees onze koning goedgezind,
hij is ons schild,
zie hem welwillend aan,
u hebt hem uitgekozen.
Eén dag in uw tempel is meer
dan duizend dagen erbuiten.
Liever staan bij de ingang van uw tempel
dan wonen bij mensen zonder God of gebod.
Heer, u bent onze zon,
u bent ons schild,
u, God, verleent geluk en roem;
aan wie onberispelijk leven
geeft u alle goeds.
Almachtige Heer,
gelukkig is wie op u vertrouwt.

Psalm 84

Onze dagen zijn geteld

Een gebed uit de bundel van de profeet Mozes.

Heer, u bood ons beschutting
van geslacht op geslacht.
Voor de bergen ontstonden,
voor u de aarde schiep,
was u al God.
U bent God,
alle eeuwen door.
Als u zegt:
'Word weer stof, jullie zwakke mensen,'

dan worden zij weer stof.
Want voor u zijn duizend jaar
niet meer dan een dag,
niet meer dan het laatste uur van de nacht:
in een oogwenk voorbij!
U vaagt ons mensen weg,
als de ochtend de dromen.
We zijn niet meer dan gras:
zo schiet het op, zo verwelkt het,
's morgens bloeit het,
tegen de avond is het dor en droog.

Uw woede teistert ons,
we gaan eraan ten onder.
U brengt onze fouten aan het licht;
wat we in het geheim misdeden,
maakt u openbaar.
Door uw woede loopt ons leven ten einde,
vergaan onze dagen als een zucht.
Misschien worden we zeventig,
misschien tachtig als we sterk zijn.
En waarvoor alle gezwoeg en ellende?
Het leven vliegt voorbij,
opeens is het afgelopen.
Wie beseft hoe verschrikkelijk uw woede is,
wie is er voldoende van doordrongen?
Verdiep ons inzicht,
leer ons dat onze dagen zijn geteld.

Heer, laat uw woede varen.
Hoelang nog moeten we wachten?
Heb medelijden met ons, uw dienaars!
Overlaad ons met uw liefde,
iedere morgen opnieuw;
dan kunnen we juichen en blij zijn,
iedere dag opnieuw.
Hoelang hebt u ons niet gepijnigd?
Geef ons nu een lange tijd van vreugde.
Vergoed ons al die ellendige jaren!
Laat ons, uw dienaars, uw grootse daden zien
en laat ook onze kinderen uw grootheid ervaren.
Heer, onze God, toon ons genegenheid,
dan zal het goed zijn wat we doen,
dan zal het stand houden.

Psalm 90

Schuilen bij God

Wie bescherming zoekt bij de Allerhoogste,
in de nabijheid van de Almachtige verblijft,
hij kan zeggen:
'U bent mijn schuilplaats, mijn vesting.
Mijn God, ik vertrouw op u.'

Want God is het
die je ontrukt
aan het net dat wordt gespannen,
aan de pest die dodelijk is.
Hij bedekt je met zijn vleugels,
onder zijn hoede ben je veilig;
zijn trouw is een schild, een pantser.
Dan hoef je niet bang te zijn
voor gevaren 's nachts
of voor pijlen overdag,
voor de pest die rondsluipt in het duister,
of voor ziekten die toeslaan op klaarlichte dag.

Al vallen er doden, links en rechts,
bij duizenden en tienduizenden,
jij blijft ongedeerd.
Sla je ogen maar op
en je ziet hoe God bestraft
wie zich tegen hem keren.
De Heer is voor jou een schuilplaats,
bij de Allerhoogste vind je onderdak.
Rampen zullen je niet treffen,
geen plaag teistert je huis.
Want hij stuurt je zijn engelen,
ze zullen over je waken,
waar je ook gaat.
Ze zullen je dragen op hun handen,
je zult je aan geen steen stoten.
Brullende leeuwen vertrap je,
giftige slangen vermorzel je.

De Heer zelf zegt:
'Omdat hij van mij houdt,
red ik hem;
omdat hij mij kent,
breng ik hem in veiligheid.
Als hij mij te hulp roept,
antwoord ik hem.
Als hij in het nauw zit,
sta ik hem bij.

Ik zal hem bevrijden
en in ere herstellen.
Een lang leven schenk ik hem,
ik zal hem gelukkig maken.'

Psalm 91

Een God van liefde

Uit de bundel van David.

Ik dank de Heer,
ik dank hem
uit de grond van mijn hart.
Dank aan de heilige God,
geen van zijn weldaden zal ik vergeten.
Hij vergeeft mijn fouten
en geneest mijn kwalen.
Hij redt mij van de dood,
omringt mij met liefde en goedheid.
Hij geeft mij weer levenskracht,
schenkt mij een nieuwe jeugd,
maakt mij sterk als een arend.

De Heer doet wat rechtvaardig is,
de verdrukten verschaft hij recht.
Hij maakte Mozes zijn plannen bekend,
hij toonde de Israëlieten zijn daden.
Hij is goedgunstig,
vol medelijden,
geduldig en liefdevol.
Hij blijft ons niet aanklagen,
hij koestert geen wrok.
Hij straft ons niet zoals wij verdienen,
hij laat ons niet voor elke zonde boeten.
Onmetelijk is zijn goedheid
voor wie hem vereren,
onmetelijk als de hemel.
Hij neemt de zonden van ons weg
en werpt ze ver van ons,
zover als het oosten is van het westen.
Zoals een vader van zijn kinderen houdt,
zo houdt hij van wie hem vereren.
Hij kent onze broosheid,
hij weet dat wij maar stof zijn.
Kort is het leven van een mens,
hij is als een bloem in het gras:

een windvlaag, en het is gedaan,
je vindt haar niet meer terug.
Maar Gods liefde duurt eeuwig
voor wie hem vereren;
zijn heil is bestemd voor alle geslachten,
voor wie zich houdt aan zijn verbond
en zijn geboden naleeft.

De Heer heeft zijn troon in de hemel,
hij heerst over heel de schepping.
Engelen, dank de Heer!
Sterke helden
die zijn bevelen opvolgen,
woord voor woord uitvoeren,
hemelse machten
die aan al zijn wensen voldoen,
dank de Heer!
Heel de schepping moet de Heer danken,
iedereen, waar ook in zijn rijk.
Ook ik dank de Heer.

Psalm 103

Een mee-gaande God

Een pelgrimslied.

Ik kijk naar de bergen.
Vanwaar zal er hulp voor mij komen?
Te hulp komt mij de Heer,
die hemel en aarde gemaakt heeft.

De Heer voorkomt dat je struikelt,
hij waakt over je,
nooit verslapt zijn aandacht.
Nooit slaapt of sluimert hij,
hij waakt over Israël.
De Heer zal je beschermen,
hij gaat met je mee;
de Heer geeft je schaduw:
overdag zal de zon je niet steken,
's nachts de maan je niet ziek maken.
De Heer houdt het kwaad op een afstand,
hij neemt je in bescherming.
Waar je ook gaat of staat,

de Heer waakt over je,
nu en altijd.

Psalm 121

Stad van vrede

Een pelgrimslied.
Uit de bundel van David.

Wat was ik blij toen zij zeiden:
'Kom, we gaan naar het huis van de Heer.'
Jeruzalem, we hebben je bereikt,
we zijn nu binnen je poorten.
Jeruzalem, hecht gebouwde stad,
omgeven met machtige muren:
naar jou komen de stammen van Israël,
de stammen van de Heer;
hem komen zij eren,
dat is hun opdracht.
Hier, in Jeruzalem,
regeert het huis van David,
hier spreken de koningen recht.

Vraag God om vrede voor Jeruzalem,
om voorspoed voor wie van haar houden,
om vrede binnen haar wallen,
om veiligheid in haar vesting.
Uit liefde voor mijn verwanten en vrienden
wens ik Jeruzalem vrede toe.
Uit liefde voor de tempel,
het huis van de Heer, onze God,
vraag ik voor haar om welvaart.

Psalm 122

Een mooie droom

Een pelgrimslied.

Het was als een droom:
Jeruzalem, door de Heer hersteld
in oude glorie.
We konden weer lachen,
van vreugde juichen;
alle volken zeiden:

'De Heer heeft voor hen iets groots verricht.'
De Heer heeft voor ons iets groots verricht,
wat waren we gelukkig!

Heer, herstel ons in oude glorie,
zoals de regen de droge beken vult.
Al zaait een mens onder tranen,
hij zal oogsten in vreugde;
al gaat hij in droefheid voort
met de zaaikorf aan de heup,
zingend komt hij van het land
met zijn armen vol schoven.

Psalm 126

Niets zonder God

Een pelgrimslied.
Uit de bundel van Salomo.

Als de Heer het huis niet bouwt,
bouwen de mensen voor niets.
Als de Heer de stad niet bewaakt,
waakt de wachter voor niets.
Het geeft je niets
van 's morgens vroeg tot 's avonds laat
te zwoegen voor je eten.
Aan de mensen die hij liefheeft
geeft de Heer wat nodig is,
zelfs als ze slapen.
Kinderen zijn een geschenk van de Heer:
met hen beloont hij de ouders.
Flinke zonen zijn voor een vader
als pijlen voor een soldaat.
Gelukkig de man
die zijn koker vult met zulke pijlen:
hij heeft niets te vrezen
als tegenstanders hem aanklagen.

Psalm 127

Tweeërlei kijken

Een pelgrimslied.

Heer, ik zie geen uitweg,
u roep ik te hulp.
Luister naar mij,
luister aandachtig, smeek ik u.
Heer, als u acht slaat op onze fouten,
kan niemand zich meer staande houden.
Maar u weet te vergeven,
daarom hebben we ontzag voor u.

Ik heb alle hoop op de Heer gevestigd,
ik vertrouw op zijn bevrijdend woord.
Ik kijk uit naar de Heer,
met meer verlangen
dan nachtwakers naar de morgen,
naar het aanbreken van de dag.
Israël, vertrouw op de Heer,
want de Heer heeft ons lief,
hij bevrijdt ons altijd weer.
Hij zal Israël bevrijden van alle fouten,
hij alleen.

Psalm 130

Nooit vergeten

Wij zaten aan Babels rivieren
en huilden als we dachten aan Sion.
Aan de wilgen daar
hingen wij onze lieren.
Wie ons gevangen hielden,
ons onderdrukten,
wilden dat we vrolijk waren,
vroegen ons te zingen:
'Zing voor ons,
een van die liedjes over Sion.'
Maar wie kan zingen voor de Heer
op vreemde grond?
Jeruzalem, als ik jou vergeet,
mis ik liever mijn hand.
Als ik niet meer aan jou denk,
als ik jou niet boven alles stel,
boven iedere vreugde,
mis ik liever mijn tong.

Heer, vergeet nooit
hoe de Edomieten schreeuwden
op die dag dat Babel Jeruzalem innam:
'Haal omver die stad,
maak haar met de grond gelijk!'
Babel, spoedig word ook jij verwoest.
Gelukkig wie jou vergelden
wat jij ons hebt aangedaan.
Gelukkig wie jouw kinderen grijpen
en tegen de rotsen te pletter slaan.

Psalm 137

God lof

Eer aan de Heer!

Eer God in zijn heilige hemel,
eer hem om het machtige firmament,
om zijn krachtige daden,
om zijn onmetelijke grootheid.
Eer hem met hoorngeschal,
met harpen, lieren en trommen,
eer hem met vreugdedansen,
met spel op gitaren en fluiten,
sla de bekkens,
de luidklinkende bekkens.
Laat alles wat adem heeft
de lof zingen van de Heer.

Eer aan de Heer!

Psalm 150

Spreuken

Wijze lessen

Dit zijn de spreuken van koning Salomo van Israël, de zoon van David. Zij bieden levenswijsheid, zij geven leiding, zij verdiepen het inzicht. Zij zijn raadgevers, zij leren je wat het betekent rechtvaardig en oprecht te zijn. Wie jong en onervaren is, leert woorden als 'verstandig', 'bezonnen' te begrijpen. Wie al wijs is, laat hijdeze spreuken gebruiken om zijn wijsheid te vergroten, deze raadsels te ontcijferen. Wie al verstandig is, laat hij zijn verstand gebruiken om deze woorden van wijzen en hun diepe bedoeling te begrijpen.
Alle wijsheid komt voort uit ontzag voor de Heer. Wie geen ontzag heeft voor God, minacht ook de levenswijsheid en laat zich niet leiden.

Mijn zoon, luister naar je vader en moeder;
verwerp hun wijze lessen niet.
Het zal je sieren,
als een krans je hoofd,
als een ketting je hals.

Spreuken 1:1-9

Luisteren naar de Wijsheid

De Wijsheid roept luid,
het Inzicht laat zich duidelijk horen.
Op de heuveltoppen langs de weg,
op de viersprong is de Wijsheid gaan staan.
Aan de ingang van de stad,
vlak bij de poort, roept zij:
'Mensen, jullie roep ik,
ik richt me tot alle mensenkinderen.
Dommen, leer toch na te denken,
dwazen, leer toch te begrijpen.
Luister,
want wat ik ga zeggen,
gaat over grote dingen,
wat mij over de lippen komt,
is vrij van bedrog.
Want ik verkondig de waarheid,
ik heb een afschuw van leugens.

Mijn woorden zijn oprecht,
niets is verdraaid of vals.
Voor iemand met inzicht zijn ze duidelijk,
voor wie al wijsheid verzameld heeft, eenvoudig.
Stel mijn woorden boven zilver,
stel mij boven het zuiverste goud.
Want wijsheid is meer waard dan edelstenen,
alles wat men kan begeren,
is vergeleken met wijsheid niets.

Ik ben de Wijsheid,
Bezonnenheid woont bij mij,
ik vind kennis door overpeinzing.
Het kwaad uit de weg gaan,
dat is ontzag hebben voor de Heer.
Daarom heb ik een afkeer
van hoogmoed en trots,
van misdaad en bedrog.
Bij mij vind je beraad en overleg,
ik verschaf inzicht, ik geef kracht.
Met mij kunnen koningen regeren,
bestuurders bepalen wat recht is.
Vorsten heersen dankzij mij,
alle staatslieden die eerlijk regeren.
Ik heb lief wie mij liefhebben,
wie mij zoeken, zullen mij vinden.
Bij mij vind je rijkdom en eer,
duurzaam bezit, gerechtigheid.
Beter dan het fijnste goud zijn mijn gaven,
wat ik bied is meer dan het zuiverste zilver.
Ik bewandel de weg der gerechtigheid,
de paden die leiden naar het recht.
Wie mij liefhebben,
geef ik een onvervreemdbaar bezit,
wie mij liefhebben,
overlaad ik met schatten.

De Heer heeft mij als eerste geschapen,
lang geleden, voor al het andere.
Ik ben gemaakt in het begin van de tijd,
ik was er al voor de aarde bestond.
Toen er nog geen oceanen waren,
geen bronnen met een overvloed aan water,
toen was ik al geboren.
Voor de bergen een plaats hadden gevonden,
voor er heuvels waren,
was ik er al;
voordat de Heer de wijde wereld had gemaakt,

voordat hij een zandkorreltje had geschapen.
Ik was erbij,
toen hij de hemel zijn plaats gaf,
om de oceaan een horizon trok.
Toen hij de wolken aan de hemel zette
en de bronnen van de oceaan liet stromen,
toen hij het water de wet stelde,
de zeeën hun grenzen gaf,
toen hij de fundamenten voor de aarde legde,
was ik aan zijn zijde, ik was zijn vertrouweling.
Ik was verrukt, elke dag opnieuw,
steeds verheugd in zijn aanwezigheid,
ik schiep vreugde in de aarde,
ik was blij met de mensen.

Daarom, kinderen, luister naar mij,
je zult gelukkig zijn
als je mij volgt.
Luister naar mijn goede raad,
sla hem niet in de wind,
dan word je wijs.
Gelukkig is wie naar mij luistert,
elke dag opnieuw aan mijn deur staat,
de wacht houdt bij mijn huis.
Wie mij vindt, heeft het leven gevonden,
hem heeft de Heer lief.
Wie mij niet zoekt, zet zijn leven op het spel,
wie mij haat, bemint de dood.

Spreuken 8:1-36

Levenswijsheden

Zoals het vuur zilver en goud zuivert,
zo zuivert de Heer de harten van de mensen.

Iemand met een kwaad hart luistert graag naar kwade tongen,
een gemeen mens hoort graag lasterpraat.

Wie op een arm mens neerkijkt, beledigt de Schepper;
wie zich verheugt in iemands ongeluk, wordt zeker gestraft.

Kleinkinderen zijn voor de grootouders de kroon op hun leven,
de trots van de kinderen zijn hun ouders.

Edele taal past niet bij een slecht mens,
maar leugens nog minder bij een man van eer.

Voor velen zijn steekpenningen een soort edelstenen:
overal kan men er zijn voordeel mee doen.

Wie vriendschap wil bewaren, moet fouten vergeven,
wie ze telkens ophaalt, jaagt zijn vrienden weg.

Eén verwijt maakt op een verstandige meer indruk
dan wat honderd stokslagen uitrichten bij een dwaas.

Iemand die zich tegen alles kant, brengt ellende;
zo'n mens zal het onheil niet ontlopen.

Je kunt beter een berin tegenkomen, beroofd van haar jongen,
dan een dwaas, beroofd van zijn verstand.

Als iemand goed met kwaad vergeldt,
zal uit zijn huis de ellende niet wijken.

Het begin van een ruzie is als een breuk in een dam:
je moet ophouden met twisten, wil je niet overspoeld worden.

Een schuldige vrijspreken of een onschuldige veroordelen:
van beide heeft de Heer een afschuw.

Geld in de handen van een dwaas is zonder zin:
hij weet er toch geen wijsheid mee te kopen.

Er is altijd wel een vriend die trouw blijft,
er is altijd wel een broer die helpt.

Onverstandig is iemand die gemakkelijk een handslag geeft,
die zomaar borg staat voor de schulden van een ander.

Wie van ruzie houdt, bemint ook de misdaad;
wie een ander overschreeuwt, gunt hem ook de ondergang.

Wie gemeen is, vindt nooit geluk,
wie bedriegt, stort zichzelf in het ongeluk.

Een dwaas als zoon is een kwelling,
de vader van een zot kent geen vreugde.

Vrolijkheid geneest je,
neerslachtigheid verslindt je krachten.

Een slecht mens neemt steekpenningen aan
om recht te maken wat krom is.

Een verstandig mens heeft oog voor wijsheid,
een dwaas vindt haar op de hele wereld niet.

Een dwaze zoon vormt een ergernis voor zijn vader,
voor zijn moeder is hij een groot verdriet.

Het is verkeerd een onschuldige te beboeten,
een man van eer te straffen is in strijd met het recht.

Een man met ervaring is terughoudend in het spreken,
iemand met inzicht is bezonnen.

Een dwaas die zwijgt, wordt zelfs voor wijs gehouden,
zolang hij zijn mond maar houdt, denkt men dat hij verstandig is.

Spreuken 17:3-28

Getalspreuken

Een bloedzuiger kent twee woorden.
Het eerste is: Geef!
en het tweede is: Geef!

Er zijn drie, zelfs vier dingen
die niet te verzadigen zijn,
die nooit zeggen: 'Het is genoeg.'
Het dodenrijk,
de schoot van een onvruchtbare vrouw,
de aarde die altijd weer om water vraagt
en het vuur dat ook nooit zegt: 'Het is genoeg.'

Wie met zijn vader spot,
wie zijn moeder weigert te gehoorzamen,
hem zullen de raven de ogen uitpikken
en de adelaars zullen hem opvreten.

Drie, zelfs vier dingen zijn voor mij een wonder,
ik kan ze niet begrijpen:
hoe de adelaar zijn weg vindt langs de hemel
en de slang zijn weg over de rotsen,
hoe een schip zijn koers houdt midden op zee,
hoe een man de weg vindt tot een vrouw.

Zo doet een vrouw die overspel heeft gepleegd.
Ze vraagt: 'Heb ik iets verkeerds gedaan?'
alsof ze alleen maar gegeten heeft en haar mond afveegt.

Drie, ja zelfs vier dingen zijn er
die niemand kan verdragen,
omdat het de omgekeerde wereld is:
een slaaf die koning wordt,
een zot die zich vol kan eten,
een onuitstaanbare vrouw die een man vindt
en een slavin die haar meesteres verdringt.

Vier dieren zijn de kleinste op aarde,
maar ze zijn uitermate slim:
de mieren – zij zijn zwak,
toch leggen ze voor de hele winter een voorraad aan;
de klipdassen – zij zijn niet sterk,
toch maken ze hun holen in de rotsen;
de sprinkhanen – zij hebben geen koning,
toch trekken ze in slagorde op;
en dan de hagedissen – zij laten zich met de hand vangen,
maar dringen wel door tot in de paleizen van koningen.

Drie, ja zelfs vier hebben een statige tred:
de leeuw, de koning van de dieren, die van geen wijken weet;
de trotse haan en de geitenbok;
en dan de koning tegen wie niemand in opstand komt.

Spreuken 30:15-31

Prediker

Het is allemaal wind

Hier volgen uitspraken van Prediker. Hij was een zoon van David en koning in Jeruzalem.
IJl en vluchtig, zonder zin, nutteloos is alles, zegt hij. Volkomen zinloos is het leven. De mens zwoegt en tobt heel zijn leven lang, maar wat bereikt hij ermee? Generaties komen en gaan, alleen de aarde blijft. De zon komt op, de zon gaat onder en haast zich naar de plaats waar zij weer op moet komen. De wind waait naar het zuiden en draait naar het noorden. De wind draait en waait en komt weer uit op hetzelfde punt. Alle rivieren stromen naar zee, maar de zee raakt nooit vol. Het water keert terug naar de bron om opnieuw te gaan stromen. Vermoeiend is alles, onbeschrijfelijk vermoeiend; we kunnen nooit alles zien, nooit alles horen. Wat er gebeurd is, zal weer gebeuren en wat er gedaan is, zal weer gedaan worden; er is niets nieuws onder de zon. Men zegt wel: 'Kijk, dat is iets nieuws.' Maar dan blijkt dat het er vroeger ook al was. Niemand denkt meer aan de mensen die voor ons geleefd hebben en ook aan de mensen die na ons komen, zal later niemand meer denken.
Ik was koning van Israël en woonde in Jeruzalem. Ik nam me voor, alles wat er gebeurt in deze wereld te bestuderen, want ik wilde weten wat de zin van alles is. Dat heeft God ons mensen opgedragen; het is een kwelling. Ik bekeek wat men hier op aarde allemaal ondernam: alles bleek zinloos, grijpen naar wind. Wat krom is, wordt niet recht, en wat ontbreekt, kun je niet meetellen. Eerst zei ik bij mezelf: 'Ik ben wijzer dan al mijn voorgangers in Jeruzalem; door ervaring ben ik veel wijzer en verstandiger dan zij. Ik moet toch het verschil kunnen zien tussen wijs en dwaas, tussen verstandig en dom.' Maar ook dat, heb ik ingezien, is grijpen naar wind. Want hoe meer kennis, des te meer ergernis; hoe groter het inzicht, des te groter het verdriet.

Prediker 1:1-18

Op gepaste tijden

Alles heeft zijn uur en tijd,
alles in dit leven.
Er is een tijd om te baren
en er is een tijd om te sterven,

een tijd om te planten,
een tijd om te rooien;
er is een tijd om te doden
en een om te genezen,
een voor afbreken
en een voor opbouwen;
er is een moment voor huilen
en een voor lachen,
voor rouwen,
en voor dansen;
er is een tijd van liefde
en een tijd van eenzaamheid,
van kussen
en van afwenden;
er is een tijd van zoeken
en een van verliezen,
een tijd van bewaren
en een tijd van wegdoen;
er is een moment om te scheuren
en een om de scheuren te naaien,
een moment voor zwijgen
en een moment voor spreken;
er is een tijd voor liefhebben
en een tijd voor haten;
voor oorlog
en voor vrede.

Wat bereik je met tobben en zwoegen? Ik heb gemerkt dat God de mensen een zware en vermoeiende taak heeft opgelegd. God heeft voor alles het juiste moment bepaald; wel heeft hij de mensen besef van tijd gegeven, maar ze zijn niet in staat om Gods doen en laten van het begin tot het eind te volgen. Daarom lijkt het me het beste dat de mens vrolijk is en geniet van het leven. Want als hij eet en drinkt en plezier heeft van zijn werk, is dat een geschenk van God.
Ik heb ingezien dat alles wat God doet, onveranderlijk is: er valt niets aan toe te voegen en er gaat ook niets vanaf. God maakt alles zo, dat de mens zich klein voelt. Wat er nu is, was er vroeger ook al, en wat er straks komt, is er ook al geweest. God laat steeds weer opnieuw hetzelfde gebeuren.

Prediker 3:1-15

Hooglied

Mijn lief

zij

Een boom vol appels midden in het struikgewas,
zo is mijn lief te midden van de mannen.
Hoe graag wil ik in zijn schaduw zitten,
zijn vruchten zijn zo zoet in mijn mond!
Mijn lief neemt mij mee naar het wijnhuis,
daar heft hij voor mij zijn banier,
de banier van de liefde!
Hij geeft mij rozijnenkoeken,
hij geeft mij appels,
want ik bezwijk van liefde.
Zijn linkerarm is onder mijn hoofd,
zijn rechterarm ligt om mij heen.

Meisjes van Jeruzalem,
ik bezweer jullie
bij de gazellen, bij de hinden:
Dwing de liefde niet,
wek haar niet,
voor zij zelf wil.

Hoor! Mijn lief!
Kijk, daar komt hij aan!
Hij springt over bergen,
hij huppelt over heuvels
als een gazel,
als een jong hert,
mijn lief.
Daar is hij al bij ons huis,
hij kijkt door de vensters,
hij tuurt door de tralies.
Hoor wat hij zegt:
'Sta toch op, vriendin van mij,
mijn mooi meisje, kom!
De winter is voorbij,
verdwenen is de regen.
Er zijn weer bloemen buiten,
je hoort de vogels zingen,
de tortelduifjes koeren overal.
Aan de vijgenboom zwellen de vruchten,
de wijnstokken bloeien en geuren.

Sta toch op, vriendin van mij,
mijn mooi meisje, kom!
Duifje van me,
daar in je schuilhoek
als in een kloof in de bergwand,
laat je toch zien,
laat je toch horen,
want je stem is zo zoet
en jijzelf bent zo bekoorlijk.'

O, vang voor ons de vossen,
die kleine vossen
die wijngaarden vernielen,
onze wijngaard die in bloei staat!

Mijn lief is van mij
en ik ben van hem,
van hem die tussen lelies weidt.
Zo gauw de avondwind komt,
zo gauw de schaduwen vervagen,
kom dan hierheen, mijn lief,
en wees een gazel, een jong hert
op geurige bergen.

Hooglied 2:3-17

Mijn vriendin

hij Vriendin van mij,
wat ben je mooi,
zo mooi!
Je ogen zijn net duiven,
zo door je sluier heen.
Je haar lijkt op een kudde geiten
die in golven afdaalt van Gileads bergen.
Je tanden lijken op geschoren schapen,
zo uit het water,
allemaal hebben zij tweelingen,
er ontbreekt er niet één.
Je lippen zijn rood als scharlaken,
je zegt verrukkelijke dingen,
en als open granaatappels zijn je wangen
achter je sluier.
Je hals lijkt op de toren van David,
een toren met tinnen,
behangen met duizend schilden,
alle ronde schilden van helden.

En je borsten zijn twee jonge gazellen,
een tweeling die weidt tussen de lelies.

Zo gauw de avondwind komt,
zo gauw de schaduwen vervagen,
ga ik naar een berg met mirre,
naar een heuvel met wierook.

Ja, alles is mooi aan jou,
mijn vriendin,
niets ontbreekt er aan je schoonheid.
Mijn bruid, je zult met mij,
met mij zul je van de Libanon dalen,
van de hoge toppen,
van de Amana, van de Senir, van de Hermon.
Weg van de bergen
waar leeuwen huizen en panters.
Mijn zuster, mijn bruid,
je hebt me betoverd
met één blik van je ogen,
met één kraal van je halsketting.
Wat een genot is je liefde, mijn zuster, mijn bruid,
hoeveel zoeter dan wijn,
je geurt naar de heerlijkste oliën,
heerlijker dan alle kruiden.
Je lippen smaken naar honing, mijn bruid,
melk en honing vind ik onder je tong
en je kleren geuren naar de Libanon.
Mijn zuster, mijn bruid,
je bent een goed gesloten tuin,
een ommuurde hof,
een verzegelde bron.
Je bent een paradijs
van granaatappelbomen met heerlijke vruchten,
van hennabloemen en nardusplanten,
en niet alleen nardus,
ook saffraan, kalmoes en kaneel,
wierookstruiken, mirre en aloë,
alle heerlijke kruiden die er bestaan.
Jij bent een bron in een tuin,
een fontein van levend water,
een bergbeek van de Libanon.

Hooglied 4:1-15

Jesaja

Stad van Het Hoogste Recht

Hier volgt de boodschap die Jesaja, de zoon van Amoz, kreeg voor Juda en Jeruzalem.

In de toekomst zal de tempelberg,
de berg van de Heer,
rotsvast staan,
hoger zijn dan alle bergen,
uitrijzen boven de heuvels.
De volken zullen toestromen,
ze gaan in drommen op weg.
Ze zeggen:
'Kom, we gaan naar de berg van de Heer,
naar de tempel van Jakobs God.
Hij zal ons de weg wijzen
en wij zullen zijn aanwijzingen opvolgen.'
Vanuit Jeruzalem
geeft de Heer zijn richtlijnen,
vanuit de tempelstad
richt hij zich tot de mensen.
Hij zal rechtspreken
tussen machtige volken
en geschillen oplossen tussen vele naties.
Dan smeden ze hun zwaarden om
tot ploegscharen,
en hun speren tot snoeimessen.
Geen volk neemt nog de wapens op,
nooit meer bereidt men zich voor op de oorlog.
Nakomelingen van Jakob,
kom, laten we gaan,
de Heer verlicht onze weg.

Jesaja 2:1-5

Een slechte oogst

Zingen wil ik van mijn vriend,
zingen het lied
van mijn vriend en zijn wijngaard.
Mijn vriend had een wijngaard,

een wijngaard op een vruchtbare helling.
Hij spitte hem om,
verwijderde de stenen
en plantte een edel ras.
Hij bouwde een wachttoren,
hakte al een wijnpers uit.
Druiven verwachtte hij, zoete druiven,
maar wat hij oogstte was zuur en slecht.
Daarom zegt mijn vriend:
'Inwoners van Jeruzalem en Juda,
oordeel nu zelf,
oordeel over mij en mijn wijngaard!
Wat had ik meer kunnen doen
voor mijn wijngaard?
Ik mocht toch zoete druiven verwachten,
waarom zijn ze dan zuur en slecht?
Luister daarom goed,
dit ga ik doen met mijn wijngaard:
ik ruk de doornhaag uit,
haal de muur omver.
Ik laat hem vertrappen,
ik laat hem verwilderen.
Hij wordt niet meer gesnoeid,
niet meer gewied;
distels en doorns zullen er woekeren.
De wolken verbied ik
hem met regen te besproeien.'

Israël is de wijngaard
van de almachtige Heer,
Juda de aanplant van zijn keuze.
Hij verwachtte een rechtsstaat,
maar hij zag misbruik van macht,
hij verwachtte eerbied voor de wet,
maar hij hoorde mensen roepen om hulp.

Jesaja 5:1-7

Een goddelijke missie

In het sterfjaar van koning Uzzia zag ik de Heer,
hoog op zijn troon gezeten, in vol ornaat.
De zoom van zijn mantel vulde de tempel.
Boven hem stonden gedaanten van vuur;
elk van hen had zes vleugels:
twee om hun gezicht te bedekken,
twee om hun schaamdelen te bedekken

en twee om mee te vliegen.
Zij riepen elkaar toe:
'Heilig, heilig,
heilig is de almachtige Heer,
zijn majesteit strekt zich uit over de hele aarde.'
De deuren trilden in hun hengsels,
zo krachtig was hun stem;
de tempel vulde zich met rook.
Toen riep ik wanhopig uit:
'Ik ben verloren!
Onrein zijn mijn lippen,
en het volk waartoe ik behoor
is even onrein als ik.
Toch heb ik oog in oog gestaan
met de ware koning,
de almachtige Heer.'
Een van de vuurgedaanten nam een tang,
pakte van het altaar een gloeiende kool
en vloog naar mij toe.
Hij raakte er mijn mond mee aan en zei:
'Hierdoor zijn je lippen gezuiverd;
je schuld is ongedaan gemaakt,
je zonden zijn vergeven.'
Toen hoorde ik de Heer zeggen:
'Wie kan ik sturen?
Wie wil namens ons gaan?'
Toen antwoordde ik:
'Hier ben ik,
stuur mij!'
'Ga!' beval hij, 'en zeg tegen dat volk:
Luister zo goed als je kunt,
verstaan zul je het niet.
Kijk zo scherp als je wilt,
je zult het toch niet begrijpen.
Maak het hart van dat volk
ontoegankelijk,
stop hun de oren toe,
smeer hun de ogen dicht.
Want zij mogen niet zien en niet horen,
geen inzicht verkrijgen,
niet tot inkeer komen
en genezen worden.'
'Hoelang moet ik zo spreken, Heer?'
vroeg ik.
Hij antwoordde:
'Tot de steden in puin liggen
en ontvolkt zijn,
de huizen leegstaan,

het land verwoest is
en een wildernis is geworden;
tot ik de bevolking heb weggevoerd
en het land één verlatenheid is.
Al blijft er maar een tiende deel achter,
dan zal ook dat worden vernietigd.
Het zal hun vergaan als een eik:
ze worden omgehakt,
alleen een stronk blijft over.'

Maar aan die stronk zal nieuw leven ontspruiten.

Jesaja 6:1-13

Een baken van de Heer

Een loot ontspruit aan de stronk van Isaï,
een scheut bloeit op uit zijn wortels.
Hij is vervuld van de geest van de Heer,
de geest die wijsheid geeft en inzicht,
kracht voor een goed bestuur,
kennis van goed en kwaad,
ontzag voor de Heer.
Om zijn ontzag voor de Heer
staat hij bekend.
Hij gaat niet af op uiterlijke schijn,
hij oordeelt niet op grond van geruchten.
Hij komt op
voor het recht van de zwakken,
de armen geeft hij een eerlijk proces.
Zijn woorden striemen de aarde,
zijn uitspraken treffen dodelijk
wie van hem niet wil weten.
Hij draagt de gerechtigheid
als een riem om zijn middel,
de trouw als een gordel op zijn heupen.
De wolf is de gast van het lam,
de panter legt zich neer naast het bokje;
kalf en leeuwenwelp groeien samen op,
een kind kan ze hoeden.
De koe en de beer doen zich samen te goed,
hun jongen liggen bijeen.
De leeuw eet hooi als het rund.
De baby speelt bij het hol van de slang,
de kleuter steekt zijn hand in het nest van de adder.
Op de Sion, Gods heilige berg,
doet niemand meer kwaad,

sticht niemand nog onheil.
Zoals de zee vol is met water,
zo zijn de mensen vol van de Heer;
allen erkennen hem.
In die beslissende tijd
zal de nakomeling van Isaï een baken zijn:
op hem zullen de volken zich richten;
tot hem wenden zij zich om raad.
De plaats waar hij verblijft,
zal een pracht zijn.

Jesaja 11:1-10

Een tweede woestijntocht

Blij zal de steppe zijn
en vrolijk de woestijn,
juichen zal het dorre land.
Het zal bloeien als een narcis,
uitbundig bloeien,
zingen het hoogste lied.
Machtig wordt het als de Libanon,
prachtig als de Karmel en de Saron.
De bewoners zullen de Heer zien,
de Heer, onze God,
in al zijn macht en pracht.
Maak sterk de slappe handen,
strek de knikkende knieën.
Spreek de radelozen moed in:
'Wees niet bang,
jullie God is in aantocht.
Wraak en vergelding vergezellen hem,
hij komt jullie bevrijden.'
Blinden zullen weer zien,
doven weer horen.
Wie kreupel loopt, springt als een hert,
wie stom is, zingt het uit.
Water borrelt op in de steppe,
beken ontspringen in het dorre land.
Gloeiend zand verandert in een meer,
uitgedroogd land in een bron.
Waar jakhalzen hun holen hadden,
groeien gras en riet en biezen.
Er komt een brede weg,
Heilige Weg zal hij heten.
Niet wie God ontrouw zijn,
gaan over deze weg,

maar alleen wie zijn vrijgekocht.
God zelf gaat hen voor op deze weg,
zelfs dwazen kunnen niet verdwalen.
Leeuwen bevinden zich daar niet,
roofdieren lopen er niet rond,
men komt ze daar niet tegen.
Wie door de Heer zijn bevrijd,
keren juichend naar Sion terug.
Zij stralen van vreugde, voor altijd;
zij zijn vervuld van uitzinnige vreugde.
Alle leed is geleden,
alle zorgen zijn verdwenen.

Jesaja 35:1-10

Woorden van troost

God zegt:
'Ga mijn volk troosten,
ga het troosten.
Spreek Jeruzalem moed in,
roep haar toe:
Je straftijd is voorbij,
je schuld aan de Heer is voldaan.
Je bent genoeg gestraft,
meer dan genoeg voor al je zonden.'

Hoor! Iemand roept:

'Baan een weg voor de Heer, onze God,
een weg in de woestijn,
een recht pad door de steppe.
Hoog dalen op,
graaf bergen en heuvels af,
trek bochten recht,
maak wat oneffen is vlak.
Dan zal de Heer verschijnen
in al zijn majesteit,
heel de mensheid zal getuige zijn.
Het zijn zijn eigen woorden.'

Hoor! Iemand zegt:

'Maak het bekend!'
'Wat moet ik bekendmaken?'
Dit moet je zeggen:
'De mensen zijn als gras,

hun trouw is als een veldbloem.
Gras verdort,
bloemen verwelken
wanneer de Heer eroverheen blaast.
Ja, mensen zijn als gras.
Gras verdort,
bloemen verwelken,
maar de woorden van onze God
blijven van kracht,
voor altijd.'

Jesaja 40:1-8

De dienaar van Gods keuze

De Heer zegt:
'Hier is mijn dienaar,
hem geef ik mijn steun;
hij is mijn keuze,
hij is mij lief.
Vervuld met mijn geest,
verkondigt hij gerechtigheid aan de volken.
Hij roept niet, hij schreeuwt niet,
hij verheft zijn stem niet op straat.
Het geknakte riet zal hij niet breken,
de flauwer wordende pit niet doven.
Hij verkondigt gerechtigheid
en houdt zich aan de waarheid.
Hij zal niet verflauwen,
niet worden gebroken
tot er op aarde recht heerst.
De verste landen zien verlangend uit
naar wat hij te leren heeft.'

God, de Heer,
hij schiep de hemel,
spande hem als een tent;
hij zette de aarde vast
en zorgde voor beplanting.
Hij geeft de mensen adem,
hij bezielt al wat op aarde beweegt.
Deze God zegt:
'Ik heb u geroepen om recht te doen;
ik sta u ter zijde,
ik waak over u.
Voer uit wat ik mijn volk beloofd heb
en wees voor de andere volken een licht.

U zult blinden de ogen openen,
gevangenen uit hun kerkers leiden,
en wie in het duister zitten,
naar de vrijheid voeren.
Ik ben de Heer, dat is mijn naam,
deze eer wens ik niet te delen,
mijn roem sta ik niet af,
aan geen enkel godenbeeld.
Wat ik vroeger voorzegd heb,
is uitgekomen.
En nieuwe gebeurtenissen kondig ik aan;
nog vóór ze aanbreken,
laat ik ze u weten.'

Jesaja 42:1-9

Jeruzalem, de lichtstad

Sion, sta op, ga het licht tegemoet.
De Heer komt in al zijn majesteit,
als het aanbrekende ochtendlicht.
De aarde is in het donker gehuld,
dichte duisternis bedekt de volken.
Maar voor u zal de zon opgaan:
de Heer verschijnt in al zijn majesteit.
Volken en koningen gaan naar u op weg,
naar het stralende ochtendlicht.

Jeruzalem, sla uw ogen op en kijk:
in drommen stromen ze toe,
van heinde en verre.
Zij komen uw kinderen terugbrengen,
zij dragen hen op de arm.
Uw ogen zullen gaan stralen,
vreugde zal uw hart verruimen.
De schatten van de zee,
de rijkdommen van alle volken
vallen u in de schoot.

U wordt overspoeld
door kudden kamelen,
jonge kamelen uit Midjan en Efa.
Een grote menigte komt uit Seba,
zij dragen goud en wierook aan
en verkondigen Gods grote daden.
De schapen van Kedar
worden naar u samengedreven,

over de rammen van Nebajot
kunt u vrij beschikken.
'Offer ze op mijn altaar,' zegt de Heer,
'ik zal ze met genoegen aanvaarden.
De tempel zal ik in alle luister herstellen.'

Wie komen daar aangedreven
als een wolk,
aangevlogen als duiven naar hun til?
Boten uit verre landen,
de schepen van Tarsis voorop.
Ze komen aangevaren
om uw kinderen terug te brengen
met hun zilver en hun goud,
ter ere van de Heer, uw God,
ter ere van de heilige God van Israël.
Hij verleent u luister.

Jesaja 60:1-9

Alles wordt anders

De Heer kondigt aan:
'Ik schep een nieuwe hemel
en een nieuwe aarde.
Niemand denkt meer aan het verleden,
niemand verlangt ernaar terug.
Wat ik schep,
maakt jullie blij en vrolijk,
voor altijd.
Van Jeruzalem maak ik een vrolijke stad,
van haar bevolking blije mensen.
Ik zal juichen om Jeruzalem,
verblijd zijn om mijn volk.
Je hoort er niemand huilen,
niemand schreeuwen om hulp.
Zuigelingen blijven in leven,
bejaarden sterven niet voor hun tijd.
Wie als honderdjarige sterft,
sterft jong.
Op wie de honderd niet haalt,
rust een vloek.
Wie een huis bouwt,
zal het ook bewonen,
wie een wijngaard plant,
ook de druiven eten.
Wat zij bouwen,

wordt niet door vreemden betrokken
en wat zij zaaien,
niet door anderen geoogst,
want mijn volk dat ik heb uitgekozen,
wordt oud als de bomen zelf.
Ze zullen de vruchten van hun arbeid plukken,
hun zwoegen is niet voor niets.
Hun kinderen staan geen rampen te wachten,
want mijn zegen rust op hen,
op hen en hun kinderen.
Nog voor zij mij roepen,
zal ik antwoorden;
terwijl ze nog spreken,
geef ik gehoor.
Wolf en lam zullen samen eten,
de leeuw eet hooi als een rund,
de slang zal zich voeden met stof;
op mijn heilige berg
doet niemand meer kwaad,
sticht niemand nog onheil.'

Jesaja 65:17-25

Jeremia

Profeet tegen wil en dank

Hier volgt het verslag van wat Jeremia heeft gezegd en gedaan. Jeremia was de zoon van Chilkia, een priester uit de stad Anatot in het gebied van de stam Benjamin. De Heer sprak tot Jeremia in het dertiende jaar van de regering van koning Josia van Juda, de zoon van Amon. Opnieuw sprak de Heer tot hem vanaf de tijd dat Jojakim, een zoon van Josia, koning van Juda was, tot in het elfde en laatste regeringsjaar van koning Sedekia, een andere zoon van Josia. In de vijfde maand van dat jaar namelijk werden de inwoners van Jeruzalem weggevoerd.
De Heer richtte zich tot mij:
'Voor ik je vormde
in de schoot van je moeder,
koos ik je uit;
voor je uit de baarmoeder kwam,
bestemde ik je voor mij.
Ik heb je aangesteld
als mijn woordvoerder voor de volken.'

Ik zei: 'Och Heer, ik kan het woord niet voeren, ik ben veel te jong.' Maar de Heer antwoordde mij: 'Zeg niet: Ik ben veel te jong. Maar ga naar wie ik je stuur en zeg hun wat ik je opdraag. Wees niet bang, want ik ben bij je om je te beschermen. Dat beloof ik je.'
Toen stak de Heer zijn hand uit, raakte mijn mond aan en zei:
'Luister, ik geef je mijn woorden in de mond.
Heden geef ik je gezag
over volken en koninkrijken,
om ze weg te rukken, te breken,
om ze te vernietigen, te verwoesten,
of om ze weer op te bouwen,
om ze een eigen plaats te geven.'

Daarop vroeg de Heer aan mij: 'Wat zie je daar, Jeremia?' En ik antwoordde: 'Een tak van een amandelboom.' 'Nu,' zei de Heer, 'zo zeker als een amandelboom in de lente uitschiet, zo zeker zal er gebeuren wat ik zeg.' Ook vroeg de Heer: 'Wat zie je nog meer?' En ik antwoordde: 'Ik zie een kokende ketel in het noorden, die naar ons toe dreigt te kantelen.' De Heer zei: 'Vanuit het noorden wordt ellende uitgegoten over alle bewoners van dit land. Ik kondig je aan dat ik alle volken van het noorden zal oproepen. De koningen zullen hun troon neerzetten vlak voor de poorten van Jeruzalem, tegen de muren, rondom de stad, rondom alle steden in Juda. Dan zal het volk weten wat mijn oordeel is over hun misdaden. Mij lieten ze in de steek, voor andere goden brandden ze wierook. Beelden vereerden ze, die ze zelf hadden gemaakt! Ga nu, Jeremia, ga hun alles zeggen wat ik je opdraag. Wees niet bang, anders zal ik je nog bang voor hen maken. Ik zal ervoor zorgen dat je bent als een versterkte stad, een ijzeren zuil, een koperen muur, zodat je sterk staat tegenover het hele land: tegenover de koningen en de adel van Juda, tegenover de priesters en het volk. Zij zullen je bestrijden, ze zullen je niet overwinnen. Want ik ben bij je om je te beschermen. Dat beloof ik je!'

Jeremia 1:1-19

Schijn-veiligheid

De Heer richtte zich tot mij: 'Jeremia, ga in de tempelpoort staan en zeg tegen de mensen van Juda: Jullie die door deze poort naar binnen gaan om de Heer te aanbidden, luister naar wat de Heer te zeggen heeft. Dit zegt de almachtige Heer, de God van Israël: Beter je leven, alleen dan mogen jullie hier blijven wonen. Vertrouw niet langer op die bedrieglijke leus: Hier is de tempel van de Heer, daarom zijn we veilig; hier is de tempel van de Heer, daarom staan we sterk. Maar breek met je kwade praktijken, behandel elkaar rechtvaardig. Onderdruk geen vreemdelingen, weduwen en wezen; dood in dit land geen onschuldige mensen en loop niet achter andere goden aan tot je eigen ongeluk. Alleen dan zal ik jullie laten wonen in dit land, dat ik aan jullie voorouders gegeven heb, voor altijd. Zie toch in dat je op leugens vertrouwt, op heilloze woorden! Jullie stelen, moorden, plegen echtbreuk, leggen valse eden af, jullie branden wierook voor Baäl en lopen achter goden aan die jullie nooit hebben gekend! En dan komen jullie naar de tempel die ik tot mijn heiligdom heb verklaard. Hoe durven jullie voor mij te verschijnen! Hoe durven jullie te zeggen: We zijn veilig! Terwijl jullie al die misdaden blijven bedrijven! Denken jullie soms dat mijn tempel een rovershol is? Weet wel dat ik, de Heer, al jullie misdaden heb gezien. Ga naar Silo, waar ik vroeger werd vereerd en kijk wat ik ermee gedaan heb vanwege de kwade praktijken van mijn volk Israël. Steeds weer heb ik jullie onder ogen gebracht wat je allemaal misdeed; steeds weer heb ik me tot jullie gericht, maar je hebt niet geluisterd; ik heb geroepen, maar je hebt niet geantwoord. Daarom: wat ik met Silo heb gedaan, zal ik ook doen met mijn tempel waar jullie zo op vertrouwen, met het land dat ik aan je voorouders en aan jullie gegeven heb. Ik zal jullie verstoten, zoals ik jullie bloedverwanten, het volk van Efraïm, heb verstoten.'

Jeremia 7:1-15

Er zijn herders en herders

Vervloekt is de herder die zijn schapen naar een afgrond drijft, de dieren verdwaald laat rondlopen. Daarom zegt de Heer, de God van Israël, tegen die leiders: 'Jullie hebben mijn volk verdwaald laten rondlopen, hebben hen uit elkaar gedreven; jullie hadden geen zorg voor hen. Maar ik zal wel zorg aan jullie besteden: ik zal jullie straffen voor al je misdaden. Ik zal wat nog van mijn volk over is, terughalen uit de landen waarheen ik het had verdreven; ik breng ze terug naar hun eigen land; ze zullen veel kinderen krijgen en een groot volk worden. Ik zal leiders over hen aanstellen die wel voor hen zullen zorgen. Mijn volk zal niet meer bang zijn, geen angst meer kennen; niemand zal nog verloren lopen. Dit kondig ik jullie aan.
Er komt een tijd, dat ik een wettige nakomeling van David als koning zal aanstellen. Hij zal een goed en rechtvaardig koning zijn. Dan zal Juda veilig zijn en Israël in vrede leven. Hij zal heten: De Heer is onze redding.
Er komt een tijd dat men niet meer zal zweren met de woorden: Bij de levende Heer, die de Israëlieten uit Egypte heeft gehaald. Dan zal men zweren met de woorden: Bij de levende Heer, die de Israëlieten uit het noorden heeft gehaald, uit alle landen waarheen hij hen verdreven had. Het volk van Israël zal weer in eigen land kunnen wonen. Dat kondig ik jullie aan.'

Jeremia 23:1-8

Een profeet is niet geëerd in eigen stad

In het begin van de regering van koning Jojakim van Juda, de zoon van Josia, richtte de Heer zich tot mij. Dit zei hij: 'Ga op het tempelplein staan; en tegen de inwoners van de steden in Juda die naar mijn tempel zijn gekomen, zeg je alles wat ik je opdraag en geen woord minder. Misschien zullen zij luisteren en met hun kwade praktijken breken; dan zal ik spijt krijgen van mijn voornemen hen met rampen te treffen. Daarom moet je zeggen: Dit zegt de Heer: Jullie moeten naar mij luisteren en mijn geboden onderhouden. Luister naar mijn dienaren, de profeten, die ik telkens weer stuur. Maar dat doen jullie niet. Daarom zal ik met deze tempel doen wat ik met Silo heb gedaan; vervloekt zal deze stad worden door alle volken op aarde.'

De priesters, de profeten en al het volk hoorden mij dit in de tempel zeggen. Nauwelijks had ik gezegd wat de Heer me had opgedragen, of ze grepen mij vast en schreeuwden: 'Dat zal je je leven kosten! Hoe durf je namens de Heer te zeggen: Met deze tempel zal hetzelfde gebeuren als met Silo; deze stad zal verwoest worden, niemand zal er meer wonen.' Ook het volk kwam op mij af.
Toen de leiders van Juda hadden gehoord wat er gebeurd was, verlieten ze het paleis en gingen naar de tempel; ze namen hun plaatsen in bij de Nieuwe Poort. De priesters en de profeten zeiden tegen de leiders en het volk: 'Deze man heeft de doodstraf verdiend, omdat hij de ondergang van onze stad heeft aangekondigd. U hebt het zelf kunnen horen.'
Toen zei ik tegen de leiders en het volk: 'De Heer heeft me opgedragen jullie de ondergang van deze tempel en deze stad aan te kondigen. Beter daarom je leven en luister naar wat de Heer, jullie God, te zeggen heeft; dan zal hij spijt krijgen van de rampen waarmee hij heeft gedreigd. Ik ben weerloos; doe met mij wat jullie willen. Maar als ik gedood word, besef dan goed dat jullie mij onschuldig ter dood brengen; daar zullen jullie voor moeten boeten, en met jullie de hele stad. Want de Heer heeft mij werkelijk opgedragen om dit alles aan te kondigen.'
Toen zeiden de leiders en ook het volk tegen de priesters en de profeten: 'Deze man mag niet ter dood veroordeeld worden, want hij heeft gesproken namens de Heer, onze God.' Toen stonden enige vertegenwoordigers van het volk op en zeiden tegen de mensen die daar bijeen waren: 'Micha uit Moreset was een profeet in de tijd van koning Hizkia van Juda; tegen het volk van Juda zei hij: Dit zegt de almachtige Heer:
Sion wordt omgeploegd als een akker,
tot puin geslagen wordt Jeruzalem
en op de tempelberg woekert het onkruid.
Toch hebben Hizkia, de koning van Juda, en het volk van Juda hem niet ter dood gebracht. Zij hadden ontzag voor de Heer en probeerden de Heer voor zich te winnen. En de Heer kreeg spijt van de rampen die hij had aangekondigd. Wij zouden ons rampen op de hals halen, als we Jeremia zouden doden.'

Jeremia 26:1-19

Op het hart geschreven

De Heer kondigt aan: 'De tijd komt, dat ik een nieuw verbond zal sluiten met Israël en Juda. Geen verbond zoals ik vroeger gesloten heb, toen ik mijn volk uit Egypte haalde. Zij hebben dat verbond verbroken, ook al was ik hun heer en meester. Dit is het nieuwe verbond dat ik met Israël ga sluiten: Ik zal mijn wet in hun hart

schrijven. Ik zal hun God zijn en zij zullen mijn volk zijn. Dan hoeft niemand een ander nog te zeggen wie ik ben, want iedereen, van groot tot klein, zal mij kennen. Ook zal ik hun zonden vergeven en niet meer denken aan wat ze gedaan hebben.'
Dit zegt de Heer: 'Ik heb de zon gemaakt als licht voor de dag, de maan en de sterren gegeven als lichten voor de nacht; ik zweep de zee op, dat de golven bruisen; ik ben de almachtige Heer. Zolang als ik het heelal in stand houd, zolang ook zal Israël mijn volk zijn. Ook al zou iemand de hemel kunnen meten en de fundamenten van de aarde peilen, dan nog zou ik het volk van Israël niet verwerpen, wat ze ook gedaan hebben; dat beloof ik.'

Jeremia 31:31-37

Boekverbranding

In het vierde regeringsjaar van koning Jojakim van Juda, de zoon van Josia, richtte de Heer weer het woord tot mij: 'Neem een boekrol en schrijf alles op wat ik over Israël en Juda en over alle andere volken gezegd heb, vanaf koning Josia tot op de dag van vandaag. Misschien zal het volk van Juda zijn leven beteren, als het hoort over alle rampen die ik van plan ben op hen af te sturen. Dan zal ik ze hun zonden en kwade praktijken vergeven.'
Toen riep ik Baruch, de zoon van Neria, en ik dicteerde hem wat de Heer had gezegd. Hij schreef alles op. Daarna gaf ik Baruch de volgende aanwijzingen. Ik zei hem naar de tempel te gaan, want dat was aan mij niet toegestaan. Op de vastendag moest hij in het openbaar de boekrol voorlezen. Alle inwoners van Jeruzalem en alle andere Judeeërs in de tempel zouden dan kunnen horen wat de Heer gezegd had. Want Baruch had alles precies opgeschreven, zoals ik het gedicteerd had. Misschien zouden ze dan tot de Heer bidden en hun leven beteren. Want de Heer was tegen dit volk in woede ontstoken en had het met vreselijke straffen bedreigd. Baruch zou doen wat ik had opgedragen; hij zou in de tempel voorlezen wat de Heer gezegd had.
In de negende maand van het vijfde regeringsjaar van koning Jojakim van Juda, de zoon van Josia, ging hij naar de tempel toen heel Jeruzalem vastte: alle burgers van Jeruzalem, maar ook alle inwoners van de steden in Juda die naar de tempel waren gekomen. Terwijl iedereen luisterde, las Baruch in de tempel alles wat ik gezegd had, uit de rol voor. Dit vond plaats voor de kamer van Gemarja, de zoon van de schrijver Safan. Die kamer lag aan het hoger gelegen tempelplein, vlak bij de ingang van de Nieuwe Poort.
Toen Gemarja's zoon, Michaja, had gehoord wat er in de rol

stond, ging hij naar het secretariaat in het koninklijk paleis; daar waren onder anderen de volgende leden van het hof bijeen: de schrijver Elisama, Delaja, de zoon van Semaja, Elnatan, de zoon van Akbor, Gemarja, de zoon van Safan en Sidkia, de zoon van Chananja. Michaja vertelde wat hij Baruch had horen voorlezen. Toen stuurden de leden van het hof Jehudi, de zoon van Netanja, kleinzoon van Selemja en achterkleinzoon van Kusi, naar Baruch om hem te zeggen dat hij met de rol moest komen waaruit hij had voorgelezen. Baruch ging met de rol naar hen toe. 'Ga zitten,' zeiden ze, 'en lees.' Baruch begon. Onder het lezen keken ze elkaar verschrikt aan. Toen hij klaar was, zeiden ze: 'Hiervan moeten wij de koning op de hoogte stellen. Vertel eens, hoe ben je ertoe gekomen zulke dingen op te schrijven?' Baruch antwoordde: 'Jeremia heeft me dit woordelijk gedicteerd en ik heb het alleen maar op de rol geschreven.' Toen gaven de leden van het hof Baruch de raad: 'Jij en Jeremia moeten je gaan verbergen; niemand mag weten waar je bent.'
Zij gingen naar het hof en brachten de koning van dit alles op de hoogte; de rol hadden ze in de kamer van de schrijver Elisama achtergelaten. Maar de koning liet Jehudi de rol halen om hem en alle leden van het hof eruit voor te lezen. Het was midden in de winter en de koning zat bij het vuur in het winterpaleis. Telkens als Jehudi drie of vier kolommen had gelezen, sneed de koning ze met een mes af en gooide ze in het vuur, totdat de hele rol was verbrand.
Er viel geen angst of verdriet te bespeuren, niemand scheurde zijn kleren, de koning niet en ook zijn dienaren niet. Elnatan, Delaja en Gemarja hadden er bij de koning op aangedrongen de rol niet te verbranden, maar hij gaf aan hun verzoek geen gehoor. Integendeel, aan prins Jerachmeël, aan Seraja, de zoon van Azriël, en aan Selemja, de zoon van Abdiël, gaf hij het bevel de schrijver Baruch en mij gevangen te nemen, maar de Heer zorgde ervoor dat ze ons niet ontdekten.
Nadat de koning de rol had verbrand, sprak de Heer tot mij: 'Neem een andere rol en schrijf opnieuw alles op wat in de rol stond die koning Jojakim heeft verbrand. Maar over koning Jojakim moet je schrijven: Dit zegt de Heer: Jij hebt die rol verbrand en van Jeremia gezegd: Hoe durft hij te beweren dat de koning van Babel dit land komt verwoesten en dat geen mens of dier in leven blijft. Daarom zeg ik, de Heer, tegen jou, koning Jojakim van Juda, dat geen van je nakomelingen op de troon van David zal komen. Je lijk zal naar buiten gegooid worden, blootgesteld aan de hitte overdag en de kou van de nacht. Ik zal je nakomelingen en de leden van je hof straffen voor het kwaad dat is gedaan. Ik zal op jullie en alle inwoners van Jeruzalem en de bevolking van Juda alle rampen afsturen die ik heb aangekondigd. Want er is niet geluisterd.' Daarna nam ik een nieuwe rol en gaf die aan de schrijver Baruch. Hij schreef er alles op wat ik

dicteerde: alles wat op de rol had gestaan die koning Jojakim van Juda verbrand had, en nog veel andere uitspraken van dezelfde strekking werden eraan toegevoegd.

Jeremia 36:1-32

De werkelijkheid is hard

De leden van het hof, Sefatja, de zoon van Mattan, Gedalja, de zoon van Paschur, Jukal, de zoon van Selemja en Paschur, de zoon van Malkia, hoorden dat ik het volk bleef toespreken. Ik vertelde hun wat de Heer had gezegd: 'Wie in de stad blijft, zal omkomen door de oorlog, de honger en de pest; maar wie zich overgeeft aan de Chaldeeërs, zal veilig zijn en het er levend afbrengen. Want ik, de Heer, kondig jullie aan dat deze stad in handen van het leger van de koning van Babel zal vallen; het zal de stad innemen.' De leden van het hof zeiden tegen de koning: 'Die man moet ter dood worden gebracht. Door zo te spreken ontmoedigt hij de soldaten die nog in de stad zijn en ook de rest van de bevolking. Die man wil het volk niet helpen, hij is op hun ondergang uit.' Koning Sedekia antwoordde: 'Goed, doe met hem wat jullie willen; ik kan jullie niet tegenhouden.' Toen namen ze mij gevangen en gooiden me in de put van prins Malkia, op het binnenplein van het koninklijk paleis; aan touwen lieten ze me erin zakken; er stond geen water in, er was alleen maar modder, waarin ik wegzakte.
Ebed-Melek uit Nubië, een van de ambtenaren aan het hof, hoorde dat ze mij in de put hadden gegooid. Toen de koning zitting hield bij de Benjaminpoort, ging Ebed-Melek vanuit het paleis naar hem toe en zei: 'Majesteit, die mannen hebben er verkeerd aan gedaan de profeet Jeremia in de put te gooien om hem daar van honger te laten omkomen. Er is toch in de stad al geen brood meer te krijgen.' Toen gaf de koning Ebed-Melek bevel dertig mannen te gaan halen en mij uit de put te trekken voor ik daar zou sterven. Ebed-Melek ging samen met die mannen naar het koninklijk paleis, haalde uit de voorraadkamer lappen en lompen en liet die met touwen naar mij in de put zakken. Ik moest de lappen om het touw winden en het dan onder mijn oksels doen. Zo trokken ze mij omhoog. Vanaf dat moment mocht ik weer op het binnenplein van het koninklijk paleis blijven.

Jeremia 38:1-13

Klaagliederen

Tranen om Jeruzalem

Verlaten ligt de stad,
eens zo vol mensen.
Een vorstin was zij,
ontzag dwong zij af
bij alle volken.
Nu is ze weduwe,
is ze veroordeeld tot slavernij.
Heel de nacht huilt ze,
tranen lopen over haar wangen
en niemand komt haar troosten,
niemand van al haar minnaars.
Vrienden lieten haar in de steek,
willen niets meer van haar weten.
Uitgekleed werd Juda.
Haar rest niets
dan gevangenschap en slavernij.
De buurvolken laten haar niet met rust.
Ze achtervolgen haar,
drijven haar in het nauw,
overal.
Troosteloos zijn de wegen naar Sion,
want naar de tempelfeesten
is niemand meer op weg.
Bij de tempel klagen en treuren
de priesters, de vrouwen.
De poorten van de tempel zijn verwoest.
Wat moet Sion niet verduren!
Vijanden hebben haar in hun macht
en niemand die hen bedreigt.
De Heer bracht Sion in ellende
om haar vele misdaden.
Zelfs haar jonge kinderen
werden weggevoerd,
opgedreven, voor de vijand uit.
Sion is ontdaan van alle luister.
Haar leiders werden opgejaagd als herten,
geen weide konden ze vinden,
volkomen uitgeput
gingen ze voor hun jagers uit.
Jeruzalem is er ellendig aan toe,

volkomen verlaten is de stad,
maar haar oude pracht
kan ze niet vergeten.
Toen de stad viel
en niemand te hulp kwam,
was de vijand vol leedvermaak,
lachte om haar val.
Om al haar zonden wordt Jeruzalem gemeden;
ontzag is minachting geworden,
want weggerukt is wat haar sierde;
nu zucht ze en wendt zich af,
vol schaamte.
Haar kleren heeft ze bevuild,
aan zo'n einde had ze nooit gedacht;
haar val was verschrikkelijk
en niemand kwam haar troosten.
Radeloos riep ze:
'Heer, mijn ellende is zo groot
en de vijand is niet te stuiten!'
Vijanden vergrepen zich aan Jeruzalems schatten,
vreemdelingen zag zij de tempel binnendringen,
al had de Heer hun de toegang ontzegd.
Haar inwoners zoeken wanhopig naar brood,
hun juwelen ruilen ze voor eten
om maar in leven te blijven.

Klaagliederen 1:1-11a

Ezechiël

Een visioen in ballingschap

Op de vijfde dag van de vierde maand van het dertigste jaar zag ik, Ezechiël de priester, de zoon van Buzi, de hemel opengaan en kreeg ik een visioen van God. Dat was vijf jaar nadat koning Jojakin was weggevoerd in ballingschap. Ik was toen bij de ballingen aan de rivier de Kebar in Babylonië. Daar richtte de Heer zich tot mij. Ik werd door zijn macht overweldigd.
Dit zag ik: er stak een storm op uit het noorden; uit een zware wolk, omgeven door een lichtgloed, schoten felle bliksemstralen. In de wolk was vuur dat leek op blinkend metaal. In het midden kon ik vier levende wezens onderscheiden. Zij zagen eruit als mensen, maar ieder van hen had vier gezichten en vier vleugels. Hun benen waren recht; hun voeten leken op de hoeven van een kalf en glansden als gepolijst brons. Ze waren met hun gezichten en hun vleugels naar vier zijden gericht. Onder elke vleugel was een mensenhand zichtbaar. Wanneer ze zich voortbewogen, in welke richting dan ook, gingen ze recht vooruit zonder hun lichaam te draaien. De vier gezichten leken bij ieder van hen van voren op dat van een mens, rechts op dat van een leeuw, links op dat van een stier en van achteren op dat van een arend. Twee van hun vleugels waren naar boven uitgestrekt en raakten elkaar, met de twee andere bedekten ze hun lichaam. Overal waar ze heen wilden gaan, daar gingen ze heen. Ieder van hen bewoog zich recht vooruit zonder zijn lichaam te draaien. Tussen hen in was iets dat leek op gloeiende kolen, op fakkels die heen en weer schoten. Het vuur verspreidde een felle gloed en er schoten bliksems uit. Ook de wezens zelf flitsten als bliksemstralen heen en weer.
Terwijl ik naar hen keek, zag ik op de grond naast elk van de levende wezens een wiel. De vier wielen schitterden als turkoois. Ze waren gelijk van vorm en waren zo gebouwd dat het leek of ze in elkaar grepen. Ze bewogen zich in vier richtingen zonder te keren. De wielen waren ontzagwekkend hoog; de velgen waren geheel bedekt met ogen. Als de wezens bewogen, bewogen de wielen naast hen ook; als ze stilstonden, stonden de wielen ook stil; als ze zich losmaakten van de grond, deden de wielen dat ook. De kracht die in de wezens was, beheerste ook de wielen.
Boven hun hoofd was een soort koepel met de verblindende glinstering van ijskristal. Daar, onder de koepel, stonden ze; twee van hun vleugels waren naar elkaar toegewend, met de beide andere bedekten ze hun lichaam. Als ze zich bewogen, hoorde ik het

slaan van hun vleugels; dat klonk als het gebulder van de zee, als het dreunen van een grote legermacht, als de stem van de machtige God. Stonden ze stil, dan vouwden ze hun vleugels weer. Er klonk een stem boven de koepel. Daar zag ik iets dat leek op een troon, fonkelend als saffier. Op de troon zat een gedaante met het uiterlijk van een mens. Het bovenlichaam was als blinkend metaal, als vuur door een doorschijnend omhulsel omsloten; het onderlichaam was als vuur, omgeven door een felle gloed, een gloed als van de regenboog tegen de wolken. Zo verscheen de Heer in al zijn majesteit.

Ezechiël 1:1-28a

Een netelige missie

Toen ik dit zag, viel ik voorover op de grond. Ik hoorde een stem zeggen:
'Mensenkind, sta op! Ik wil tot je spreken.' Bij die woorden kreeg ik kracht en kon ik weer rechtop staan. Daarna hoorde ik opnieuw de stem, die zei: 'Mensenkind, ik stuur je naar de Israëlieten, dat opstandige volk dat zich tegen mij heeft verzet. Tot op de dag van vandaag hebben zij zich van mij afgekeerd, net als hun voorouders. Ook hun kinderen zijn stug en hardleers. Ik, God, de Heer, stuur je naar hen toe. Spreek hen toe namens mij. Ik weet dat het een koppig volk is; maar of ze naar je luisteren of niet, ze zullen weten dat er een profeet bij hen is geweest. Jij, mensenkind, hoeft niet bang voor hen te zijn. Het zal zijn alsof je je tussen stekelige distels en giftige schorpioenen bevindt, maar schrik niet terug voor hun dreigementen of voor hun boze blikken. Het is nu eenmaal een opstandig volk. Houd hun voor wat ik je zeg, of ze luisteren of niet. Want koppig zijn ze!
Jij, mensenkind, luister naar wat ik zeg. Wees niet zo koppig als zij. Doe je mond open en eet wat ik je geef.' Ik zag dat er een hand naar mij uitgestoken werd met een boekrol erin. Hij rolde die voor mij open: aan weerskanten was ze volgeschreven met jammerklachten en treurliederen.
De stem vervolgde: 'De boekrol die je hier voor je ziet, mensenkind, eet die op! En ga dan de Israëlieten toespreken.' Ik deed mijn mond open en hij gaf me de rol te eten. Hij zei: 'Vul je buik ermee, mensenkind. Laat je lichaam deze rol in zich opnemen.' Ik at de rol op; ze smaakte zoet als honing.
Daarna zei de stem: 'Mensenkind, ga naar het volk van Israël. Breng hun mijn woorden over. Ik stuur je naar het volk van Israël en niet naar volken die een vreemde taal spreken met onverstaanbare klanken. Als ik je daarheen stuurde, zouden die wel naar je luisteren. Maar de Israëlieten zullen weigeren naar je te luisteren; ze willen niet horen wat ik zeg. Stuk voor stuk zijn ze

stijfkoppig en halsstarrig. Daarom zal ik jou even hard en onverzettelijk maken; ik maak je harder dan diamant, onverzettelijker dan een rots. Wees niet bang voor hen, laat je geen schrik aanjagen door dat opstandige volk.
Mensenkind, luister aandachtig naar alles wat ik je zeg en neem het zorgvuldig in je op. Ga naar de ballingen, naar je volk; en of ze luisteren of niet, spreek hen toe als mijn woordvoerder.'
Toen hief Gods geest me op. Achter me hoorde ik in het geluid van een hevige storm: 'Eer aan de Heer als hij verschijnt in al zijn majesteit.' Ook hoorde ik het geluid van de vleugels van de levende wezens die elkaar raakten en tegelijkertijd het gedreun van de wielen. Het klonk als een hevige aardbeving. Gods geest hief me op en voerde me mee. Ik was geschokt en hevig ontdaan, de macht van de Heer had mij geheel overweldigd. Ik kwam in Tel-Abib, bij de ballingen die aan de rivier de Kebar wonen. Zeven dagen bleef ik bij hen, volkomen verdwaasd.
Na die zeven dagen richtte de Heer zich tot mij: 'Ik heb je aangesteld, mensenkind, om te waken over het volk van Israel. Telkens als je mij hebt horen spreken, moet je hen namens mij waarschuwen.
Als ik tegen een misdadiger zeg dat hij onherroepelijk zal sterven en jij waarschuwt hem niet, je wijst hem niet op zijn misdadig leven – wat hem had kunnen redden! – dan zal die misdadiger door zijn eigen fouten sterven. Maar jou zal ik ter verantwoording roepen voor zijn dood! Heb je hem gewaarschuwd en komt hij desondanks niet tot inkeer, dan sterft hij ook als gevolg van zijn eigen fouten. Maar jouw leven wordt gespaard.
Als een eerlijk mens zich van het goede afkeert en zich inlaat met kwade praktijken, dan zal ik zo iemand ten val brengen; hij zal sterven. Heb jij hem niet gewaarschuwd, dan sterft hij wegens zijn zonden. Met zijn vroegere goede daden zal ik geen rekening houden. En jou zal ik ter verantwoording roepen voor zijn dood! Maar als je hem waarschuwt niet meer te zondigen en hij neemt het ter harte, dan blijft hij in leven. En ook jouw leven wordt gespaard.'

Ezechiël 1:28b-3:21

Een mooi soort herders!

De Heer richtte zich tot mij: 'Mensenkind, klaag de leiders van Israël aan. Houd hun voor wat ik, God, de Heer, te zeggen heb: Wacht maar, herders van Israël! Zijn herders er niet om voor de kudde te zorgen? Maar jullie zorgen alleen voor jezelf. Jullie drinken de melk, je gebruikt de wol voor je kleren en slacht de vetgemeste schapen. Maar naar de kudde kijken jullie niet om. Zwakke schapen laten jullie niet aansterken, zieke schapen ge-

nees je niet, gewonde verbind je niet; afgedwaalde schapen haal je niet terug, het verloren schaap ga je niet zoeken. Integendeel, hard en zonder medelijden treden jullie op. De kudde is uiteengeslagen omdat zij geen herder heeft, en zij wordt een prooi van wilde dieren. Mijn schapen dwalen rond op bergen en hoge heuvels, over het hele land raken ze verspreid en niemand kijkt naar ze om, niemand gaat ze zoeken.
Luister goed, jullie herders! Dit heb ik jullie te zeggen: Zo waar als ik, de Heer, de levende God ben, zal ik mijn schapen redden. Ik verdraag het niet langer dat ze worden weggeroofd, dat ze een prooi worden van wilde dieren doordat ze geen herder hebben. Want mijn herders kijken niet naar ze om, die zorgen alleen voor zichzelf en niet voor mijn schapen. Luister daarom goed naar mij, herders! Ik, God, de Heer, ik keer mij tegen dat soort herders. Aan hen vertrouw ik mijn schapen niet langer toe. Ik ontneem ze hun taak. Ze krijgen niet langer de kans alleen maar voor zichzelf te zorgen. Ik zal mijn schapen redden, zodat ze niet langer het slachtoffer van hen zijn.'
God, de Heer, zegt: 'Ik zal zelf naar mijn schapen omkijken, ik zal voor ze zorgen. Zoals een goede herder bezorgd is voor zijn schapen als de kudde uiteengevallen is, zo ben ik bezorgd voor mijn schapen. Nu ze verspreid geraakt zijn, zal ik ze terughalen, waar ze ook terechtgekomen zijn op die donkere, dreigende dag. Bij vreemde volken haal ik hen vandaan, uit verre landen breng ik hen weer terug in hun eigen land. Ik laat ze grazen op bergen en langs beken, op de beste weiden van het land. Daar breng ik mijn kudde heen, ze zullen grazen op de bergen van Israël, ze zullen liggen op prachtige bergweiden met gras in overvloed. Ik zal voor mijn schapen zorgen; ik geef ze een plek waar ze kunnen rusten. De verloren schapen zoek ik weer op, de afgedwaalde haal ik terug; gewonde schapen verbind ik, zieke maak ik weer gezond. De vette en sterke zal ik bewaken. Ik zal een herder zijn die zijn schapen behandelt zoals het hoort.'

Ezechiël 34:1-16

Levensadem

Ik werd door de macht van de Heer overweldigd. Zijn geest voerde mij mee en zette me neer in een dal waarvan de bodem bedekt was met botten. Hij liet mij eromheen lopen, het hele dal rond. De talloze botten lagen overal verspreid; ze waren helemaal uitgedroogd. Hij vroeg me: 'Mensenkind, zouden deze botten weer levend kunnen worden?' Ik antwoordde: 'Heer, God, dat weet u alleen!' Hij zei: 'Richt je in mijn naam tot hen en vraag die uitgedroogde botten te luisteren naar wat ik te zeggen heb. Dit zeg ik, God, de Heer: Ik zal jullie de levensadem schenken, je

zult weer leven. Ik zal jullie bedekken met pezen en vlees, overtrekken met huid en je de levensadem geven. Zo zul je tot leven komen en weten dat ik de Heer ben.'
Ik deed wat God mij had opgedragen. Toen ik me tot hen richtte, ontstond er een ratelend geluid. De botten bewogen en voegden zich aan elkaar. Ik zag hoe ze bedekt werden met pezen en vlees en overtrokken werden met huid. Maar er was nog geen leven in. Toen zei God, de Heer: 'Richt je in mijn naam tot de wind. Zeg tegen de wind, mensenkind: Kom uit de vier windstreken en blaas in deze dode lichamen, zodat zij weer tot leven komen!'
Ik deed wat God mij had opgedragen. De levensadem kwam in hen; zij werden weer levend en gingen staan: een onafzienbare menigte.
God, de Heer, zei: 'Mensenkind, deze botten stellen het volk van Israël voor. Want de Israëlieten beweren: Onze botten zijn uitgedroogd, al onze hoop is vervlogen, het is gedaan met ons. Zeg hun daarom in mijn naam het volgende: Mijn volk, ik zal jullie graven openbreken. Ik haal jullie uit het graf van de ballingschap en breng je terug naar Israël, naar je eigen land. Dan zullen jullie inzien dat ik de Heer ben. Ik geef jullie mijn levensadem, je zult weer levend worden en wonen in je eigen land. Dan zul je zien dat ik doe wat ik heb beloofd.'

Ezechiël 37:1-14

Levenswater

In een ander visioen laat God aan Ezechiël het ontwerp van een nieuwe tempel zien. Van een man die een meetlint bij zich heeft, krijgt Ezechiël een rondleiding in en om de tempelgebouwen.

De man bracht me terug naar de ingang van de tempel, die op het oosten uitzag. Daar zag ik water van onder de drempel tevoorschijn komen. Het stroomde naar het oosten. Het liep rechts van de tempel langs de zuidkant van het altaar naar beneden. De man bracht me door de Noordpoort naar buiten en voerde me buitenom naar de Oostpoort. Ik zag hoe het water er aan de zuidkant opborrelde. Met zijn meetlint in de hand liep hij naar het oosten toe. Hij mat duizend el af en liet mij daar door het water gaan. Het kwam tot mijn enkels. Hij mat weer duizend el af en liet me opnieuw door het water gaan. Het kwam nu tot mijn knieen. Toen hij mij na nog eens duizend el door het water liet gaan, kwam het tot aan mijn middel. En duizend el verder was het water zo diep, dat ik er niet meer doorheen kon lopen. Het was een beek geworden, die men alleen zwemmend kon oversteken. 'Heb je dat gezien, mensenkind?' vroeg hij. Daarna liet hij me langs de oever van de beek heen en weer lopen. Overal langs de beek zag ik bomen staan, aan beide oevers. De man zei tegen me: 'Dit water stroomt naar het land in het oosten en vandaar door de Jordaanvallei naar de Dode Zee. De stroom zuivert het water van die zee. Overal waar het water van deze beek komt, brengt het nieuw leven; daar wemelt het van de dieren. De Dode Zee zal vol vis zijn, want het water wordt weer zuiver. Overal langs de oever, van Engedi tot En-Eglaïm, spreiden vissers hun netten uit om ze te drogen. Het water zal er even rijk zijn aan allerlei vis als het water van de Middellandse Zee. Alleen in de moerassen en poelen blijft het water zout, daar zal men zout winnen. Langs de beek zullen allerlei vruchtbomen groeien, aan beide oevers. Hun bladeren verdorren niet en ze brengen altijd vruchten voort. Iedere maand dragen ze vrucht, want ze krijgen water dat uit de tempel stroomt. De vruchten zijn voedzaam, de bladeren geneeskrachtig.'

Ezechiël 47:1-12

Daniël

Een bijzonder dieet

In het derde regeringsjaar van koning Jojakim van Juda rukte koning Nebukadnessar van Babel op naar Jeruzalem en omsingelde de stad. De Heer gaf koning Jojakim in zijn macht, zodat Nebukadnessar beslag kon leggen op een deel van de tempelschatten. Hij liet die met een aantal gevangengenomen Israëlieten naar Babylonië brengen, naar de tempel van zijn god. Daar borg hij de tempelschatten op in de schatkamers.
Nebukadnessar had aan Aspenaz, zijn hofmaarschalk, bevel gegeven Israëlieten naar Babel te brengen die tot de koninklijke familie of tot de voorname stand behoorden. Het dienden jongemannen te zijn die geen lichamelijk gebrek hadden en er knap uitzagen. Ze moesten in elk opzicht kundig en goed onderlegd zijn en een scherp onderscheidingsvermogen hebben. Ze moesten geschikt zijn om dienst te doen in het paleis van de koning. Nebukadnessar had bevolen hen te onderwijzen in de geschriften en de taal van de Babyloniërs. De koning bepaalde verder dat ze dagelijks een deel zouden krijgen van de gerechten en de wijn die werden geserveerd aan de koninklijke tafel. Na een driejarige opleiding konden ze dan bij de koning in dienst komen. Onder hen bevonden zich de Judeeërs Daniël, Chananja, Misaël en Azarja. Het hoofd van de hofhouding gaf hun andere namen: Beltesassar, Sadrak, Mesak en Abednego.
Daniël was vastbesloten de gerechten en de wijn van de koninklijke tafel te weigeren, want hij wilde zich aan de reinheidsvoorschriften houden. Hij legde dit voor aan het hoofd van de hofhouding. God zorgde ervoor dat Daniëls verzoek bij hem in goede aarde viel. 'Ik ben alleen bang dat mijn heer, de koning, mij de schuld zal geven als jullie er straks minder gezond uitzien dan je leeftijdgenoten,' zei het hoofd van de hofhouding tegen Daniël. 'Want hij heeft zelf vastgesteld wat jullie moeten eten en drinken.' Daarom richtte Daniël zich tot de bewaker die door het hoofd van de hofhouding was belast met het toezicht op hem en zijn drie vrienden. 'Wilt u zo goed zijn met ons, uw dienaars, tien dagen lang een proef te nemen? Geef ons groente te eten en water te drinken. Vergelijk dan ons uiterlijk met dat van de anderen die wel de gerechten van de koninklijke tafel hebben gegeten. Kijk hoe we eruitzien en beslis of u ermee door wilt gaan.'
De bewaker stemde in met het voorstel een proef van tien dagen te nemen. Toen de tien dagen voorbij waren, zagen zij er mooier en gezonder uit dan de jongemannen die wel de gerechten van

de koninklijke tafel hadden gegeten. Vanaf die dag gaf de bewaker hun groente te eten in plaats van de gerechten en de wijn die waren voorgeschreven.
God schonk de vier vrienden grote wijsheid en kennis. Zij raakten zeer goed thuis in alle wetenschappen. Daniël was bovendien in staat allerlei visioenen en dromen uit te leggen.
Toen de driejarige opleiding voorbij was, bracht het hoofd van de hofhouding hen allen bij Nebukadnessar. In het gesprek dat de koning met hen voerde, maakten Daniël, Chananja, Misaël en Azarja verreweg de meeste indruk op hem. Zij kwamen bij hem in dienst. En steeds als hij hun om raad vroeg, overtroffen ze door hun wijze inzicht wel tien keer alle waarzeggers en bezweerders van zijn rijk. Daniël bleef raadsman tot het eerste regeringsjaar van koning Kores.

Daniël 1:1-21

Daniël: een nieuwe Jozef

Een onmogelijke opdracht

In zijn tweede regeringsjaar had Nebukadnessar een droom, die hem zo verontrustte dat hij niet meer kon slapen. Daarom werden op zijn bevel de waarzeggers, bezweerders, tovenaars en magiërs opgeroepen om hem de droom te verklaren. Toen ze voor hem stonden, zei de koning: 'Ik heb een droom gehad die me erg verontrust. Ik wil weten wat die droom betekent.' 'Majesteit, wij wensen u een lang leven toe,' antwoordden zij in het Aramees. 'Vertel ons de droom, dan geven wij u de uitleg.' Maar de koning zei: 'Mijn besluit staat vast. Ik wil van jullie de droom en de uitleg. Kunnen jullie mij die niet vertellen, dan laat ik jullie in stukken hakken en maak ik jullie huizen met de grond gelijk! Kunnen jullie dat wel, dan zal ik jullie rijk belonen en met eerbewijzen overladen. Vertel me dus wat ik gedroomd heb en wat het betekent.' Maar zij antwoordden opnieuw: 'Majesteit, vertel ons eerst de droom, dan zullen wij zeggen wat hij betekent.' 'Ik heb heel goed door dat jullie tijd proberen te winnen,' antwoordde de koning. 'Want jullie zien dat mijn besluit vaststaat. Als jullie mij de droom niet kunnen uitleggen, ondergaan jullie allemaal dezelfde straf. Jullie hebben afgesproken mij maar iets wijs te maken tot de situatie verandert. Vertel me nu eerst de droom, dan weet ik dat jullie ook de uitleg kunnen geven.' 'Maar majesteit,' antwoordden zij, 'geen mens ter wereld kan aan uw vraag voldoen. Geen enkele koning, hoe groot of machtig ook, heeft zoiets ooit van een waarzegger, bezweerder of magiër gevraagd. Wat u vraagt is te moeilijk. Geen sterveling kan eraan voldoen, alleen de goden, maar die wonen niet onder de mensen.' De koning ontstak hierover in hevige woede. Hij beval dat alle wijzen van Babel ter dood gebracht moesten worden.

Daniël 2:1-12

Een hemelse onthulling

Toen dit bevel was uitgevaardigd, liepen ook Daniël en zijn vrienden gevaar gedood te worden. Daniël ging daarom naar Arjok, de officier van de koninklijke lijfwacht, die er al op uit was getrokken om de wijzen van Babel ter dood te brengen. Met zorgvuldig gekozen woorden vroeg hij hem waarom de koning dit strenge bevel had uitgevaardigd. Arjok vertelde wat er voorgevallen was. Toen ging Daniël naar het paleis en vroeg de koning hem tijd toe te staan om hem uitleg te geven. Daarna ging hij naar huis en vertelde zijn vrienden Chananja, Misaël en Azarja wat er aan de hand was. 'Bid de God van de hemel dat hij medelijden met ons toont,' zei hij. 'Vraag hem ons dit geheim bekend te maken. Anders worden wij met de andere wijzen van Babel omgebracht.' Diezelfde nacht nog kreeg Daniël een visioen waarin hem het geheim werd onthuld. Toen prees hij de God van de hemel:
'Breng dank aan God,
nu en altijd,
want wijsheid en macht behoren hem toe.
Hij verandert perioden en tijden,
koningen brengt hij op de troon
en zet ze weer af.
Wijzen danken aan hem hun wijsheid,
verstandigen aan hem hun inzicht.
Hij onthult wat diep verborgen ligt,
hij weet wat in duisternis is gehuld,
bij hem is alles licht!
God van mijn voorouders,
u roem ik, u prijs ik.
Wijsheid en kracht hebt u mij gegeven.
Ons gebed hebt u verhoord:
wat de koning heeft gevraagd,
hebt u ons bekendgemaakt.'

Daniël 2:13-23

Droom en werkelijkheid

Toen ging Daniël naar Arjok, die door de koning met de terechtstelling van de wijzen van Babel was belast. Hij zei tegen hem: 'Dood hen niet. Breng mij bij de koning. Ik kan hem uitleg geven.' Onmiddellijk bracht Arjok hem bij de koning. 'Majesteit,' zei

hij, 'ik heb bij de Judese ballingen iemand gevonden die u uitleg kan geven.' De koning, die Daniël kende onder de naam Beltesassar, vroeg hem: 'Kun jij werkelijk vertellen wat ik in mijn droom gezien heb en wat het betekent?' 'U vraagt iets, majesteit,' antwoordde Daniël, 'wat geen enkele geleerde, bezweerder, waarzegger of sterrenwichelaar u kan vertellen. Maar er is een God in de hemel die geheimen onthult. Tijdens uw slaap kreeg u een droom, het ene beeld na het andere trok aan u voorbij. Op uw bed dacht u hierover na. Welnu, de God die geheimen onthult, heeft u door die droom willen bekendmaken wat er in de toekomst zal gebeuren.
Ook mij heeft hij dit geheim onthuld, niet omdat ik wijzer zou zijn dan alle andere mensen, maar om u de uitleg bekend te maken en u te laten beseffen wat er in u omging.
In het visioen, majesteit, zag u een groot beeld, glanzend en schitterend. Het stond vlak voor u en was verschrikkelijk om te zien. Het hoofd van dat beeld was van zuiver goud, de borst en de armen waren van zilver, de buik en de heupen van brons; de benen waren van ijzer, de voeten voor een deel van ijzer en voor een deel van klei. Terwijl u keek, raakte er een steen los van een rots zonder dat iemand eraan te pas kwam. De steen raakte het beeld aan de voeten van ijzer en klei, en verbrijzelde ze. Op hetzelfde ogenblik viel het hele beeld aan gruizels. Het ijzer en de klei, het brons, het zilver en het goud werden fijn als kaf dat door de wind van de dorsvloer wordt weggeblazen. Er bleef geen spoor van over. Maar de steen die het beeld geraakt had, werd zo groot als een berg die de hele aarde bedekte.'
Daniël vervolgde: 'Dat was de droom, majesteit, en nu zal ik u de verklaring geven. U, majesteit, bent de grootste van alle koningen. De God van de hemel heeft u het koningschap gegeven, hij maakte u machtig, sterk en geëerd. Hij liet u regeren over alle mensen, waar ze ook wonen, over de dieren op het land en de vogels in de lucht. U bent dat gouden hoofd! Na uw rijk zal er een ander rijk opkomen, minder indrukwekkend. En daarna een derde rijk, een rijk van brons, dat de gehele wereld zal overheersen. Tenslotte zal er een vierde rijk komen, sterk als ijzer. Zoals ijzer alles verbrijzelt en tot gruis maakt, zo zal dat rijk alle vroegere rijken verpletteren en doen verdwijnen. U hebt gezien dat de voeten en de tenen voor een deel van pottenbakkersklei en voor een ander deel van ijzer waren. Dat betekent dat dit rijk verdeeld zal zijn. Voor een deel zal het sterk zijn als ijzer, voor een ander deel zwak als klei. Dat het ijzer vermengd was met klei betekent dat men zal proberen de koningshuizen van dit rijk door huwelijken met elkaar te verbinden. Maar zoals ijzer zich niet verbindt met klei, zo zal men er niet in slagen van dit verdeelde rijk een eenheid te maken.
Wanneer die koningen regeren, zal de God van de hemel een rijk stichten dat nooit te gronde gaat en door geen ander volk over-

heerst zal worden. Het zal al die rijken verpletteren en er voorgoed een eind aan maken. Maar zelf blijft dat rijk voor altijd bestaan. Dat rijk was de steen die u zag. De steen die losraakte van de rots zonder dat iemand er aan te pas kwam en die het ijzer, het brons, de klei, het zilver en het goud verbrijzelde. Zo heeft de grote God u bekendgemaakt wat er staat te gebeuren. Wat u hebt gedroomd, staat vast en de uitleg is betrouwbaar.'
Toen maakte de koning een diepe buiging voor Daniël. Hij gaf opdracht Daniël te eren met offers en wierook. 'Nu weet ik zeker,' zei de koning, 'dat jouw God de hoogste God is en heerst over alle koningen. Hij onthult geheimen, daarom was jij in staat deze droom uit te leggen.' Hij gaf Daniël een hoge positie en overlaadde hem met geschenken. Daniël kreeg de leiding over de gehele provincie Babel en werd aan het hoofd gesteld van alle wijzen van Babel. Op zijn verzoek werden Sadrak, Mesak en Abednego belast met het bestuur over de provincie Babel. Zelf bleef hij aan het hof van de koning.

Daniël 2:24-49

Een reddende God I

Koning Nebukadnessar had een gouden beeld laten maken van bijna dertig meter hoog en drie meter breed. Hij liet het plaatsen in de Duravlakte in de provincie Babel. Daarna ontbood hij alle hooggeplaatste personen die bij het bestuur van de provincies betrokken waren: satrapen, stadhouders, gouverneurs, raadsleden, hoge belastingambtenaren, rechters en magistraten. Zij moesten aanwezig zijn bij de inwijding van het beeld. Toen al die hooggeplaatste personen zich voor het beeld hadden opgesteld, riep een heraut van de koning met luide stem: 'Mensen, luister naar dit bevel, tot welk volk u ook behoort en welke taal u ook spreekt! Straks hoort u de muziek van hoorn en fluit, citer en luit, harp en doedelzak en van allerlei andere instrumenten. Zodra de muziek inzet, moet u zich in aanbidding neerwerpen voor het beeld dat koning Nebukadnessar heeft opgericht. Wie weigert, wordt ogenblikkelijk in een brandende oven gegooid.' En dus wierpen zij zich als één man voor het gouden beeld neer zodra zij de muziek hoorden.
Een aantal Babyloniërs greep deze gelegenheid aan om de Judeeërs aan te klagen. Zij richtten zich tot koning Nebukadnessar en zeiden: 'Majesteit, wij wensen u een lang leven toe. U, majesteit, hebt bevolen dat iedereen zich voor het gouden beeld moest neerwerpen, zodra hij de muziek hoorde van hoorn en fluit, van citer en luit, harp en doedelzak en van alle andere instrumenten. Wie weigert het beeld te aanbidden, zou in een brandende oven worden geworpen. Er zijn echter Judese mannen, majesteit, die

uw bevel negeren. Het zijn de mannen aan wie u het bestuur over de provincie Babel hebt opgedragen, Sadrak, Mesak en Abednego. Zij vereren uw goden niet. Zij willen het gouden beeld dat u hebt opgericht niet aanbidden.'
De koning ontstak in hevige woede en gaf opdracht Sadrak, Mesak en Abednego te halen. Toen zij voor hem geleid waren, vroeg Nebukadnessar hun: 'Is het waar, Sadrak, Mesak en Abednego, dat jullie mijn goden niet willen vereren? Weigeren jullie het gouden beeld te aanbidden dat ik heb opgericht? Jullie kunnen je nog bedenken en je voor het beeld neerbuigen zodra je de muziek hoort. Maar doen jullie dat niet, dan laat ik je ogenblikkelijk in de brandende oven gooien. Welke god zou jullie dan nog uit mijn macht kunnen redden?' 'Majesteit,' antwoordden zij, 'we vinden het niet nodig op uw vraag in te gaan. Als u ons in de brandende oven laat gooien, kan de God die wij vereren, ons zo daaruit redden en ons uit uw macht bevrijden. Maar ook als hij dat niet doet, majesteit, kunt u er zeker van zijn dat wij uw goden niet vereren. Wij zullen het gouden beeld dat u hebt opgericht, niet aanbidden.'
Nebukadnessar werd razend en zijn gezicht vertrok vanwege het gedrag van Sadrak, Mesak en Abednego. Hij liet de oven zevenmaal zo heet stoken als normaal en gaf een aantal van de sterkste mannen uit zijn leger bevel Sadrak, Mesak en Abednego vast te binden en in de oven te gooien.
De drie mannen werden vastgebonden en in de oven gegooid, met al hun kleren, mantels en rokken, nog aan en hun mutsen op. Nu was de oven op uitdrukkelijk bevel van de koning buitengewoon heet opgestookt. De vlammen laaiden zo hoog op dat de mannen die Sadrak, Mesak en Abednego naar boven brachten, zelf levend verbrandden. De drie vrienden vielen midden in het vuur van de oven.
Toen sloeg Nebukadnessar de schrik om het hart. Haastig richtte hij zich tot zijn raadgevers en vroeg hun: 'Wij hebben toch drie mannen in het vuur gegooid? Ze waren toch vastgebonden?' 'Zeker, majesteit,' antwoordden ze. 'Toch zie ik vier mannen door het vuur lopen,' zei hij. 'Ze zijn niet vastgebonden en ongedeerd. De vierde heeft het uiterlijk van een engel.' Toen ging Nebukadnessar naar de deur van de oven en riep: 'Sadrak, Mesak en Abednego, dienaars van de allerhoogste God, kom eruit!' Onmiddellijk kwamen ze uit het vuur tevoorschijn. Alle satrapen, stadhouders, gouverneurs en raadgevers van de koning kwamen om hen heen staan. Zij zagen dat de mannen nergens brandwonden hadden opgelopen, hun hoofdhaar was niet geschroeid en ook aan hun mantels zaten geen schroeiplekken; ze hadden zelfs geen brandlucht bij zich. Toen riep Nebukadnessar uit: 'Dank aan de God van Sadrak, Mesak en Abednego! Omdat zij op hem vertrouwd hebben, heeft hij zijn engel gestuurd om hen te redden. Zij hebben mijn bevel overtreden en hun leven op het spel gezet,

omdat ze alleen hun eigen God wilden aanbidden. Daarom beveel ik dat iedereen die iets oneerbiedigs durft te zeggen over hun God, in stukken gehakt zal worden, tot welk volk hij ook behoort en welke taal hij ook spreekt. Zijn huis zal met de grond gelijkgemaakt worden. Er is immers geen God die mensen zo kan redden!'
Sadrak, Mesak en Abednego kregen van de koning een hoge positie in de provincie Babel.

Daniël 3:1-30

Een reddende God II

Darius de Mediër kreeg het koningschap in handen. Hij was toen tweeënzestig jaar.
Darius besloot over het rijk honderdtwintig satrapen aan te stellen die ieder een eigen gebied zouden besturen. Zij stonden onder drie rijksministers, van wie Daniël er één was. De satrapen waren aan hen verantwoording schuldig; zo werd voorkomen dat de koning benadeeld zou worden. Daniël stak door zijn grote begaafdheid met kop en schouders uit boven de andere ministers en de satrapen. Daarom wilde de koning hem aanstellen over het hele rijk.
De rijksministers en de satrapen probeerden iets te vinden waardoor ze hem van slecht bestuur zouden kunnen beschuldigen, maar ze konden niets tegen hem inbrengen. Hij was betrouwbaar, deed niets verkeerd en verzuimde nooit zijn plicht. 'Er is niets waarvan we deze Daniël kunnen beschuldigen,' zeiden ze tegen elkaar, 'of we moeten iets vinden dat met zijn godsdienst te maken heeft.' De ministers en de satrapen gingen samen naar koning Darius en zeiden tegen hem: 'Majesteit, wij wensen u een lang leven! Alle bestuurders van het rijk, stadhouders, satrapen, raadgevers en gouverneurs zijn eensgezind van mening dat er een koninklijk besluit moet worden uitgevaardigd. Daarin moet worden vastgelegd dat men binnen de eerstvolgende periode van dertig dagen alleen tot u een verzoek mag richten en tot niemand anders, of het nu een god is of een mens. Wie zich hier niet aan houdt, moet in de leeuwenkuil worden gegooid. Dat verbod, majesteit, moet u schriftelijk vastleggen. Het moet een wet van Meden en Perzen zijn, een wet die onherroepelijk is.'
Darius deed wat zij vroegen, hij legde het verbod schriftelijk vast.
Toen Daniël had gehoord dat dit bevel was uitgevaardigd, ging hij naar huis. In de bovenkamer had hij open ramen, in de richting van Jeruzalem. Hij knielde er neer omdat hij gewoon was driemaal per dag tot zijn God te bidden en hem te eren. De mannen die hem wilden beschuldigen, trokken eropuit. Ze zagen hoe Daniël vurig bad tot zijn God. Zij gingen naar de koning en

wezen hem op het verbod. 'Hebt u, majesteit, niet bepaald dat men de komende dertig dagen alleen tot u een verzoek mag richten en tot niemand anders, of het nu een god is of een mens? En dat overtreders van dit verbod in de leeuwenkuil gegooid moeten worden?' 'Zeker,' zei de koning, 'dat besluit is onherroepelijk, het is een wet van Meden en Perzen.' 'Maar,' zeiden ze, 'Daniël, een van de Judese ballingen, heeft zich niets van u aangetrokken. Hij heeft uw verbod naast zich neergelegd. Driemaal per dag bidt hij tot zijn God.' De koning was over deze beschuldiging zeer ontstemd; hij verzon van alles om Daniël te kunnen redden. Tot zonsondergang deed hij zijn uiterste best om voor hem een uitweg te vinden. Toen gingen de mannen weer samen naar hem toe en zeiden: 'U weet heel goed, majesteit, dat het een wet van Meden en Perzen is. Een verbod of besluit dat de koning heeft uitgevaardigd, is onherroepelijk!' Toen gaf de koning bevel Daniël te halen en in de leeuwenkuil te gooien. Hij zei tegen Daniël: 'Ik hoop dat de God die je zo trouw vereert, je zal redden.' Op de opening van de kuil werd een steen gelegd; de koning vergezelde hem met zijn eigen zegelring en met die van zijn hoogste bestuurders. Aan het lot van Daniël zou niemand meer iets kunnen veranderen. De koning trok zich terug in zijn paleis. Hij bracht de nacht door zonder eten en zonder vertier. De hele nacht bleef hij wakker.
Vroeg in de ochtend, toen het licht begon te worden, stond de koning op en haastte zich naar de leeuwenkuil. Toen hij de kuil naderde, riep hij heel bedroefd: 'Daniël, dienaar van de levende God, heeft de God die je zo trouw vereert, je kunnen redden van de leeuwen?' Toen antwoordde Daniël: 'Majesteit, ik wens u een lang leven toe. Mijn God heeft zijn engel gestuurd om de leeuwen in toom te houden. Ze hebben mij niets gedaan. God weet dat ik onschuldig ben. En u, majesteit, heb ik op geen enkele wijze benadeeld.' De koning was bijzonder blij en gaf bevel Daniël uit de leeuwenkuil te halen. Ze trokken hem uit de kuil en zagen dat hij ongedeerd was omdat hij vertrouwd had op zijn God. Maar de mannen die Daniël beschuldigd hadden, werden op bevel van de koning opgepakt, met hun vrouwen en kinderen. Men gooide hen in de leeuwenkuil. Ze waren nog niet op de bodem of de leeuwen grepen hen en vermorzelden hun lichamen. Toen schreef Darius aan alle bewoners van de aarde, tot welk volk zij ook behoorden en welke taal zij ook spraken:
'Vrede en voorspoed komen u toe! Ik beveel dat men in alle delen van mijn rijk een diep ontzag moet hebben voor de God van Daniël.
Hij is de levende God,
nu en altijd.
Zijn rijk wordt nooit verwoest,
aan zijn regering komt geen einde.
Hij redt en bevrijdt.

Indrukwekkend zijn zijn daden,
hij doet tekenen en wonderen
in de hemel en op de aarde.
Daniël heeft hij gered
uit de klauwen van de leeuwen.'

Tijdens de regering van Darius en ook tijdens de regering van Kores de Pers had Daniël een hoge positie.

Daniël 6:1-29

Joël

Verschroeide aarde

Hier volgt de boodschap van de Heer aan Joël, de zoon van Petuël.
Leiders van het land, luister,
inwoners van Juda, hoor toe!
Is zo'n ramp jullie ooit overkomen,
jullie of je voorouders?
Vertel het aan je kinderen,
laten zij het weer hun kinderen vertellen,
de ene generatie aan de andere:
sprinkhanen zijn neergestreken,
zwerm na zwerm.
Wat de ene overliet, vrat de andere op.
Alles is afgeknaagd,
alles verslonden.
Dronkaards, word wakker en huil,
wijndrinkers, jammer allemaal,
ook de wijnstokken zijn kaalgevreten,
er komt geen nieuwe wijn.
Een leger sprinkhanen
is ons land binnengevallen,
met vele zijn ze, niet te tellen.
Ze hebben tanden en kaken als leeuwen.
Ze hebben onze wijnstokken gruwelijk vernield,
onze vijgenbomen stukgeknaagd;
de schors is eraf gevreten
en ligt overal verspreid,
de ranken zijn helemaal wit.
Treur, mijn volk, treur,
als een jonge bruid
die zich hult in het zwart
om haar bruidegom te begraven.
De priesters treuren;
zij die de Heer in de tempel dienen,
kunnen geen offers meer brengen,
er is geen meel en geen wijn.
De velden zijn verwoest,
de akkers liggen er treurig bij,
het koren is vernield,
de druiven zijn verschrompeld,
de olijven verdroogd.

Boeren, geef de moed op,
wijnbouwers, jammer;
er is geen tarwe, geen gerst,
heel de oogst is verloren.
De wijnstok is verdroogd,
de vijgenboom verdord.
Iedere boom heeft zijn loof verloren:
de granaatboom, de dadelpalm,
de appelboom.
Alle vreugde is verdwenen,
geen mens is nog vrolijk.
Priesters, treur en jammer!
Jullie dienaars van het altaar,
dienaars van mijn God,
trek het rouwkleed aan,
breng de nacht in boete door.
Offers kun je niet meer brengen
in de tempel van jullie God,
er is geen meel en geen wijn.
Roep de mensen op tot vasten!
Roep ze bijeen!
Laat iedereen naar de tempel komen:
leiders en volk, heel Juda.
Ga naar het huis van de Heer, jullie God,
en schreeuw je ellende voor hem uit.
De dag van de Heer is dichtbij,
een rampzalige tijd breekt aan,
een tijd van geweld,
want de Heer komt, de Almachtige.
Werd ons voedsel al niet vernietigd
voor onze ogen?
Verdween niet elk blij gezang
uit de tempel van onze God?
Alle voorraden zijn verschrompeld in de potten,
de graanschuren en opslagplaatsen zijn in verval:
er is geen koren meer om op te slaan.
En dan het vee!
Het zwerft doelloos rond.
Klaaglijk loeit het,
want er is niets te grazen,
niet voor de koeien,
zelfs niet voor de schapen.
Tot u roep ik, Heer,
want de weiden zijn verschroeid,
de bomen zijn verbrand.
Ook de dieren in het wild schreeuwen
tot u,

want alle beken staan droog,
de weiden zijn verschroeid.

Joël 1:1-20

Een dag van rampspoed

Blaas op de hoorn,
blaas alarm
op de heilige berg Sion.
Beef, inwoners van Juda,
want de Heer is in aantocht,
de dag is dichtbij!
Het wordt een donkere dag,
een duistere dag,
een dag met onheilspellende wolken:
zwermen sprinkhanen,
als een groot en machtig volk
trekken ze over het land,
zoals het morgenlicht zich uitspreidt over de bergen.
Nog nooit is zoiets gebeurd,
nooit meer zal zoiets gebeuren.
Een verschroeiend vuur trekt voor hen uit,
verwoestende vlammen volgen hen.
Als een paradijs ligt het land voor hen,
als een ontstellende woestijn laten ze het achter,
niets en niemand blijft gespaard.
Ze lijken wel paarden,
ze rennen als strijdrossen.
Het klinkt als geratel van wagens
wanneer zij over de bergtoppen denderen,
als het knetteren van vlammen
die stro in lichterlaaie zetten,
wanneer zij komen opzetten
als een machtig leger,
in gesloten gelederen,
klaar voor de strijd.
Bij hun komst beven de volken,
alle gezichten verbleken.
Onverschrokken komen ze aangerend,
als soldaten bestormen ze de muur.
Ieder volgt zijn baan,
niet één wijkt er af.
Er is geen gedrang,
ieder kent zijn weg.
Zij breken door de verdediging heen,
hun gelederen blijven gesloten.

Zij storten zich op de stad,
rennen tegen de muren op,
ze dringen de huizen binnen,
door de ramen, als dieven.
Bij hun komst beeft de aarde,
trilt de hemel,
de zon geeft geen licht,
de maan is duister,
geen ster straalt er meer.
De Heer verheft zijn stem,
hij voert zijn troepen aan;
groot en machtig is het leger
dat zijn bevelen uitvoert.
Een verschrikkelijke, een rampzalige dag
is de dag van de Heer.
Wie zal het overleven?

Joël 2:1-11

Terugkeer naar God

Dit zegt de Heer:
'Keer naar mij terug,
uit volle overtuiging!
Nu kan het nog.
Vast, treur en rouw!
Scheur niet je kleren,
maar verscheur je hart!'

Keer terug naar de Heer,
jullie God.
Hij is mild en vol medelijden,
vol liefde en geduld,
steeds bereid de straf in te trekken.
Misschien verandert hij van gedachten,
misschien komt hij terug van zijn besluit
en zegent hij je toch.
Dan kun je weer offers brengen:
meel en wijn voor de Heer, jullie God.
Blaas op de hoorn in Sion.
Roep de mensen op tot vasten,
roep ze bijeen!
Laat het volk samenkomen,
laat iedereen naar de tempel komen,
jong en oud,
ook de allerkleinsten;
zelfs bruidegom en bruid:

zelfs zij moeten komen.
Priesters, dienaars van de Heer,
ga voor het altaar staan
en ween en bid nu tot de Heer:
'Heer, heb medelijden met uw volk,
wij zijn toch uw eigen bezit!
Als wij smadelijk worden gestraft,
zullen de andere volken spotten:
Waar is nu die God van hen?'

Joël 2:12-17

Terugkeer van God

De Heer kwam op voor zijn land,
hij kreeg medelijden met zijn volk.
Hij zei tegen hen:
'Ik geef je weer voedsel:
koren, wijn en olie,
in overvloed.
Geen volk zal je nog verachten.
Die sprinkhanen uit het noorden
jaag ik weg,
naar een dor en woest land drijf ik ze.
Hun voorhoede belandt in de Dode Zee,
in de Middellandse Zee hun achterhoede.
Een stank stijgt op,
hun lijken verrotten,
hun overmoed wordt gestraft.'

Akkers, geen angst!
Wees blij, verheug je,
de Heer heeft grootse dingen gedaan.
Dieren van de steppe,
wees niet bang,
want alles wordt weer groen.
Er komen weer vruchten aan de bomen,
vijgen en druiven in overvloed.
Inwoners van Sion,
wees blij en verheug je,
de Heer, jullie God, geeft jullie leraars
die jullie op de goede weg zullen houden,
en hij geeft jullie regen
in de herfst en in de lente,
net als vroeger.
De dorsvloeren liggen vol koren,
de kuipen met olie en wijn lopen over.

De Heer sprak:
'Ik was het, de Heer,
ik stuurde die sprinkhanen op je af,
zwerm na zwerm.
Alles vraten ze op,
alles knaagden ze kaal.
Maar die verloren jaren
maak ik weer goed:
nu zul je genoeg te eten hebben,
nu zullen jullie mij weer vereren;
ik, de Heer, jullie God,
ik heb wonderlijke dingen voor jullie gedaan.
Nooit meer worden jullie veracht.
Jullie zullen weten
dat ik altijd bij je ben,
dat ik, de Heer, jullie God ben
en niemand anders!
Nooit meer worden jullie veracht.
Dan stort ik mijn geest uit,
over ieder mens.
Jullie kinderen, zonen en dochters,
spreken namens mij,
krijgen dromen, visioenen,
jong en oud.
Ook over slaven en slavinnen
stort ik mijn geest uit.
Ik zal wonderen doen
aan de hemel en op aarde:
bloed en vuur en zuilen rook,
dan wordt de zon duister,
de maan rood als bloed,
dan breekt de dag van de Heer aan,
die grote, verschrikkelijke dag.
Maar wie een beroep doet op mij,
zal worden gered.
Want op de berg Sion vindt men een toevlucht,
in Jeruzalem redding.
Het zal gebeuren
zoals ik, de Heer, heb gezegd.'

En wie worden gered?
De Heer zal hen roepen.

Joël 2:18-3:5

Het goddelijk gericht

De Heer zegt:
'In die tijd herstel ik mijn volk in ere,
in Jeruzalem, in heel Juda.
Al hun vijanden drijf ik bijeen,
ik breng ze naar het Josafatdal,
daar daag ik hen voor het gerecht.
Want Israël hebben ze uiteengejaagd,
naar vreemde landen verdreven,
Israël, mijn eigen volk.
Mijn land hebben ze verdeeld,
om mijn volk hebben ze gedobbeld,
de jongens ruilden ze voor hoeren,
de meisjes voor wijn.
Bewoners van Tyrus en Sidon,
wat denken jullie tegen mij te kunnen doen?
En jullie, Filistijnen,
denk je iets tegen mij te kunnen beginnen?
Wie zich op mij wil wreken,
bewerkt zijn eigen ondergang,
ogenblikkelijk.
Mijn goud en zilver haalden jullie weg,
mijn kostbaarheden sleepte je
naar je tempels.
De inwoners van Jeruzalem,
de bevolking van Juda,
verkochten jullie aan de Grieken.
Je hebt ze weggesleurd,
ver weg van hun eigen land.
Maar ik haal ze weer terug,
en jullie zullen boeten:
nu verkoop ik jullie zonen en dochters
aan Juda,
en Juda verkoopt ze aan de Sabeeërs,
zo worden ze meegevoerd
naar een ver land.
Ik, de Heer, kondig dat aan.

Vijanden van mijn volk:
Maak je maar klaar voor de oorlog,
roep je officieren op,
laat je soldaten aantreden,
ruk maar uit!
Smeed je ploegijzers om tot zwaarden,
je snoeimessen tot speren.
Maak je maar sterk, zwakkelingen.

Volken, kom je melden,
verzamel je in het Josafatdal.'

Heer, laat uw leger daarheen oprukken.

De Heer zegt:
'Alle volken moeten aantreden,
oprukken naar het Josafatdal,
daar daag ik hen voor het gerecht.
Misdadig zijn ze,
zet de sikkel erin,
het is tijd om te oogsten;
plet de druiven,
de kuipen zijn vol,
ze lopen over
van al het kwaad.
Massa's en massa's,
daar in dat oordeelsdal.
Dichtbij is de dag dat ik kom.
Ik ga naar het dal,
ik kom om te oordelen.
De zon geeft geen licht,
de maan is duister,
geen ster straalt er meer.'

Joël 4:1-15

Jeruzalem, Gods woning

De Heer brult als een leeuw vanuit
Sion,
vanuit Jeruzalem laat hij zijn stem klinken:
hemel en aarde beven.
Maar voor zijn volk is hij een toevlucht,
Israël beschermt hij.
Hij zegt:
'Israël, je zult weten
dat ik, de Heer, je God ben.
Ik zal wonen op de heilige berg Sion,
Jeruzalem zal mijn heiligdom zijn,
geen vreemdeling komt er meer
binnen.
In die tijd
zal de wijn van de bergen druipen,
de melk van de heuvels vloeien.
De beken van Juda bruisen,
in de tempel ontspringt een bron

en die bevloeit heel het Acaciadal.
Egypte wordt een woestijn,
Edom een dor en woest gebied,
want ze hebben Juda overweldigd
en er onschuldig bloed vergoten.
Zo wreek ik dat bloed,
zo straf ik de schuldigen.
Maar Juda blijft altijd bewoond,
Jeruzalem gaat nooit meer ten onder.
Ik, de Heer, zal wonen op de berg Sion.'

Joël 4:16-21

Amos

Gods acht-stemmig spreken

Hier volgen de uitspraken van Amos, een schapenfokker uit Tekoa. De Heer heeft hem deze boodschap voor Israël in visioenen meegedeeld, toen koning Uzzia in Juda regeerde en koning Jerobeam, de zoon van Joas, in Israël. Het was twee jaar voor de grote aardbeving.

Amos zei:
'De Heer brult als een leeuw vanuit Sion,
vanuit Jeruzalem
laat hij zijn stem klinken,
zodat de weiden verdrogen,
de top van de Karmel verdort.'

Dit zegt de Heer:
'Misdaad op misdaad
heeft Damascus begaan;
het heeft de bewoners van Gilead
met wreedheid behandeld.
Daarom kom ik niet terug van mijn besluit,
ik zal Damascus straffen.
Het paleis van Hazaël leg ik in de as,
de burcht van Benhadad
gaat in vlammen op.
De poortgrendels van Damascus
sla ik stuk,
de koning van die misdadigersstad
breng ik om,
de heerser in die stad van plezier.
Heel de bevolking wordt verbannen
naar Kir.'

Dit zegt de Heer:
'Misdaad op misdaad
heeft Gaza begaan;
het heeft de bevolking van hele dorpen gevangengenomen
en als slaven aan Edom verkocht.
Daarom kom ik niet terug van mijn besluit,
ik zal Gaza straffen.
Alles binnen de stadsmuren leg ik in de as,
de paleizen gaan in vlammen op.

De koning van Asdod breng ik om
en ook de heerser in Askelon.
Ik keer me tegen Ekron,
geen Filistijn blijft in leven.'

Dit zegt de Heer:
'Misdaad op misdaad
heeft Tyrus begaan;
aan het vriendschapsverdrag met Israël
heeft het zich niet gestoord:
het heeft de bevolking van hele dorpen
als slaven aan Edom verkocht.
Daarom kom ik niet terug van mijn besluit,
ik zal Tyrus straffen.
Alles binnen de stadsmuren leg ik in de as,
de paleizen gaan in vlammen op.'

Dit zegt de Heer:
'Misdaad op misdaad
heeft Edom begaan;
het heeft zijn broeder Israël met het zwaard vervolgd
zonder enig medelijden.
Een vernietigende woede
heeft het gekoesterd,
het is Israël steeds blijven haten.
Daarom kom ik niet terug van mijn besluit,
ik zal Edom straffen.
Teman leg ik in de as
en de paleizen in Bosra
gaan in vlammen op.'

Dit zegt de Heer:
'Misdaad op misdaad
hebben de Ammonieten begaan;
toen ze hun gebied wilden uitbreiden,
hebben ze zich in Gilead gruwelijk misdragen,
zelfs zwangere vrouwen hebben ze de buik opengereten.
Daarom kom ik niet terug van mijn besluit,
ik zal de Ammonieten straffen.
Alles binnen de stadsmuren van Rabba
steek ik in brand,
de paleizen gaan in vlammen op;
strijdkreten zullen klinken
als het gebulder van een orkaan.
Hun koning zal in ballingschap gaan,
hij, samen met zijn adel.'

Dit zegt de Heer:
'Misdaad op misdaad
heeft Moab begaan;
het heeft de beenderen van de koning van Edom verbrand
om er kalk van te maken.
Daarom kom ik niet terug van mijn besluit,
ik zal Moab straffen.
Ik leg heel Moab in de as,
de paleizen in Keriot gaan in vlammen op.
Moab gaat ten onder in het oorlogsgeweld,
terwijl strijdkreten klinken en de hoorn schalt.
De koning breng ik om,
tegelijk met hem dood ik zijn adel.'

Dit zegt de Heer:
'Misdaad op misdaad
heeft Juda begaan;
het heeft mijn wet niet nageleefd,
zich niet gehouden aan mijn geboden.
Het heeft zich laten verleiden door afgoden,
waar hun voorouders
al achteraan liepen.
Daarom kom ik niet terug van mijn besluit,
ik zal Juda straffen.
Ik leg heel Juda in de as,
de paleizen in Jeruzalem gaan in vlammen op.'

Dit zegt de Heer:
'Misdaad op misdaad
heeft Israël begaan.
Daarom kom ik niet terug van mijn besluit,
ik zal Israël straffen.
Ze hebben eerlijke mensen als slaaf verkocht,
omdat die hun schulden niet konden betalen;
ze hebben armen verkwanseld
zelfs vanwege een paar sandalen.
Ze lopen over de zwakken heen
en vertrappen de weerlozen.
Vader en zoon misbruiken dezelfde slavin
en maken zo mijn heilige naam te schande.
Ze nemen de armen hun kleren af als pand
en strekken zich erop uit bij de altaren;
in de heiligdommen drinken ze wijn
waarop ze onrechtmatig beslag hebben gelegd.

En ik ben je nog wel te hulp gekomen,
Israël,

en heb de Amorieten vernietigd;
al waren die groot als ceders
en sterk als eiken,
ik heb hen met wortel en tak uitgeroeid.
Ik heb jullie uit Egypte gehaald,
veertig jaar door de woestijn geleid
tot je het land van de Amorieten
in bezit mocht nemen.
Uit jullie midden heb ik profeten gekozen
en ook jongemannen
om zich aan mij te wijden.
Dat is toch waar, Israël?
Maar je gaf die jongemannen wijn te drinken
en ontnam de profeten het woord.
Ik zal jullie laten wankelen,
zoals een wagen wankelt
die te hoog met schoven beladen is.
De snelste man kan niet ontkomen,
de sterkste heeft geen kracht genoeg
en geen soldaat zal het er levend afbrengen.
Ook de boogschutter zal geen stand houden;
hoe snel iemand ook is,
ontkomen kan hij niet;
zelfs de ruiter kan zijn leven niet redden.
De moedigste soldaat zal die dag vluchten
en zijn wapenrusting van zich afwerpen.
Dit zeg ik, de Heer.'

Amos 1:1-2:16

Israël herrijst

De Heer kondigt aan:
'Toch zal er een dag komen,
dat ik het vervallen huis van David weer opbouw;
de scheuren in de muren zal ik dichten,
ik zal het uit het puin laten herrijzen,
in zijn oude glorie herstellen.
Dan zullen de Israëlieten
ook het overige grondgebied van Edom
nog in bezit nemen,
tegelijk met alle naburige landen
die ik tot mijn eigendom verklaard heb.
Ik, de Heer, zal dit doen.'

De Heer kondigt aan:
'De tijd komt
dat het ploegen meteen zal volgen op het oogsten,
dat de zaaitijd aansluit op de wijnoogst;
de bergen zullen druipen van het druivenvocht,
het stroomt over alle heuvels.
Ik zal een keer brengen
in het lot van mijn volk Israël.
Ze zullen de verwoeste steden opbouwen
en zich er weer vestigen;
ze zullen wijngaarden planten
en er de wijn van drinken;
tuinen zullen ze aanleggen
en er de vruchten van eten.
Ik zal hen weer naar hun eigen land brengen,
hen planten in hun eigen grond;
nooit meer worden ze weggerukt
uit het land dat ik hun heb gegeven.
Ik, de Heer, uw God, kondig dit aan.'

Amos 9:11-15

Jona

Een profeet op de vlucht

Eens richtte de Heer zich tot Jona, de zoon van Amittai: 'Ga naar de grote stad Nineve en klaag haar inwoners aan; want het kwaad dat zij doen, kan ik niet langer aanzien.' Maar om aan de opdracht van de Heer te ontkomen, besloot Jona naar Tarsis te vluchten. Hij ging naar Jafo en vond daar een schip met bestemming Tarsis. Hij betaalde voor de overtocht en scheepte zich met de bemanning in. Zo dacht hij aan de opdracht van de Heer te kunnen ontkomen.
Maar de Heer liet op de zee een zware storm losbarsten; de wind zweepte de golven zo hoog op dat het schip gevaar liep te breken. De zeelui werden bang en ieder van hen riep zijn eigen god te hulp. De lading gooiden zij overboord om het schip lichter te maken. Maar Jona, die naar beneden gegaan was en in het ruim lag te slapen, sliep door alles heen. Daar vond de kapitein hem: 'Hoe kun jij hier liggen te slapen! Sta op, roep je god te hulp! Misschien zal die god zich ons lot aantrekken, zodat we niet vergaan.'
De zeelui zeiden tegen elkaar: 'Laten we loten, dan kunnen we zien wie er schuldig is aan deze ramp!' Zij lieten het lot beslissen en Jona werd aangewezen. Zij zeiden tegen hem: 'Vertel maar eens op: Waarom maak je deze reis? Waar kom je vandaan? Uit welk land kom je? Bij welk volk hoor je?' 'Ik ben een Hebreeër,' antwoordde hij, 'en ik vereer de Heer, de God van de hemel, die zee en land gemaakt heeft.' Toen de bemanningsleden dit hoorden, schrokken zij geweldig. Want zij wisten dat hij op de vlucht was om aan een opdracht van de Heer te ontkomen; dat had hij hun verteld. 'Hoe heb je zoiets kunnen doen?' vroegen ze. 'Wat moeten we met je doen om de zee weer rustig te krijgen?' Want de zee werd steeds woester. 'Gooi me maar overboord,' antwoordde hij, 'dan zal de zee weer rustig worden. Want het is mijn schuld dat jullie in deze zware storm terechtgekomen zijn.' Maar zij spanden zich nog meer in om terug te roeien naar de kust; toch lukte dat niet, omdat de zee steeds woester werd. Toen riepen ze tot de Heer: 'Laat ons toch niet vergaan, Heer, als wij het leven van deze man opofferen. Als hij toch onschuldig is, beschouw ons dan niet als moordenaars. U bent de Heer. Wat u wilt, doet u ook!' Daarna gooiden ze Jona overboord en de zee werd weer kalm. Hierdoor kreeg de bemanning een diep ontzag voor de Heer; zij brachten hem offers en beloofden dat ze hem voortaan zouden vereren.

Jona 1:1-16

Een roep uit de diepte

Ondertussen had de Heer voor een grote vis gezorgd, die Jona opslokte. Drie dagen en drie nachten was Jona in de buik van de vis. Daar bad hij tot de Heer, zijn God:
'Toen ik in het nauw zat,
riep ik tot u, Heer,
en u hebt mij antwoord gegeven;
uit het dodenrijk riep ik om hulp,
en u hebt naar mij geluisterd.
U had mij in het diepst van de zee gegooid,
van alle kanten was ik omgeven door water;
woest sloegen uw golven over mij heen.
Toen dacht ik: Ik ben verstoten,
u wilt me niet meer zien.
Zal ik ooit nog uw heilige tempel terugzien?
Het water kwam tot aan mijn lippen,
de oceaan omgaf mij;
zeewier hing in slierten om mijn hoofd.
Ik zonk naar de bodem van de zee,
ik daalde af naar het dodenrijk,
dat mij voor altijd zou insluiten.
Maar u trok mij levend uit de afgrond,
u, Heer, mijn God!
Toen ik bijna was bezweken,
dacht ik, Heer, aan u;
tot u heb ik gebeden,
tot u, in uw heilige tempel.
Wie afgoden vereren,
goden die niet kunnen helpen,
laten u in de steek, trouwe God!
Maar ik zal u uit dankbaarheid offers brengen;
ik zal mijn beloften nakomen,
u, Heer, hebt mij gered!'

Toen spuwde de vis, op bevel van de Heer, Jona uit op het strand. Opnieuw richtte de Heer zich tot Jona:

Jona 2:1-10

Berouw van mensen en berouw van God

'Ga naar de grote stad Nineve. Klaag haar inwoners aan. Maak er bekend wat ik je zeg.' Toen deed Jona wat de Heer hem zei en hij ging naar Nineve. Nineve was een buitengewoon grote stad: het kostte drie dagen om erdoorheen te trekken. Jona begon maar te lopen, de stad in; hij liep er één dag rond en riep de inwoners

toe: 'Nog veertig dagen en dan zal Nineve met de grond gelijkgemaakt worden.' Zij geloofden wat God hun zei en besloten boete te doen: ze vastten en trokken allemaal, van groot tot klein, rouwkleren aan.
Want toen de koning van Nineve ervan gehoord had, was hij van zijn troon opgestaan en had hij zijn koninklijke mantel afgelegd. Hij had een rouwkleed omgedaan en was zelf in het stof gaan zitten treuren. Hij had in Nineve laten omroepen: 'Bevel van de koning en zijn ministers: niemand mag iets eten of drinken. Ook de dieren niet, geen koe of schaap mag grazen of water drinken! Mensen en dieren moeten rouwkleding dragen. Iedereen moet uit alle macht tot God roepen, berouw tonen over zijn kwade praktijken en over het geweld waaraan hij zich schuldig heeft gemaakt. Misschien verandert God van gedachte en komt hij terug van zijn besluit; misschien vergeet hij hoe kwaad hij is en blijven wij in leven.' Toen God zag dat zij inderdaad berouw hadden over hun kwade praktijken, veranderde hij van gedachte. De straf die hij had aangekondigd, voltrok hij niet.

Jona 2:11-3:10

Liever sparen dan straffen

Maar dit viel erg slecht bij Jona en hij werd bijzonder kwaad. Hij bad tot de Heer: 'Ik had het wel gedacht, Heer, nog voor ik mijn land verliet. Daarom wilde ik ook eerst naar Tarsis vluchten. Want ik wist het wel: u bent een milde God en vol medelijden, geduldig en vol liefde, altijd bereid de straf in te trekken. Maak daarom maar een eind aan mijn leven, Heer, want liever ga ik dood, dan zo verder te moeten leven.' Maar de Heer zei: 'Maak je je terecht kwaad?'
Jona nu had de stad verlaten om aan de oostkant van de stad een afdak van twijgen te bouwen en in de schaduw daarvan te gaan zitten en te kijken wat er met de stad zou gebeuren. Om Jona in een betere stemming te brengen zorgde God, de Heer, echter voor een plant die zo hoog opschoot dat Jona volop schaduw had voor zijn hoofd. Jona was bijzonder blij met de plant. Maar de volgende dag, vroeg in de ochtend, liet God de plant door een worm aanvreten en de plant verdorde. En zodra de zon was opgekomen, stak er op bevel van God een verschroeiende oostenwind op. De zon brandde zo op Jona's hoofd dat hij door de hitte bevangen werd en wilde dat hij dood was. 'Liever ga ik dood,' dacht hij, 'dan zo verder te moeten leven.' Maar God zei tegen Jona: 'Maak je je terecht kwaad om die plant?' 'Ja,' zei Jona, 'ik ben verschrikkelijk kwaad, en terecht!' Toen zei de Heer: 'De plant kwam in één nacht op en de volgende nacht was hij alweer verdord; je hebt hem niet laten groeien en je hebt er geen zorg

aan hoeven te besteden. Toch had je graag gezien dat hij gespaard bleef. Zou ik dan Nineve niet sparen, die grote stad met meer dan honderdtwintigduizend mensen, die zich nergens van bewust zijn, nog afgezien van al die onschuldige dieren?'

Jona 4:1-11

Deuterocanonieke boeken

Tobit

Gods wonderbare werken

Het verhaal gaat over Joden in ballingschap, over de blinde Tobit en zijn zoon Tobias, en over de weduwe Sara die door een demon gekweld wordt. In gezelschap van een man (de engel Rafaël) is Tobias op reis gegaan om Sara tot vrouw te nemen. Met Sara zijn ze nu bij Tobit terug.

Tobit riep zijn zoon Tobias en zei tegen hem: 'Zorg voor de uitbetaling van je reisgenoot. En je moet hem nog iets extra's geven.' 'Vader,' antwoordde Tobias, 'ik zou het niet onredelijk vinden hem zelfs de helft van wat ik heb meegebracht te geven. Hij heeft mij immers veilig bij u teruggebracht, mijn vrouw genezen, het geld voor mij gehaald en u eveneens genezen.' De oude man antwoordde: 'Daar heeft hij recht op.' Daarna riep hij de engel en zei tegen hem: 'Neem de helft van alles wat jullie hebben meegebracht.' Toen nam de engel hen beiden terzijde en zei: 'Loof God en dank Hem, eer Hem en laat alles wat leeft jullie dankbaarheid horen voor hetgeen Hij voor jullie gedaan heeft. Het is goed om God te loven en zijn naam te verheerlijken door vol ontzag melding te maken van zijn werken. Aarzel niet Hem jullie erkentelijkheid te betuigen. Geheimen van de koning moet men bewaren, maar de daden van God dienen openlijk geroemd te worden. Doe het goede, dan zal geen kwaad jullie treffen. Bidden is iets goeds als het gepaard gaat met vasten, liefdadigheid en rechtvaardigheid. Beter weinig te bezitten in eerlijkheid dan veel in oneerlijkheid. Het is beter aalmoezen te geven dan goud op te hopen. Want de aalmoes redt van de dood en reinigt van alle zonde. Wie liefdadigheid en rechtvaardigheid beoefent zal het leven bezitten in overvloed. Maar de zondaars doen hun eigen leven te kort. Ik wil niets voor jullie verbergen. Ik heb al gezegd, dat men geheimen van de koning moet bewaren, maar dat Gods werken openlijk geroemd dienen te worden. Nu dan: toen jullie aan het bidden waren, u en Sara, heb ik jullie gebed onder de aandacht van de Heilige gebracht. Ik was het ook die, toen u de doden begroef, dicht bij u was. Ook toen u zonder dralen opstond en uw maaltijd liet staan om een dode te begraven, is die goede daad me niet ontgaan, maar was ik bij u. En daarom heeft God me gezonden om u te genezen, evenals uw schoondochter Sara. Ik ben Rafaël, één van de zeven heilige engelen die de gebeden van de heiligen opdragen en toegang hebben tot voor de heerlijke troon van de Heilige.'

Tobit en Tobias waren hevig geschrokken en vol vrees wierpen zij zich op de grond. Maar hij zei tegen hen: 'Vrees niet, vrede is jullie toebedeeld. Loof dus God in eeuwigheid. Want dat ik gekomen ben is geen gunst van mij geweest, maar het was de wil van God. Loof Hem daarom in eeuwigheid. Al die tijd dat ik voor jullie zichtbaar was, at en dronk ik niet; het was slechts schijn wat jullie zagen. Welnu, loof God, want ik stijg op naar Hem die mij gezonden heeft. Stel alles wat is voorgevallen te boek.'
Toen zij zich weer oprichtten, zagen ze hem niet meer. Zij loofden de grote en wonderbare werken van God, van wie de engel hun verschenen was.

Tobit 12:1-22

1 Makkabeeën

Tempelverwoesting

De boeken der Makkabeeën gaan over het verzet van de Joden tegen de Griekse overheersing en de invloed van de Griekse cultuur in de tweede eeuw voor Christus.

In die tijd kwam in Israël een generatie op die zich niet om de leer bekommerde en velen wist te winnen voor de gedachte om een verbond te sluiten met de volken uit de omgeving. 'Want', zeiden ze, 'sinds we ons van hen hebben afgescheiden, hebben vele rampen ons getroffen.' Overtuigd van de juistheid van deze redenering, verklaarden enige mannen uit het volk zich bereid om naar de koning te gaan. Deze verleende hun volmacht om de levenswijze van de heidenen in te voeren. Zij richtten in Jeruzalem een atletiekschool op, zoals bij de heidenen het gebruik was; zij lieten zich weer een voorhuid maken en braken met het heilig verbond; zij bukten zich onder het juk van de volken en boden zich aan om kwaad te doen.

Twee jaar later stuurde de koning de hoofdambtenaar die belast was met het innen van de belastingen, naar de steden van Juda. Met een sterk leger verscheen hij voor Jeruzalem en op sluwe wijze wist hij door vreedzame onderhandelingen het vertrouwen van de inwoners te winnen. Maar onverwachts deed hij een aanval op de stad, trof haar zwaar en bracht veel Israëlieten om het leven. Hij plunderde de stad, stak haar in brand en liet de huizen en de stadsmuur omverhalen; vrouwen en kinderen werden gevangen weggevoerd en het vee werd in beslag genomen.

Haar tempel lag verlaten als de woestijn, haar feesten waren dagen van rouw geworden, met de sabbat werd de spot gedreven; vroeger eer, nu bespotting. Haar ontluistering evenaarde haar oude glorie, haar heerlijkheid was in ellende veranderd.

Daarna vaardigde de koning voor heel zijn rijk het bevel uit dat allen één volk moesten worden, en dat ieder zijn eigen leringen moest opgeven. Alle naties voegden zich naar het woord van de koning. Zelfs onder de Israëlieten waren er velen die graag de godsdienst van de koning aannamen, aan de afgoden offerden en de sabbat onteerden. Ook naar Jeruzalem en de steden van Juda stuurde de koning boden, met het schriftelijk bevel dat de Israëlieten de leringen moesten overnemen en op moesten houden

met de brand-, slacht- en plengoffers in de tempel; dat ze sabbat en feestdagen moesten onteren en de tempel en de heilige personen ontwijden; dat ze altaren, tempels en kapellen moesten oprichten voor afgoden, en varkens en andere onreine dieren moesten offeren; dat ze hun zonen niet meer mochten besnijden, en zich moesten verontreinigen door allerlei onreine en onheilige praktijken, om zo de leer te vergeten en haar voorschriften te ontkrachten. Iedereen die niet zou gehoorzamen aan het bevel van de koning zou gedood worden. Soortgelijke bepalingen liet hij in heel zijn rijk afkondigen. Tegelijkertijd stelde hij over het volk beambten aan die erop moesten toezien dat er in elke stad van Juda offers werden opgedragen.
Velen uit het volk richtten zich naar hun voorschriften en stoorden zich niet aan de leer. Zij stichtten zoveel kwaad in het land dat de Israëlieten gedwongen waren om zich te verbergen in alle mogelijke schuilplaatsen.

1 Makkabeeën 1:11-15, 29-32, 39-53

2 Makkabeeën

Tempelvernieuwing

De Makkabeeër en degenen die bij hem waren namen met de hulp van de Heer bezit van de tempel en de stad. De altaren die de vreemde stammen op de markt hadden opgericht en de kapellen vernielden ze. Ze reinigden de tempel en bouwden een nieuw brandofferaltaar. Met stenen sloegen ze vuur en ze ontstaken daarmee het eerste offer, dat ze na een onderbreking van twee jaar weer konden opdragen; ze brandden wierook, verzorgden de lampen en legden toonbroden neer. Daarna wierpen ze zich ter aarde en smeekten de Heer dat Hij hen voortaan voor zulke rampen zou sparen; dat Hij, als ze ooit weer zouden zondigen, hen dan genadig zou straffen, maar niet meer zou overleveren aan goddeloze en barbaarse naties.
De tempelreiniging had plaats op de vijfentwintigste van de maand kislew, dezelfde dag als die waarop hij door de vreemde stammen ontwijd was. Vol vreugde vierden ze acht dagen lang feest, zoals dit voor het Loofhuttenfeest gebruikelijk is. Ze dachten daarbij terug aan het Loofhuttenfeest dat ze kortgeleden gevierd hadden, toen ze nog in grotten in de bergen huisden, de verblijfplaatsen van de wilde dieren. Daarom droegen ze met loof versierde stokken, groene takken en palmen en zongen ze loftiederen ter ere van Hem, die hun plan om zijn tempel te reinigen had laten slagen. Bij algemene verordening en volksbesluit werd voor heel de Joodse natie bepaald, dat de dagen van de tempelreiniging jaarlijks geheiligd zouden worden. Dat waren de omstandigheden waaronder Antiochus, bijgenaamd Epifanes, gestorven is.

2 Makkabeeën 10:1-9

Wijsheid

In Gods hand

De zielen van de rechtvaardigen echter
zijn in Gods hand
en geen foltering zal hen raken.
In de ogen van de dwazen schenen zij dood te zijn
en hun heengaan werd als een onheil beschouwd;
hun verdwijnen uit ons midden als een vernietiging.
Zij zijn echter in vrede.
Ook al worden zij naar de mening van de mensen gestraft,
zij zijn vervuld van de hoop op onsterfelijkheid.
Na een korte tuchtiging
zullen zij een grote weldaad ontvangen,
omdat God hen op de proef heeft gesteld
en bevonden heeft dat zij Hem waardig zijn.
Als goud in de smeltkroes heeft Hij hen gekeurd;
als een brandoffer heeft Hij hen aanvaard.
Wanneer dan de tijd van hun oordeel komt,
zullen zij branden
en als vlammen door een stoppelveld jagen.
Zij zullen rechtspreken over de volksstammen
en heersen over de volken
en de Heer zal hun koning zijn, in eeuwigheid.
Zij die op Hem vertrouwen
zullen de waarheid begrijpen
en zij die trouw zijn
zullen in liefde bij Hem zijn,
want genade en barmhartigheid
vallen zijn uitverkorenen ten deel.

Wijsheid 3:1-9

De wijsheid die van God komt

'God van de vaderen, Heer van de ontferming,
U die alles gemaakt hebt door uw woord
en die in uw wijsheid de mens hebt toegerust
om te heersen over de schepselen
die door U het bestaan hebben gekregen,
om de wereld te besturen

in heiligheid en gerechtigheid
en om in oprechtheid van hart
een oordeel te vellen,
geef mij de wijsheid die naast U troont
en sluit mij niet buiten de kring van uw kinderen,
want ik ben uw dienaar, de zoon van uw dienstmaagd,
een zwak mens, van beperkte levensduur,
die tekortschiet in het begrijpen van recht en wetten.
Ook al is er onder de zonen van de mensen
iemand die volmaakt is,
wanneer de wijsheid ontbreekt die van U komt,
dan telt hij niet mee.
U hebt mij uitverkoren tot koning van uw volk
en tot rechter over uw zonen en dochters.
U hebt mij bevolen
om een tempel te bouwen op uw heilige berg
en een offeraltaar in de stad van uw verblijf:
een afbeelding van de heilige tent,
die U al vanaf het begin bereid hebt.
Bij U is de wijsheid die uw werken kent,
die aanwezig was
toen U de wereld hebt geschapen,
en die ook weet
wat in uw ogen goed is
en wat recht is volgens uw geboden.
Zend haar uit de heilige hemelen
en laat haar neerdalen van de troon van uw heerlijkheid
om bij mij te zijn en met mij te werken,
zodat ik weet wat U aangenaam is.

Wijsheid 9:1-10

Wijsheid van Jezus Sirach

God-vrezend

De vrees voor de Heer is eer en roem,
zij is vreugde en een feestelijke krans.
De vrees voor de Heer verkwikt het hart,
zij geeft vreugde en blijdschap en lengte van dagen.
Degene die de Heer vreest,
zal het goed gaan, als het einde komt;
op de dag van zijn dood wordt hij gelukkig geprezen.

De Heer vrezen is het begin van de wijsheid.
Zij is met de vrome mensen,
in de moederschoot met hen mee geschapen.
Zij heeft onder de mensen een woning gebouwd,
voor eeuwig is ze gegrondvest,
en in hun generatie zal zij haar vertrouwen stellen.

De Heer vrezen is de voltooiing van de wijsheid
en zij verzadigt de mensen met haar vruchten.
Hun hele huis vult zij met kostelijkheden
en hun voorraadkamers met wat zij voortbrengt.

De vrees voor de Heer is de bekroning van de wijsheid:
zij laat vrede en gave gezondheid opbloeien.
Hij heeft haar gezien en uitgeteld;
weten en inzicht heeft Hij laten regenen
en Hij heeft de roem verhoogd
van degenen die haar verkregen hebben.

De Heer vrezen is de wortel van de wijsheid
en haar takken zijn lange levensdagen.

Jezus Sirach 1:11-20

De grote God en de kleine mens

Hij die tot in eeuwigheid leeft
heeft het heelal geschapen.
Alleen de Heer wordt rechtvaardig bevonden.
Niemand heeft Hij in staat gesteld
zijn werken voluit te verkondigen.

Wie doorgrondt zijn grote daden?
Wie kan de macht van zijn verhevenheid meten?
En wie zal over al de blijken
van zijn barmhartigheid vertellen?
Men doet er niets aan af, men voegt er niets aan toe:
de wonderdaden van de Heer zijn niet te doorgronden.
Als een mens is uitgedacht, staat hij slechts aan het begin,
en als een mens ermee ophoudt, ziet hij nog steeds geen uitweg.
Wat is de mens en waartoe dient hij?
Wat betekenen zijn goede, wat zijn kwade daden?
Voor een mensenleven is honderd jaar heel veel.
Een waterdruppel uit de zee en een korreltje zand,
dat zijn die paar jaren op de eeuwigheid.
Daarom heeft de Heer geduld met de mensen
en stort Hij over hen zijn barmhartigheid uit.
Hij ziet en Hij weet dat hun einde ellendig is:
daarom biedt Hij rijkelijk verzoening.
De barmhartigheid van de mens gaat uit naar zijn naaste,
maar de barmhartigheid van de Heer gaat uit naar alles wat leeft;
Hij wijst hen terecht, Hij leert hun discipline en onderwijst hen
en Hij voert hen terug zoals een herder zijn kudde.
Hij ontfermt zich over degenen
die zijn beslissingen aanvaarden
en ijverig zijn voorschriften gehoorzamen.

Jezus Sirach 18:1-14

Beroemde mannen

Mozes

Uit hem heeft Hij een vroom man laten voortkomen,
die de genegenheid van iedereen won
en geliefd was bij God en de mensen,
Mozes: zijn gedachtenis is gezegend!
Hij heeft hem in roem aan de heiligen gelijk gemaakt
en hem verheerlijkt door de schrik van de vijanden.
Op zijn woord heeft Hij onmiddellijk wonderen verricht
en Hij heeft hem groot gemaakt in het bijzijn van koningen.
Hij gaf hem bevelen voor zijn volk en liet hem zijn heerlijkheid zien.
Vanwege zijn trouw en zijn nederigheid
heeft Hij hem uit alle mensen uitverkoren.

Hij liet hem zijn stem horen,
bracht hem in de donkere wolk
en gaf hem, van aangezicht tot aangezicht, zijn geboden,
de Wet van het leven en van de kennis,
om Jakob te onderrichten in het verbond
en Israël in zijn beschikkingen.

Jezus Sirach 45:1-5

Elia

Toen stond Elia op, een profeet als een vuur,
en zijn woord brandde als een fakkel.
Hij bracht hongersnood over hen
en door zijn ijver verminderde hij hun aantal.
Naar het woord van de Heer sloot hij de hemel
en bracht hij driemaal vuur naar beneden.
Wat hebt u een roem verworven, Elia,
door uw wonderdaden!
Wie kan u evenaren?
U hebt een gestorvene opgewekt uit de dood
en uit het dodenrijk, krachtens het woord van de Allerhoogste.
Koningen hebt u in het verderf gestort
en invloedrijken in hun bed laten sterven.
Op de Sinai hebt u terechtwijzingen gehoord
en op de Horeb strafgerichten.
U hebt koningen gezalfd als vergelders
en een profeet als uw opvolger.
U bent opgenomen in een wervelstorm,
hemelwaarts in menigten van vuur.
Over u staat geschreven
dat u klaar staat voor de vastgestelde tijd,
om de toorn te stillen voordat hij gaat branden,
om de harten van de vaders naar de zonen te keren
en de stammen van Jakob te herstellen.
Gelukkig zijn degenen die u gezien hebben en overleden zijn,
maar gelukkiger bent u, omdat u leeft.

Jezus Sirach 48:1-11

Daniël

'God is mijn rechter'

Lang geleden woonde er in Babel een man die Jojakim heette. Zijn vrouw was Susanna, de dochter van Chilkia; zij was buitengewoon mooi en vroom. Omdat haar ouders rechtschapen mensen waren hadden ze hun dochter volgens de Wet van Mozes opgevoed. Jojakim was zeer rijk en bezat een park, dat bij zijn huis lag; bij hem kwamen de Joden samen, omdat hij de belangrijkste man onder hen was. Nu waren er dat jaar twee oudsten uit het volk tot rechters aangesteld. Voor hen gold wat de Heer gezegd heeft: 'De goddeloosheid is in Babel begonnen bij de oudsten die rechters waren en slechts deden alsof ze het volk bestuurden.' Ze waren voortdurend in het huis van Jojakim waar iedereen die rechtszaken had zich tot hen wendde. Als het volk tegen de middag vertrokken was, ging Susanna wandelen in het park van haar man. De twee oudsten keken dagelijks naar haar als zij ging rondwandelen en een hartstochtelijke begeerte naar haar kwam in hen op. Zij smoorden de stem van hun geweten, keerden hun ogen af van de hemel en dachten niet aan de dreiging van de rechtvaardige straffen. Hoewel beiden door hartstocht gepijnigd werden, zeiden ze elkaar toch niets van hun pijn; ze schaamden zich ervoor te bekennen dat zij door hartstocht gegrepen waren en met haar samen wilden zijn. Dagelijks zochten ze ijverig naar een gelegenheid om haar te zien. Op een dag zei de een tegen de ander: 'Laten we maar naar huis gaan, want het is etenstijd.' Ze namen afscheid en gingen uiteen. Maar langs een omweg troffen ze elkaar op dezelfde plaats. Toen ze elkaar naar de reden vroegen, bekenden ze dat ze door hartstocht gedreven werden. Ze bespraken samen de tijd waarop ze haar alleen konden treffen.
Terwijl zij naar een geschikte dag uitkeken, ging Susanna, vergezeld van twee dienstmeisjes, volgens haar gewoonte weer eens het park in. En omdat het warm was, wilde zij er een bad nemen. Er was niemand behalve de twee oudsten die zich hadden verscholen en haar begluurden. Susanna zei dus tegen de dienstmeisjes: 'Ga olie en balsem halen en sluit de poort van het park, dan ga ik een bad nemen.' Ze deden wat ze gevraagd had; ze sloten de poort van het park en gingen door een zijdeur weg om het gevraagde te halen, zonder de oudsten te zien die zich verscholen hielden. Zodra de dienstmeisjes vertrokken waren, kwamen de twee oudsten tevoorschijn en liepen op haar af. Ze zeiden: 'De poort van het park is gesloten en er is niemand die

ons ziet; we branden van lust naar je! Doe daarom wat wij willen en heb gemeenschap met ons, anders zullen we tegen jou getuigen dat er een jongeman bij je was en dat je daarom de dienstmeisjes hebt weggestuurd.' Susanna zuchtte diep en sprak: 'Van alle kanten word ik bedreigd want doe ik het, dan wacht mij de dood; doe ik het niet, dan zal ik niet ontkomen aan jullie opzet. Maar liever val ik onschuldig ten prooi aan jullie opzet dan te zondigen tegen de Heer.' Daarop begon Susanna hard te schreeuwen, maar de twee oudsten schreeuwden tegen haar in en een van hen liep naar de poort van het park en opende die. Toen degenen die in huis waren het geschreeuw in het park hoorden, kwamen ze door de zijdeur toegesneld om te zien wat Susanna overkomen was. Toen de oudsten hun verhaal deden, schaamden de bedienden zich zeer, want nog nooit was zoiets over Susanna verteld.

Toen het volk de volgende dag weer bij haar man Jojakim samenkwam, gingen de oudsten ertoe over om hun goddeloos plan uit te voeren en Susanna te doden. Voor het verzamelde volk bevalen ze: 'Laat Susanna halen, de dochter van Chilkia, de vrouw van Jojakim.' Men liet haar halen. Zij verscheen, vergezeld van haar ouders, haar kinderen en al haar verwanten. Susanna was een buitengewoon bevallige en mooie vrouw. De boosdoeners gaven daarom bevel om de sluier waarmee haar gelaat bedekt was weg te nemen, om zich aan haar schoonheid te kunnen verlustigen. Maar haar verwanten, en iedereen die haar zag, huilden. Terwijl de twee oudsten voor het volk gingen staan en hun handen op haar hoofd legden, keek Susanna huilend naar de hemel want in haar hart bleef zij vertrouwen op de Heer. Toen verklaarden de oudsten: 'Terwijl we alleen in het park wandelden, kwam zij met twee dienstmeisjes naar binnen, sloot de poort en stuurde de meisjes weg. Daarop kwam er een jongeman naar haar toe die zich had verborgen en ging bij haar liggen. Toen we vanuit een hoek van het park het misdrijf opmerkten, snelden we naar hen toe en zagen dat ze met elkaar gemeenschap hadden. Hem konden we niet te pakken krijgen omdat hij sterker was dan wij, de poort opende en wegrende; maar haar grepen we en we vroegen haar, wie die jongeman was, maar ze wilde het ons niet zeggen. Dat getuigen wij.' De vergadering geloofde hen, omdat zij oudsten van het volk waren, en rechters, en veroordeelde Susanna tot de dood. Toen riep Susanna met luide stem: 'Eeuwige God, die het verborgene kent en alles al weet voordat het gebeurt, U weet dat ze mij vals beschuldigen; en hoewel ik niet gedaan heb waarvan ze mij beschuldigen, moet ik toch sterven.' De Heer verhoorde haar gebed.

Terwijl zij werd weggeleid om gedood te worden, gaf God een jongeman, Daniël geheten, een heilig besluit in. Deze jongeman riep met harde stem: 'Ik ben onschuldig aan haar bloed!' Waarop het volk zich naar hem toekeerde en vroeg: 'Wat bedoel je daarmee?' Hij ging in hun midden staan en zei: 'Zijn jullie niet goed wijs, zonen van Israël? Veroordelen jullie een dochter van Israël zonder nader onderzoek en kennis van zaken? Ga terug naar de rechtszaal, want zij hier hebben haar vals beschuldigd.' Daarop ging al het volk haastig naar de rechtszaal terug. Daar zeiden de oudsten tegen Daniël: 'Neem plaats in ons midden en vertel je bedoelingen, want God heeft je het gezag van de ouderdom verleend.' Toen zei Daniël tegen hen: 'Zet ze apart, dan zal ik ze aan een verhoor onderwerpen.' Ze werden dus van elkaar gescheiden. Daniël riep vervolgens een van de twee oudsten bij zich en zei: 'Je bent in slechtheid vergrijsd maar nu krijg je de straf voor je zonden. Je hebt onrechtvaardige vonnissen geveld: onschuldigen heb je veroordeeld en schuldigen vrijgesproken, in strijd met het gebod van de Heer: Breng iemand die onschuldig is, en in zijn recht staat, niet ter dood. Welnu, als je haar op heterdaad betrapt hebt, zeg dan onder wat voor een boom je ze hebt samen gezien?' Hij antwoordde: 'Onder een mastiekboom.' Daniël hervatte: 'Die prachtige leugen kost je je kop! Want Gods engel heeft van God al bevel gekregen om je in tweeën te splijten.' Nadat Daniël hem had laten wegleiden, liet hij de ander voorkomen en zei tegen hem: 'Je bent een afstammeling van Kanaän en niet van Juda! De schoonheid heeft je verleid en de wellust heeft je hoofd op hol gebracht. Zo handelen jullie met de dochters van Israël en uit angst deden zij wat jullie wilden, maar een dochter van Juda heeft niet toegegeven aan jullie slechtheid. Welnu: onder wat voor een boom heb je ze samen gezien?' Hij antwoordde: 'Onder een steeneik.' Daniël hervatte: 'Ook jij hebt door die prachtige leugen je kop verspeeld! Want Gods engel staat al klaar om je met het zwaard doormidden te hakken en jullie beiden te vernietigen.'

Hierop barstte heel de vergadering los in luid gejuich en men eerde God, die redt wie op Hem vertrouwt. En nu Daniël met hun eigen woorden bewezen had dat de twee oudsten een vals getuigenis hadden afgelegd, keerde het volk zich tegen hen en overeenkomstig de wet van Mozes voltrokken ze aan de oudsten de straf die zij in hun slechtheid hun naaste hadden toegedacht: ze werden ter dood gebracht. Zo werd die dag een onschuldige van de dood gered.

Chilkia en zijn vrouw prezen God vanwege hun dochter Susanna, tezamen met haar man Jojakim, en al haar verwanten, omdat zij onberispelijk gebleken was. En vanaf die dag stond Daniël in hoog aanzien bij het volk.

Daniël 13:1-64

Het gebed van Manasse

Wees mij, zondaar, genadig

Heer, almachtige God van onze vaderen, Abraham, Isaak en Jakob en hun rechtvaardige nakomelingen, die de hemel en de aarde gemaakt hebt met al hun tooi, die de zee geboeid hebt door het woord van uw bevel, die de afgrond gesloten en verzegeld hebt met uw vreeswekkende en geprezen naam, voor wie alles siddert en beeft door uw machtig aanschijn. Want ondraaglijk is de luister van uw glorie en onweerstaanbaar de toorn van uw dreiging tegenover zondaren. Maar onmetelijk en ondoorgrondelijk is het erbarmen van uw belofte, want u bent de hoogste Heer, barmhartig, lankmoedig en vol erbarmen, vol spijt over de boosaardigheden van de mensen.
U, Heer, hebt naar uw veelvuldige goedheid boetedoening en vergeving beloofd aan hen die tegen u gezondigd hebben en in de volheid van uw erbarmen hebt u boetedoening bestemd tot redding voor de zondaren.
U dan, Heer, God van de rechtvaardigen, hebt geen boetedoening opgelegd aan de rechtvaardigen Abraham, Isaak en Jakob, die jegens u niet hebben gezondigd. Maar mij, zondaar, hebt u boetedoening opgelegd, omdat ik zonden heb begaan, talrijker dan het zand aan de zee. Menig-vuldig zijn mij ongerechtigheden, zij zijn menigvuldig, Heer, en ik ben niet waardig mijn blik te richten en te schouwen naar de hoogte van de hemel wegens de menigte van mijn ongerechtigheden, neergebogen met sterke ijzeren boeien, zodat ik mijn hoofd niet kan oprichten aangaande mijn zonden. En voor mij is er geen verademing omdat ik de toorn in uw gemoed heb opgewekt en kwaad gedaan heb ten aanzien van u door afgodsbeelden op te richten en veelvuldig beledigende voorwerpen te maken.
En nu onderwerp ik mijn hart aan u, biddend om de goedheid die van u komt, Heer. Ik heb gezondigd, Heer, ik heb gezondigd en ik erken mijn ongerechtigheden. Ik bid u vragend: Heer, vergeef mij, vergeef mij; vernietig mij niet te zamen met mijn ongerechtigheden en bewaar niet – in toorn ontstoken – mijn slechte daden voor eeuwig. Veroordeel mij niet tot het diepste van de aarde. Want u, Heer, bent de God van de boetvaardigen en aan mij zult u uw goedheid tonen, want, hoewel ik onwaardig ben, u zult mij redden volgens uw grote erbarmen, en ik zal u altijd prijzen, alle dagen van mijn leven. Want heel de macht van de hemelen prijst u en aan u is de glorie in eeuwigheid. Amen.

Manasse 1:1-15

Nieuwe Testament

Matteüs

Onderricht vanaf de berg II

Toen Jezus al die mensen zag, ging hij de berg op. Hij ging zitten en zijn leerlingen kwamen bij hem. Hij nam het woord en begon hen te onderwijzen:
'Gelukkig zij die zich arm weten voor God:
voor hen is het hemelse koninkrijk.
Gelukkig zij die verdriet hebben:
God zal hen troosten.
Gelukkig zij die zachtmoedig zijn:
zij zullen het land in bezit krijgen.
Gelukkig zij die hongeren en dorsten naar gerechtigheid:
God zal hen verzadigen.
Gelukkig zij die met anderen medelijden hebben:
God zal ook met hen medelijden hebben.
Gelukkig zij die een zuiver hart hebben:
zij zullen God zien.
Gelukkig zij die zich inzetten voor vrede:
God zal hen zijn kinderen noemen.
Gelukkig zij die vervolgd worden omdat ze Gods wil doen:
voor hen is het hemelse koninkrijk.
Gelukkig bent u als men u uitscheldt, u vervolgt en u op allerlei manieren belastert, omdat u volgelingen van mij bent:
juich van blijdschap, want een grote beloning staat u te wachten in de hemel. Zo heeft men vroeger ook de profeten vervolgd.'
'U bent het zout voor de aarde. Als het zout zijn kracht verliest, is er niets om het weer zout te maken. Het deugt nergens meer voor. Je kunt het alleen nog maar weggooien op straat, waar de mensen eroverheen lopen.
U bent het licht voor de wereld. Een stad die op een berg ligt, kan niet verborgen blijven. En men steekt geen olielamp aan om haar onder een korenmaat te zetten, maar men zet haar op de standaard. Dan straalt zij licht uit voor allen die in huis zijn. Zo moet u ook uw licht laten uitstralen voor de mensen. Dan kunnen zij het goede zien dat u doet, en zullen zij uw Vader in de hemel eer bewijzen.'

'Denk niet dat ik gekomen ben om de Wet of de Profeten af te schaffen. Ik ben niet gekomen om ze af te schaffen, maar om ze hun volle betekenis te geven. Ik verzeker u: zolang hemel en aarde bestaan, zal niet één lettertje of streepje uit de wet geschrapt worden totdat alles gebeurd is. Wie dus een van deze geboden afschaft, al is het nog zo klein, en anderen leert hetzelfde te doen, zal de kleinste genoemd worden in het hemelse koninkrijk. Maar wie zich aan de geboden houdt en anderen leert hetzelfde te doen, die zal een grote naam hebben in het hemelse koninkrijk. Ik zeg u: als uw gerechtigheid niet boven die van de schriftgeleerden en Farizeeën uitgaat, zult u het hemelse koninkrijk zeker niet binnenkomen.'

'U hebt gehoord dat tegen uw voorouders gezegd is: U mag niet doden. Wie iemand doodt, moet zich verantwoorden voor de rechtbank. Maar ik zeg u: ieder die kwaad is op een ander, moet zich voor de rechtbank verantwoorden. Als iemand een ander uitmaakt voor idioot, moet hij zich verantwoorden voor de Hoge Raad, en als iemand een ander uitmaakt voor gek, moet hij ervoor boeten in het hellevuur.
Als u uw offergave naar het altaar brengt en u herinnert zich daar dat een ander iets tegen u heeft, laat dan uw offergave voor het altaar staan; ga het eerst met die ander goedmaken en kom dan terug om uw offergave te brengen.
Probeer het tijdig met uw tegenpartij eens te worden, als u nog met hem op weg bent naar de rechter. Anders zou hij u aan de rechter kunnen overdragen, en de rechter aan de cipier, en de cipier zou u gevangenzetten. En ik verzeker u: u komt er niet uit voor u de laatste cent hebt betaald.'
'U hebt gehoord dat er gezegd is: Pleeg geen echtbreuk. Maar ik zeg u: wie met begeerte naar de vrouw van een ander kijkt, heeft in zijn hart al echtbreuk met haar gepleegd. Als uw rechteroog u van de rechte weg doet afdwalen, ruk het dan uit en gooi het weg. Het is beter dat een van uw lichaamsdelen verloren gaat, dan dat heel uw lichaam in de hel gegooid wordt. En als uw rechterhand u van de rechte weg doet afdwalen, hak hem dan af en gooi hem weg. Het is beter dat een van uw lichaamsdelen verloren gaat, dan dat heel uw lichaam in de hel terechtkomt.
Er is ook gezegd: Wie van zijn vrouw gaat scheiden, moet haar een scheidingsakte meegeven. Maar ik zeg u: wie van zijn vrouw scheidt, maakt haar tot een echtbreekster als ze opnieuw trouwt, behalve in het geval van ontucht. En de man die met haar trouwt, pleegt ook echtbreuk.'
'U hebt ook gehoord dat tegen uw voorouders gezegd is: Breek uw eed niet, maar houd uw eed aan de Heer. Maar ik zeg u, helemaal niet te zweren; bij de hemel niet, want de hemel is de troon van God; bij de aarde niet, want de aarde is zijn voetbank; bij Jeruzalem niet, want Jeruzalem is de stad van de grote Koning. Ook bij uw hoofd moet u niet zweren, want u kunt niet één haar wit of zwart maken. Laat uw ja ja zijn en uw nee nee. Wat u meer zegt, komt van de duivel.'
'U hebt gehoord dat er gezegd is: Oog om oog en tand om tand. Maar ik zeg u: verzet u niet tegen wie u kwaad doet. Als iemand

u op de rechterwang slaat, draai hem dan ook de linkerwang toe. En als iemand u een proces aandoet en uw hemd wil hebben, geef hem dan ook uw jas. En dwingt iemand u een kilometer met hem mee te gaan, ga dan twee kilometer met hem mee. Als iemand u iets vraagt, geef het hem; en wil iemand iets van u lenen, weiger het hem niet.'
'U hebt gehoord dat er gezegd is: Heb uw naaste lief en haat uw vijand. Maar ik zeg u: heb uw vijanden lief en bid voor wie u vervolgen. Dan zult u kinderen zijn van uw Vader in de hemel. Want God laat zijn zon opgaan over slechte en goede mensen en hij laat het regenen voor rechtvaardigen en onrechtvaardigen. Hoe kunt u verwachten dat God u zal belonen, als u alleen uw vrienden liefhebt? Dat doen zelfs de tollenaars! En hoe kunt u denken iets buitengewoons te doen, als u alleen uw kennissen groet? Dat doen de heidenen ook! U moet volmaakt zijn, zoals uw hemelse Vader volmaakt is.'

'Denk erom dat u Gods wil niet doet om op te vallen bij de mensen. Want dan zal uw Vader in de hemel u er niet voor belonen. Als u iemand in nood helpt, bazuin het dan niet rond in de synagogen en op straat, zoals schijnheilige mensen doen om door andere mensen geëerd te worden. Ik verzeker u: zij hebben hun loon al ontvangen. Maar wanneer ú iemand in nood helpt, zorg dan dat uw linkerhand niet weet wat uw rechterhand doet. Uw hulp blijft dan verborgen. En uw Vader, die ziet wat verborgen is, zal u belonen.'
'Wanneer u bidt, doe het dan niet zoals schijnheilige mensen. Zij staan graag te bidden in de synagogen of op de hoeken van de straten, waar iedereen hen kan zien. Ik verzeker u: zij hebben hun loon al ontvangen. Maar wanneer ú bidt, ga dan uw kamer in, doe de deur achter u dicht en bid dan tot uw Vader, die verborgen is. En uw Vader, die ziet wat verborgen is, zal u belonen.
Bid niet met veel omhaal van woorden zoals de heidenen. Zij denken immers dat ze verhoord zullen worden omdat ze zoveel woorden gebruiken. Doe daarom niet zoals zij, want uw Vader weet wat u nodig hebt, nog voor u hem erom vraagt. Zo moet u dus bidden:
Onze Vader in de hemel,
uw naam worde geheiligd,
uw koninkrijk kome,
uw wil geschiede, op aarde zoals in de hemel.
Geef ons vandaag het brood dat we nodig hebben
en vergeef ons onze schulden zoals ook wij anderen hun schulden hebben vergeven,
en stel ons niet op de proef maar verlos ons van de duivel.
Want als u anderen hun fouten vergeeft, zal uw hemelse Vader ook u vergeven. Maar vergeeft u anderen niet, dan zal uw Vader uw fouten ook niet vergeven.'

'Als u vast, kijk dan niet somber zoals schijnheilige mensen doen. Zij trekken een ernstig gezicht om anderen te laten zien dat ze vasten. Ik verzeker u: zij hebben hun loon al ontvangen. Maar als ú vast, wrijf uw hoofd dan in met olie en was uw gezicht; dan merkt niemand dat u vast, behalve uw Vader, die verborgen is. En uw Vader, die ziet wat verborgen is, zal u belonen.'
'Vergaar geen schatten hier op aarde, waar mot en roest ze aantasten en waar dieven inbreken en ze stelen. Vergaar liever schatten in de hemel, waar mot en roest ze niet aantasten en waar dieven niet inbreken en ze stelen. Want waar uw schat is, daar is ook uw hart.'
'Het oog is de lamp van het lichaam. Is uw oog helder, dan is uw hele lichaam verlicht. Maar is uw oog boosaardig, dan is uw hele lichaam duister. Dus, als het licht dat in u is, is uitgegaan, wat zal het dan duister zijn!'

'Niemand kan twee heren dienen: of hij heeft een hekel aan de een en is op de ander zeer gesteld, of hij draagt de een op handen en minacht de ander. U kunt God en het geld niet tegelijk dienen. Daarom zeg ik u: maak u geen zorgen over het eten en drinken dat u nodig hebt om te leven, en over de kleren voor uw lichaam. Is het leven niet belangrijker dan voedsel, en het lichaam niet belangrijker dan kleding? Kijk eens naar de vogels in de lucht: ze zaaien niet, ze maaien niet en slaan geen voorraden op in schuren. Uw hemelse Vader zorgt dat ze te eten krijgen. En bent u niet veel meer waard dan de vogels? Trouwens, wie van u kan door al zijn zorgen zijn leven ook maar een klein stukje verlengen? En waarom maakt u zich zorgen over kleding? Let eens op hoe de veldbloemen groeien: ze werken niet en spinnen niet. Maar ik zeg u: zelfs Salomo was in zijn staatsiegewaad niet zo mooi gekleed als een van deze bloemen. Zo mooi kleedt God het gras, dat vandaag nog op het veld staat en morgen al in de oven wordt gegooid. Zou God u dan niet nog veel beter kleden? Wat is uw geloof toch klein! Wees niet zo bezorgd, zeg niet: Wat moeten we eten of wat moeten we drinken of waarmee moeten we ons kleden? Want naar dat alles vragen de heidenen! Uw hemelse Vader weet dat u dat allemaal nodig hebt. Zoek eerst Gods koninkrijk en zijn gerechtigheid, dan krijgt u al het andere erbij. Maak u dus geen zorgen over de dag van morgen, want de dag van morgen zal zijn eigen zorgen hebben. Elke dag heeft genoeg aan zijn eigen kwaad.'

'Oordeel niet over anderen; dan zal God niet oordelen over u. Want God zal u op dezelfde manier beoordelen als waarop u anderen beoordeelt, en hij zal u meten met de maat waarmee u anderen meet. Waarom kijkt u naar de splinter in het oog van een ander, en merkt u de balk niet op in uw eigen oog? Hoe durft u tegen een ander te zeggen: Laat mij die splinter eens uit uw

oog halen, terwijl u zelf een balk in uw oog hebt? Huichelaar, haal eerst die balk uit uw eigen oog, dan ziet u pas scherp genoeg om die splinter uit het oog van de ander te halen.
Geef wat heilig is niet aan de honden, want ze komen terug om u te verscheuren; gooi uw parels niet voor de zwijnen, want ze vertrappen die met hun poten.'

'Vraag en u zult krijgen; zoek en u zult vinden; klop en er zal voor u worden opengedaan. Ja, ieder die vraagt, zal krijgen, en wie zoekt, zal vinden, en voor wie aanklopt, zal worden opengedaan. Is er onder u iemand die zijn kind een steen geeft als het om brood vraagt? Of een slang als het om vis vraagt? Ondanks uw slechtheid weet u aan uw kinderen dus goede dingen te geven. Hoeveel temeer zal dan uw Vader in de hemel goede dingen geven aan wie hem erom vragen!
Behandel de mensen zoals u door hen behandeld wilt worden. Want dat is waar het om gaat in de Wet en de Profeten.'
'Ga naar binnen door de nauwe poort. Want de poort en de weg die naar de ondergang leiden, zijn ruim en breed, en velen gaan die weg. Maar de poort en de weg die naar het leven leiden, zijn nauw en smal, en maar weinigen vinden die weg.'
'Pas op voor de valse profeten. Ze komen in schaapskleren naar u toe, maar in werkelijkheid zijn het roofzuchtige wolven. U kunt hen herkennen aan hun vruchten. Men plukt geen druiven van doornstruiken en geen vijgen van distels. Een goede boom draagt goede vruchten, een slechte boom draagt slechte vruchten. Een goede boom kan geen slechte vruchten voortbrengen en een slechte boom geen goede. Iedere boom die geen goede vruchten draagt, wordt omgehakt en in het vuur gegooid. Zo kunt u hen herkennen aan hun vruchten.
Niet iedereen die tegen mij zegt: Heer! Heer! komt het hemelse koninkrijk binnen, maar alleen wie de wil doet van mijn Vader in de hemel. Op de dag van het oordeel zullen velen tegen mij zeggen: Heer! Heer! In uw naam hebben wij toch geprofeteerd, in uw naam hebben wij demonen uitgedreven en veel wonderen gedaan. En dan zal ik hun openlijk zeggen: Ik heb u nooit gekend; verdwijn uit mijn ogen, boosdoeners.'

'Ieder die mijn woorden hoort en doet wat ik zeg, lijkt op iemand die zo verstandig was zijn huis op een rots te bouwen. De regen viel neer, de rivieren traden buiten hun oevers, de winden waaiden en beukten tegen dat huis. Maar het stortte niet in, want het was gebouwd op een rots. Ieder die mijn woorden hoort maar niet doet wat ik zeg, lijkt op iemand die zo dom was zijn huis op zand te bouwen. De regen viel neer, de rivieren traden buiten hun oevers, de winden waaiden en teisterden dat huis. En het huis stortte in, het werd een grote bouwval.'

Toen Jezus deze woorden had uitgesproken, waren de mensen diep onder de indruk van wat hij hun geleerd had. Want hij sprak met gezag, heel anders dan hun schriftgeleerden.

Matteüs 5:1-7:29

Op het verkeerde spoor

Jezus verliet de tempel. Zijn leerlingen kwamen naar hem toe en wezen hem op de gebouwen van de tempel. 'Ja,' zei Jezus hun, 'zien jullie dat alles? Ik verzeker jullie: er zal geen steen op de andere blijven staan; alles wordt met de grond gelijkgemaakt.'
Toen hij op de Olijfberg zat, kwamen zijn leerlingen bij hem. Toen ze met hem alleen waren, vroegen ze: 'Wilt u ons vertellen wanneer dat gaat gebeuren en aan wat voor teken wij kunnen zien dat uw komst en de voltooiing van de wereld ophanden zijn?' Jezus antwoordde hun: 'Let goed op en laat niemand jullie op een dwaalspoor brengen. Want er zullen veel mensen komen die van mijn naam gebruikmaken en beweren: Ik ben de Christus. Daarmee zullen zij velen op een dwaalspoor brengen. Jullie zullen wapengekletter horen en berichten over oorlogen horen. Maar raak niet in paniek. Dat moet allemaal gebeuren, maar het is het einde nog niet. Het ene volk zal strijden tegen het andere volk, het ene rijk tegen het andere; er zullen hongersnoden zijn en aardbevingen, dan hier en dan daar. Maar dat alles is nog maar het begin van de weeën.
Ze zullen jullie uitleveren, onderdrukken en ter dood brengen; alle volken zullen jullie haten vanwege mijn naam. Velen zullen hun geloof verliezen. Ze zullen elkaar verraden en haten. Er zullen vele valse profeten komen en zij zullen velen op een dwaalspoor brengen. En omdat de verachting voor de wet toeneemt, zal de liefde bij de meesten verkoelen. Maar wie volhoudt tot het einde, zal gered worden. Eerst zal dit grote nieuws over het koninkrijk van God bekendgemaakt worden over de hele wereld, zodat onder alle volken van mij is getuigd, en dan zal het einde komen.
Jullie zullen in deze heilige plaats de zogenaamde verschrikking van de verwoesting zien staan, waarover de profeet Daniël heeft gesproken. – Lezer, probeer het te begrijpen. – Laten de bewoners van Judea dan de bergen invluchten. Wie op het dak van zijn huis is, moet niet naar beneden gaan om zijn huisraad mee te nemen, en wie zich op het land bevindt, moet niet naar huis terugkeren om zijn mantel te gaan halen. Ongelukkig de vrouwen die in die tijd zwanger zijn of die een kind aan de borst hebben. Bid dat je niet hoeft te vluchten in de winter of op een sabbat. Want de ellende zal zo groot zijn als de wereld nog nooit heeft meegemaakt, van het begin af tot nu toe. En zo'n grote

ellende zal ook nooit meer voorkomen. Als God de duur ervan niet zou verkorten, zou geen sterveling het overleven. Maar ter wille van de uitverkorenen zal God de duur ervan verkorten.
Geloof het niet, als iemand dan tegen jullie zegt: Kijk, hier is de Christus, of: Daar is hij. Want er zullen valse christussen komen en valse profeten, en ze zullen grote tekenen en wonderen doen om, indien mogelijk, zelfs de uitverkorenen op een dwaalspoor te brengen. Ik heb het jullie allemaal van tevoren gezegd. Als ze dus tegen jullie zeggen: Kijk, hij is in de woestijn, ga er dan niet heen; of als ze tegen jullie zeggen: Kijk, daar houdt hij zich verborgen, geloof het dan niet. Want de komst van de Mensenzoon zal zijn als de bliksem die oplicht in het oosten en straalt tot in het westen.
Overal waar een dood dier ligt, verzamelen zich de gieren.
Vlak na de ellende van die dagen zal de zon verduisteren, de maan zal niet langer schijnen, de sterren zullen van de hemel vallen en de hemelse machten zullen wankelen. Dan zal het teken van de Mensenzoon aan de hemel verschijnen. Alle volken op aarde zullen treuren en ze zullen de Mensenzoon zien komen op de wolken van de hemel met grote macht en majesteit. Onder luid trompetgeschal zal hij zijn engelen eropuit sturen en zij zullen zijn uitverkorenen bijeenbrengen uit de vier windstreken, van het ene einde van de aarde tot het andere.
Leer van de vijgenboom deze les. Wanneer zijn takken zacht worden en de blaadjes uitkomen, weet je dat de zomer dichtbij is. Zo weet je ook dat het einde voor de deur staat, wanneer je dat allemaal ziet gebeuren. Ik verzeker jullie: de mensen van deze tijd zullen dit alles nog beleven. Hemel en aarde zullen verdwijnen, maar mijn woorden blijven.'

Matteüs 24:1-35

Een onverwachte komst

'Maar wanneer die dag of dat uur zal komen, weet niemand; de engelen in de hemel niet en ook de Zoon niet, alleen de Vader weet het. En zoals het ging in de tijd van Noach, zo zal het ook gaan wanneer de Mensenzoon komt. Want in de tijd vóór de grote vloed gingen de mensen rustig door met eten en drinken en trouwen tot de dag dat Noach aan boord ging van de ark, en zij begrepen niet wat er aan de hand was, totdat de grote vloed losbrak die iedereen wegspoelde. Zo zal het ook gaan bij de komst van de Mensenzoon. Twee mannen zullen op het land werken: de ene wordt meegenomen, de andere achtergelaten; twee vrouwen zullen met de molensteen aan het malen zijn: de ene wordt meegenomen, de andere achtergelaten. Wees dus waakzaam, want jullie weten niet op welke dag jullie Heer komt. Je begrijpt dat de heer des huizes zou opblijven, als hij wist op welk uur in de nacht de dief kwam, en dat hij niet in zijn huis zou laten inbreken. Daarom moeten ook jullie klaarstaan, want de Mensenzoon komt op een uur waarop je hem niet verwacht. Welke dienaar is zo trouw en verstandig dat zijn heer hem heeft kunnen aanstellen om zijn huisbedienden op tijd te eten te geven? Gelukkig die dienaar die daarmee bezig is als zijn heer thuiskomt. Ik verzeker jullie: zijn heer zal hem aanstellen over heel zijn bezit. Maar een slechte dienaar denkt bij zichzelf: Mijn heer komt voorlopig niet terug, en hij zal de andere dienaars gaan slaan en gaan eten en drinken met dronkaards. Dan komt de heer van die dienaar terug op een dag waarop hij hem niet verwacht en op een uur dat hij niet weet. Zijn heer zal hem laten onthoofden en hem net zo behandelen als huichelaars. Dan zal hij huilen en knarsetanden.'

Matteüs 24:36-51

Waakzaamheid

'Het hemelse koninkrijk lijkt op tien meisjes die hun olielampen pakten en de bruidegom tegemoet gingen. Vijf van hen waren dom, vijf van hen waren verstandig. Toen de vijf domme meisjes hun olielampen pakten, vergaten ze extra olie mee te nemen, maar de vijf verstandige meisjes namen behalve hun lampen ook flesjes olie mee. Toen de bruidegom maar niet kwam, werden ze allemaal slaperig en ze sliepen in. Midden in de nacht werd er geroepen: Daar komt de bruidegom! Naar buiten, hem tegemoet! Alle meisjes stonden op en maakten hun lampen in orde. De domme meisjes zeiden tegen de verstandige: Geef ons wat van jullie olie, want onze lampen gaan uit. Maar die antwoordden: Misschien is er niet genoeg voor ons allemaal. Ga maar naar de kooplui om olie te kopen. Toen zij weg waren om olie te kopen, kwam de bruidegom. De meisjes die klaarstonden, gingen met hem mee naar binnen om bruiloft te vieren, en de deur werd gesloten. Later kwamen de andere meisjes terug. Heer, heer, laat ons binnen, riepen ze. Maar hij zei: Ik ken jullie niet.'
En Jezus besloot: 'Wees dus waakzaam, want je weet dag noch uur.'

Matteüs 25:1-13

Goed beheer

'Het is als met iemand die op reis ging. Hij riep zijn dienaars bij zich en vertrouwde hun zijn eigendommen toe. Aan de ene gaf hij vijfduizend goudstukken, aan een andere tweeduizend en aan een derde duizend; ieder kreeg wat hij aankon. Toen vertrok hij. Onmiddellijk ging de dienaar die vijfduizend goudstukken had gekregen, er zaken mee doen en hij verdiende er vijfduizend bij. Zo deed ook de tweede en hij verdiende er tweeduizend bij. Maar de dienaar die duizend goudstukken had gekregen, ging een gat graven en verstopte het geld van zijn heer daarin.
Een hele tijd later keerde de heer van die dienaars terug en hij riep hen ter verantwoording. De dienaar die vijfduizend goudstukken had gekregen, kwam naar hem toe en overhandigde hem er nog vijfduizend: Heer, u hebt mij er vijfduizend gegeven, kijk, ik heb er nog vijfduizend bijverdiend. Uitstekend, zei zijn heer. Je bent een goed en trouw dienaar. Iets kleins heb je goed beheerd, nu zal ik je over iets groots aanstellen. Kom binnen en vier feest met mij. Toen kwam de dienaar die er tweeduizend had gekregen: Heer, u hebt mij er tweeduizend gegeven, kijk, ik heb er tweeduizend bijverdiend. Uitstekend, zei zijn heer. Je bent een goed en trouw dienaar. Iets kleins heb je goed beheerd, nu zal ik je over iets groots aanstellen. Kom binnen en vier feest met mij. Toen kwam ook de man die er duizend had gekregen: Heer, ik weet dat u streng bent; u maait waar u niet gezaaid hebt, en u oogst waar u niet hebt uitgezet. Ik was bang en ben daarom uw geld in de grond gaan verstoppen. Hier hebt u het weer terug. Jij slechte, luie dienaar! antwoordde zijn heer hem. Je wist dus dat ik maai waar ik niet gezaaid heb, en oogst waar ik niet heb uitgezet. Waarom heb je mijn geld dan niet op de bank gezet? Dan had ik het bij mijn thuiskomst met rente kunnen opvragen. Neem hem die duizend goudstukken af en geef ze aan hem die er al tienduizend heeft! Want iedereen die iets heeft, krijgt nog meer en heeft overvloed. Maar wie niets heeft, hem zal wat hij heeft, nog worden afgenomen. En gooi die nutteloze dienaar eruit, de duisternis in! Daar zal hij huilen en knarsetanden!'

Matteüs 25:14-30

Nooit gezien

'Wanneer de Mensenzoon in al zijn majesteit verschijnt, met al zijn engelen, neemt hij plaats op zijn koningstroon. Alle volken zullen vóór hem verzameld worden, en hij zal ze in twee groepen scheiden zoals een herder de schapen scheidt van de bokken. De schapen stelt hij op aan zijn rechterkant, de bokken aan zijn

linkerkant. Dan zal de Koning zeggen tegen wie rechts van hem staan: Mijn Vader heeft u gezegend. Kom en neem het koninkrijk in ontvangst dat voor u bestemd is vanaf de schepping van de wereld. Want ik had honger en u gaf mij te eten, ik had dorst en u gaf mij te drinken, ik was een vreemdeling en u verleende mij onderdak, ik was naakt en u gaf mij kleding, ik was ziek en u verzorgde mij, ik zat gevangen en u kwam mij bezoeken. En de rechtvaardigen zullen hem vragen: Heer, wij hebben u nooit hongerig of dorstig gezien; hoe hebben we u dan te eten en te drinken kunnen geven? We hebben nooit gezien dat u vreemdeling was of dat u naakt was; hoe hebben we u dan onderdak kunnen verlenen en kleding kunnen geven? We hebben nooit gezien dat u ziek was of in de gevangenis zat; hoe hebben we u dan kunnen bezoeken? Dan zal de Koning antwoorden: Ik verzeker u: al wat u gedaan hebt voor een van mijn broeders hier, hoe onbelangrijk hij ook was, dat hebt u voor mij gedaan!
Daarna zal hij zich richten tot wie links van hem staan: Ga weg van mij, vervloekten, naar het eeuwige vuur dat bestemd is voor de duivel en zijn engelen! Want ik had honger en u gaf mij niet te eten, ik had dorst en u gaf mij niet te drinken, ik was een vreemdeling en u verleende mij geen onderdak, ik was naakt en u gaf mij geen kleding, ik was ziek en ik zat in de gevangenis en u verzorgde mij niet. Dan zullen ook zij hem vragen: Heer, we hebben nooit gezien dat u honger of dorst had, dat u een vreemdeling was of dat u naakt was, dat u ziek was of in de gevangenis zat, hoe hadden we u dan kunnen verzorgen? En hij zal antwoorden: Ik verzeker u: toen u niets deed voor een van deze mensen, ook al was hij onbelangrijk, toen deed u niets voor mij! Zij zullen eeuwig gestraft worden, maar de rechtvaardigen zullen eeuwig leven.'

Matteüs 25:31-46

Marcus

Mee met Jezus

Nadat Johannes was gevangengezet, ging Jezus naar Galilea om er de goede boodschap van God te verkondigen. Hij zei: 'De tijd is rijp, het koninkrijk van God is dichtbij. Begin een nieuw leven en geloof de goede boodschap.'
Toen hij langs het meer van Galilea trok, zag hij Simon en zijn broer Andreas hun netten in het meer uitgooien. Ze waren vissers. 'Ga met mij mee,' zei Jezus tegen hen, 'ik zal jullie vissers van mensen maken.' Meteen lieten ze hun netten liggen en volgden hem.
Verderop zag hij Jakobus, de zoon van Zebedeüs, en Johannes, zijn broer. Ze zaten in hun boot de netten te herstellen. Zodra Jezus hen zag, riep hij hen, en ze lieten hun vader Zebedeüs met de dagloners in de boot achter en gingen met hem mee.

Marcus 1:14-20

Iemand met gezag

Ze kwamen in Kafarnaüm, en zodra het sabbat was, ging hij de synagoge binnen en gaf er onderricht. De mensen waren onder de indruk van wat hij hun leerde. Want hij sprak met gezag, heel anders dan de schriftgeleerden.
Op dat ogenblik was er in hun synagoge een man die in de macht was van een onreine geest. En hij schreeuwde: 'Wat wilt u van ons, Jezus van Nazaret? Bent u soms gekomen om ons te vernietigen? Ik weet wel wie u bent: u bent de heilige van God!' Jezus zei streng: 'Zwijg en ga uit de man weg.' De onreine geest deed de man stuiptrekken en ging met een luide schreeuw uit hem weg. Alle mensen stonden versteld en zeiden onder elkaar: 'Wat is hier aan de hand? Iemand met een nieuwe leer! Iemand met gezag! Zelfs onreine geesten geeft hij een bevel en ze gehoorzamen hem!' En al gauw werd hij overal in Galilea bekend.

Marcus 1:21-28

Genezen en vergeven

Ze verlieten de synagoge en gingen direct naar het huis van Simon en Andreas, samen met Jakobus en Johannes. De schoonmoeder van Simon lag met koorts op bed. Zodra ze er waren, spraken ze met Jezus over haar. Hij ging naar haar toe, pakte haar bij de hand en hielp haar opstaan. Haar koorts verdween, en ze ging voor hen zorgen.

's Avonds, na zonsondergang, brachten ze hem alle zieken en bezetenen. De hele stad had zich voor de deur van het huis verzameld. Veel zieken, met allerlei kwalen, genas hij. Ook dreef hij veel demonen uit en hij liet niet toe dat ze iets zeiden, want zij wisten wie hij was.

Heel vroeg – het was nog donker – stond Jezus op en ging naar buiten. Hij ging naar een eenzame plek om er te bidden. Simon en de anderen gingen hem achterna, en toen ze hem gevonden hadden, zeiden ze: 'Iedereen loopt u te zoeken!' Maar hij antwoordde: 'Laten we ergens anders heen gaan, naar de dorpen hier in de omtrek; dan kan ik ook daar het goede nieuws bekendmaken, want dat is waarvoor ik gekomen ben.'

En hij trok heel Galilea door, sprak in hun synagogen en dreef demonen uit.

Er kwam een melaatse op hem af. Hij knielde voor Jezus neer en smeekte: 'Als u wilt, kunt u mij rein maken.' Jezus was met hem begaan. Hij stak zijn hand uit, raakte hem aan en zei: 'Ik wil het; word rein.' Meteen verdween de melaatsheid en de man was rein. Jezus stuurde hem onmiddellijk weg met de ernstige waarschuwing: 'Denk erom: vertel het tegen niemand, maar ga u aan de priester laten zien en breng het offer dat Mozes heeft voorgeschreven, om te bewijzen dat u rein geworden bent.' Maar eenmaal vertrokken, begon de man overal rond te vertellen wat er gebeurd was. Het gevolg was dat Jezus niet langer openlijk in een stad kon verschijnen, maar buiten de steden moest blijven, op eenzame plekken. Toch kwamen de mensen van alle kanten naar hem toe.

Toen Jezus enkele dagen later weer in Kafarnaüm was, werd bekend dat hij thuis was. Er stroomden zoveel mensen toe dat er nergens plaats meer was, zelfs niet voor de deur. En Jezus sprak met hen over de boodschap van God.

Er kwamen mensen aan die een verlamde bij zich hadden. Met z'n vieren droegen ze hem. Omdat er zoveel mensen waren, konden ze niet bij Jezus komen. Daarom namen ze boven de plek waar hij zat, de dakbedekking weg en toen ze een opening gemaakt hadden, lieten ze de verlamde man op zijn draagbed naar beneden zakken. Bij het zien van hun geloof zei Jezus tegen de verlamde: 'Mijn zoon, uw zonden worden u vergeven.'

Nu zaten er ook een paar schriftgeleerden, en die vroegen zich af: 'Hoe durft hij dat te zeggen? Hij lastert God! Want alleen God

kan zonden vergeven!' Jezus begreep onmiddellijk wat zij dachten en hij zei: 'Waarom denkt u dat bij uzelf? Wat is eenvoudiger? Tegen deze verlamde zeggen: Uw zonden worden u vergeven, of: Sta op, pak uw bed en loop? Ik zal u laten zien dat de Mensenzoon de macht heeft om hier op aarde zonden te vergeven.' Toen richtte hij zich tot de verlamde: 'U zeg ik: sta op, pak uw bed en ga naar huis.' Meteen stond hij op, pakte zijn bed en ging naar buiten. Iedereen kon het zien! De mensen waren buiten zichzelf, ze prezen God en zeiden: 'Zoiets hebben we nog nooit gezien.'
Hij ging naar buiten en liep weer langs het meer. De hele menigte ging naar hem toe en hij gaf hen onderricht. Onderweg zag hij Levi, de zoon van Alfeüs, bij het tolhuis zitten. Jezus zei tegen hem: 'Volg mij.' Levi stond op en volgde hem.
Op een keer was Jezus te gast in Levi's huis. Veel tollenaars en zondaars waren er samen met Jezus en zijn leerlingen aan tafel. Het waren er veel, het waren volgelingen van hem. Toen enkele schriftgeleerden die tot de Farizeeën behoorden, zagen dat hij at met zondaars en tollenaars, vroegen zij aan zijn leerlingen: 'Waarom eet hij met tollenaars en zondaars?' Jezus hoorde het en zei: 'Gezonde mensen hebben geen dokter nodig, zieke wel. Ik ben niet gekomen om rechtvaardigen te roepen, maar zondaars.'

Marcus 1:29-2:17

Het zaad van Gods koninkrijk

Weer begon Jezus bij het meer de mensen te onderwijzen. En ze stroomden in zulke grote aantallen naar hem toe dat hij in een boot stapte. Zo zat hij op het meer, en de hele menigte stond op de oever. Hij leerde hun veel aan de hand van gelijkenissen. Zo leerde hij hun bijvoorbeeld dit: 'Luister! Een zaaier ging zijn land op om te zaaien. Bij het zaaien viel een gedeelte langs de weg. Er kwamen vogels en die aten dat op. Een ander deel viel op de rotsgrond. Daar lag weinig aarde. Het zaad kwam snel op, want de grond was niet diep. Maar toen de zon was opgekomen, verschroeide het, en omdat het geen wortels had, verdorde het helemaal. Een ander gedeelte viel tussen de distels. De distels schoten op en verstikten het zaad, zodat het nooit vrucht gaf. De rest van het zaad viel in goede grond; het kwam op, groeide uit en kreeg vrucht: een deel bracht dertigmaal zoveel op, een ander deel zestig- en weer een ander deel honderdmaal.' En hij besloot: 'Wie oren heeft, moet ook luisteren!'
Toen Jezus alleen was, vroegen de mensen die altijd bij hem waren en zijn twaalf leerlingen hem of hij de gelijkenissen wilde uitleggen. Hij zei hun: 'God heeft jullie het geheim van zijn ko-

ninkrijk toevertrouwd, maar de anderen die erbuiten staan, moeten het doen met gelijkenissen:
hoe ze ook kijken,
ze zullen niets zien;
hoe ze ook luisteren,
ze zullen niets verstaan.
Anders zouden ze tot inkeer komen
en vergeving krijgen.

Als jullie deze gelijkenis niet begrijpen, welke zullen jullie dan wel begrijpen?' vroeg Jezus hun. 'De zaaier zaait het woord van God. Soms komt het woord langs de weg terecht: dat zijn zij die het woord van God wel horen, maar nauwelijks hebben ze het gehoord, of Satan komt en neemt het woord weg dat in hen is uitgezaaid. Anderen lijken op het zaad dat op de rotsbodem is gevallen. Zodra ze het woord horen, nemen ze het met vreugde aan. Maar hun geloof heeft geen wortels, het zijn mensen van het ogenblik. Worden ze onderdrukt of vervolgd om dat woord, dan laten ze het geloof meteen los. Weer anderen zijn als het zaad dat tussen de distels terechtkwam. Ook dat zijn mensen die het woord hebben gehoord, maar de zorgen van het dagelijks leven, de valse schittering van de rijkdom en de begeerte naar allerlei dingen nemen hen zo in beslag, dat het woord verstikt wordt en geen vrucht draagt. Het zaad tenslotte dat in goede grond gezaaid werd, zijn de mensen die het woord van God horen en in zich opnemen. En zij dragen vrucht: dertig-, zestig- en honderdmaal zoveel.'
Ook zei hij tegen hen: 'Breng je soms een olielamp binnen om die onder een korenmaat te zetten of onder het bed? Je zet hem toch op een standaard! Want iets wordt alleen maar weggeborgen om het voor de dag te halen, iets wordt alleen geheimgehouden om het openbaar te maken. Wie oren heeft, moet ook luisteren!'
Ook zei hij: 'Let goed op wat u nu hoort! God zal u meten met de maat waarmee u zelf meet; ja, hij zal u nog wat meer geven. Want wie heeft, aan hem zal gegeven worden; en wie niet heeft, hem zal worden afgenomen zelfs wat hij heeft.'
Jezus zei: 'Het koninkrijk van God kun je vergelijken met een man die zaad in zijn akker zaaide. Hij slaapt en staat op, iedere nacht, iedere dag, en ondertussen kiemt het zaad en groeit het op zonder dat hij weet hoe. Vanzelf brengt de aarde vrucht voort: eerst de halm, dan de aar, vervolgens de korrels in de aar. En wanneer de korrels rijp zijn, gaat hij meteen met zijn sikkel aan de slag, want de tijd om te oogsten is gekomen.'
En hij vervolgde: 'Waarmee zullen we het koninkrijk van God vergelijken? Hoe kunnen we het uitbeelden? Het is als het mosterdzaadje. Als je zaait, is het het kleinste van alle zaden op aarde. Maar als het gezaaid is en opkomt, wordt het groter dan

alle andere planten. Het krijgt zulke grote takken dat de vogels kunnen nestelen in zijn schaduw.'
Met zulke en andere gelijkenissen verkondigde hij de mensen zijn boodschap; alleen zo konden ze die horen. Hij sprak altijd in gelijkenissen, maar aan zijn leerlingen legde hij alles uit, als hij met hen alleen was.

Marcus 4:1-34

Macht over water en wind

Diezelfde dag, toen het al avond was, zei Jezus tegen zijn leerlingen: 'Laten we naar de overkant van het meer gaan.' Ze lieten de mensen achter en namen Jezus, die al in de boot was, mee. Er waren ook andere boten bij. Er stak een zware stormwind op en de golven sloegen over het schip. Er kwam steeds meer water binnen. Jezus lag achterin te slapen, zijn hoofd op een kussen. Ze maakten hem wakker en zeiden: 'Meester, laat het u onverschillig dat we vergaan?' Jezus werd wakker en sprak de wind streng toe en hij zei tegen het meer: 'Rustig! Wees stil!' En de wind ging liggen en het meer werd volkomen stil. 'Waarom zijn jullie zo bang?' vroeg hij hun. 'Hebben jullie nog steeds geen geloof?' Zij waren erg geschrokken en zeiden tegen elkaar: 'Wie is hij toch? Zelfs de wind en het meer gehoorzamen hem!'

Marcus 4:35-41

Macht over ziekte en dood

Toen Jezus weer aan de overkant van het meer was, stroomde daar een grote menigte op hem toe. En terwijl hij nog bij de oever was, kwam Jaïrus eraan, een van de bestuurders van de synagoge. Toen hij Jezus zag, viel hij voor hem op de knieën en smeekte dringend: 'Mijn dochtertje ligt op sterven. Kom alstublieft mee om haar de handen op te leggen; dan wordt ze beter en blijft in leven.' Jezus ging met hem mee. Een grote menigte volgde hem en drong steeds meer op.
Er was een vrouw bij die al twaalf jaar aan bloedingen leed. Ze had al heel wat dokters gehad, het was een lijdensweg geweest en het had haar al haar geld gekost, maar het had allemaal niets geholpen; ze was alleen maar achteruitgegaan. Ze had over Jezus gehoord, en nu werkte ze zich door de menigte heen tot ze vlak achter hem was en raakte zijn kleren aan. Want ze zei bij zichzelf: 'Ik hoef alleen maar zijn kleren aan te raken; dan zal ik beter worden.' Meteen hield de bloeding op en zij voelde dat zij van haar kwaal genezen was. Op hetzelfde moment merkte Jezus dat

er kracht uit hem was weggestroomd. Hij draaide zich om tussen al die mensen en vroeg: 'Wie heeft mijn kleren aangeraakt?' Zijn leerlingen zeiden tegen hem: 'Kijk eens hoe al die mensen om u heen dringen, en u vraagt: wie heeft mij aangeraakt!' Maar Jezus keek rond om te zien wie het gedaan had. De vrouw, die wist wat er met haar gebeurd was, kwam bevend van angst naar voren, viel voor Jezus neer en vertelde hem de hele waarheid. Maar hij zei: 'Uw geloof heeft u gered, mijn kind. Ga in vrede; u bent van uw kwaal genezen.'
Hij was nog niet uitgesproken of uit het huis van de bestuurder van de synagoge kwam iemand zeggen: 'Uw dochter is gestorven. Waarom zou u de meester nog langer lastigvallen?' Jezus hoorde wel wat er gezegd werd, maar zei tegen Jaïrus: 'Wees niet bang; blijf geloven!' Hij wilde niet dat iemand met hem meeging behalve Petrus, Jakobus en Johannes, de broer van Jakobus. Ze gingen het huis binnen. Iedereen huilde en jammerde luid. Toen Jezus alle ontreddering zag, zei hij tegen hen: 'Waarom bent u zo ontdaan en waarom huilt u? Het kind is niet dood; het slaapt alleen maar.' Ze vonden het bespottelijk wat hij zei. Maar Jezus stuurde iedereen naar buiten, nam de vader van het kind, haar moeder en zijn drie leerlingen mee en ging de kamer binnen waar het kind lag. Hij pakte haar bij de hand en zei tegen haar: 'Talita koem,' dat betekent: Meisje, ik zeg je: sta op. Meteen stond het meisje op en begon te lopen. Ze was twaalf jaar. Iedereen was buiten zichzelf van verbazing. Jezus vroeg hun nadrukkelijk, ervoor te zorgen dat niemand er iets van te weten zou komen. Hij zei ook nog: 'Geef haar wat te eten.'

Marcus 5:21-43

Lucas

Een betrouwbaar verhaal

Hooggeachte Teofilus,
Al velen hebben zich gezet tot het maken van een verslag van de gebeurtenissen die zich onder ons hebben voltrokken; en wel, zoals die ons zijn overgeleverd door diegenen die van het begin af ooggetuigen zijn geweest en zich in dienst hebben gesteld van de boodschap. Vandaar dat ook ik ertoe gekomen ben – na alles vanaf het begin nauwkeurig te hebben nagegaan – het voor u in goede orde op schrift te stellen, zodat u kunt zien hoe betrouwbaar alles is wat men u heeft verteld.

Lucas 1:1-4

Een zoon in de kracht van Elia

In de tijd dat Herodes koning was van Judea, was er een priester die Zacharias heette en tot de priestergroep van Abia behoorde. Zijn vrouw heette Elisabet en stamde af van Aäron. Het waren vrome mensen, ze leefden geheel volgens de geboden en de voorschriften van de Heer. Kinderen hadden ze niet, Elisabet was onvruchtbaar. Beiden waren al op hoge leeftijd.
Op een keer deed Zacharias dienst in de tempel van God, omdat het de beurt van zijn priestergroep was. Volgens het gebruik bij de priesterdienst was er geloot, en hij was aangewezen om het heiligdom van de Heer binnen te gaan en er het wierookoffer te brengen. Terwijl Zacharias het wierookoffer bracht, stonden de mensen buiten te bidden. En toen verscheen hem een engel van de Heer, rechts van het altaar waarop de wierook gebrand wordt. Toen Zacharias hem zag, raakte hij in verwarring en werd bang. Maar de engel zei tegen hem: 'Wees niet bang, Zacharias. God heeft uw gebed verhoord. Uw vrouw Elisabet zal het leven geven aan een zoon en u moet hem Johannes noemen. U zult blij zijn, vol vreugde, ja, velen zullen blij zijn om zijn geboorte. Want hij zal een groot man zijn in de ogen van de Heer. Wijn of sterke drank zal hij niet drinken. Al in de moederschoot zal God hem vervullen met de heilige Geest. Velen uit het volk van Israël zal hij terugbrengen naar de Heer hun God. Hij zal voor God uitgaan, in de geest en de kracht van Elia. Hij zal de harten van ouders weer openen voor hun kinderen, en wie niet gehoorzamen aan Gods wetten zal hij maken tot mensen die de gerechtig-

heid zijn toegedaan, om zo voor de Heer een volk te vormen dat gereedstaat.' Toen zei Zacharias tot de engel: 'Hoe weet ik dat het waar is? Ik ben een oude man en ook mijn vrouw is op hoge leeftijd.' De engel sprak: 'Ik ben Gabriël, degene die naast Gods troon staat. Ik ben naar u toegestuurd om tot u te spreken, om u dit blijde nieuws over te brengen. Weet dan: u zult zwijgen, u zult niet kunnen spreken tot de dag waarop dit alles gebeurt, omdat u mijn woorden niet geloofd hebt, die in vervulling zullen gaan als de tijd daar is.'
Intussen stonden de mensen op Zacharias te wachten; ze verwonderden zich erover dat hij zo lang in de tempel bleef. Toen hij naar buiten kwam, kon hij geen woord tegen hen zeggen. Ze begrepen dat hij in de tempel een visioen had gehad. Hij probeerde zich met gebaren verstaanbaar te maken, want hij bleef stom. Toen de tijd van zijn dienst in de tempel voorbij was, ging hij naar huis.
In de tijd hierna werd zijn vrouw Elisabet zwanger. Vijf maanden lang leefde zij teruggetrokken. En ze zei: 'Dit heeft de Heer voor mij gedaan toen hij zich mijn lot aantrok: hij heeft mijn schande weggenomen.'

Lucas 1:5-25

Een zoon in de kracht van de Allerhoogste

Toen Elisabet in haar zesde maand was, stuurde God de engel Gabriël naar Nazaret, een stad in Galilea, naar een jonge vrouw die aan een zekere Jozef uitgehuwelijkt was. Jozef stamde af van koning David. De vrouw heette Maria. De engel ging haar huis binnen en zei tegen haar: 'Ik groet u, u die de gunst van de Heer geniet, de Heer is met u.' Bij deze woorden raakte Maria in verwarring en zij vroeg zich af wat die woorden mochten betekenen. 'Wees niet bang, Maria,' vervolgde de engel, 'God schenkt u zijn gunst. Luister: u zult zwanger worden en een zoon ter wereld brengen, en u moet hem Jezus noemen. Hij zal een groot man worden en hij zal Zoon van de Allerhoogste worden genoemd. God de Heer zal hem de troon van zijn voorvader David geven; hij zal regeren over de nakomelingen van Jakob, voor altijd; aan zijn koningschap zal geen einde komen.' Maria zei tegen de engel: 'Hoe zou dat kunnen? Want ik heb geen gemeenschap met een man.' De engel antwoordde haar: 'De heilige Geest zal over u komen, de kracht van de Allerhoogste zal u als een schaduw bedekken. Daarom zal het kind aan God gewijd zijn en zijn Zoon worden genoemd. En luister: ook Elisabet, uw familielid, krijgt een zoon, op haar leeftijd nog. Ze is al in haar zesde maand, terwijl ze onvruchtbaar genoemd werd. Want voor God is niets onmogelijk.' En Maria zei: 'Ik zal de Heer dienen. Wat u gezegd hebt, laat dat met me gebeuren.' En de engel ging bij haar weg.

Lucas 1:26-38

Ontmoeting van twee aanstaande moeders

Kort daarna ging Maria op reis. Ze haastte zich naar het bergland, naar een stad in Juda. Ze ging het huis van Zacharias binnen en begroette Elisabet. Toen Elisabet Maria's begroeting hoorde, sprong het kind op in haar schoot. Zij werd vervuld met de heilige Geest en riep luid: 'Je bent de meest gezegende van alle vrouwen en gezegend is het kind dat je draagt! Waaraan heb ik het te danken dat de moeder van mijn Heer naar mij toekomt? Want toen ik je groet hoorde, sprong het kind van blijdschap op in mijn schoot. Gelukkig is zij die geloofd heeft dat in vervulling zal gaan wat haar door de Heer gezegd is.'
Maria antwoordde:
'Mijn ziel prijst de Heer,
mijn hart juicht om God, mijn Redder.
Want hij heeft op mij zijn ogen laten rusten,
op mij, zijn onaanzienlijke dienares.
Van nu af aan zal elk geslacht
mij gelukkig prijzen,
omdat de machtige God
grootse dingen voor mij heeft gedaan.
Zijn naam is heilig.
Hij is barmhartig
van geslacht tot geslacht
voor wie hem eerbiedigen.
Hij heeft zijn kracht getoond:
hoogmoedigen heeft hij uiteengejaagd,
hun plannen verijdeld.
Machtigen heeft hij van hun troon gestoten,
maar geringen heeft hij verheven.
Hongerenden heeft hij met alle goeds overladen,
maar rijken heeft hij weggestuurd, met lege handen.
Hij is zijn dienaar Israël te hulp
gekomen,
om zijn barmhartigheid te bewijzen,
zoals hij aan onze voorvaders had beloofd,
aan Abraham en zijn nakomelingen, voor altijd.'
Maria bleef ongeveer drie maanden bij Elisabet; daarna ging ze naar huis terug.

Lucas 1:39-56

Johannes: 'de Heer is genadig'

Toen voor Elisabet de tijd gekomen was om te bevallen, bracht ze een zoon ter wereld. Buren en familieleden die hoorden hoe goed de Heer voor haar geweest was, deelden in haar vreugde.
Toen het kind acht dagen oud was, kwamen ze het besnijden. Ze wilden hem Zacharias noemen, naar zijn vader. Maar zijn moeder zei: 'Nee, Johannes moet hij heten.' 'Maar niemand in de familie heet zo,' antwoordden ze haar. Ze beduidden zijn vader te laten weten hoe hij het kind wilde noemen. Hij vroeg om een lei en schreef daarop: 'Johannes is zijn naam.' Iedereen was verbaasd. Op datzelfde moment kon Zacharias weer spreken en hij begon God te danken. De mensen daar waren allemaal diep onder de indruk en in het hele bergland van Judea werd gesproken over alles wat er gebeurd was. Wie ervan hoorde, dacht bij zichzelf: 'Wat zal er van dat kind worden?' Want het was duidelijk dat hij onder bescherming van de Heer stond.
Zijn vader Zacharias werd vervuld met de heilige Geest en sprak deze profetische woorden:
'Dank aan de Heer, de God van Israël!
Hij heeft zich om zijn volk bekommerd,
hij heeft het verlossing gebracht.
Hij heeft gezorgd
voor een machtige redder,
een nakomeling van zijn dienaar David.
Van oudsher immers
heeft hij ons laten weten
bij monde van zijn heilige profeten,
dat hij ons zou redden
van onze vijanden,
ons zou redden
uit de greep van wie ons haten,
en zo onze voorvaders zijn goedheid zou bewijzen,
zijn heilig verbond gestand zou doen.
Want aan onze vader Abraham
had hij onder ede gezworen
dat wij, bevrijd van onze vijanden,
hem zouden kunnen dienen,
zonder vrees, toegewijd en oprecht,
ons leven lang.
En jij, mijn kind,
zult worden genoemd:
profeet van de Allerhoogste.
Want jij zult voor de Heer uitgaan,
jij zult voor hem de weg banen,
jij zult zijn volk leren inzien
dat zij gered zullen worden,
door Gods vergeving van hun zonden.

Want dankzij Gods innige barmhartigheid
zal hij zich om ons bekommeren,
hij, die uit de hoge hemel komt,
om licht te brengen aan allen
die in duisternis zitten,
in de schaduw van de dood,
die ons de weg zal wijzen naar de vrede.'

Het kind groeide op en werd steeds meer vervuld met de Geest. Hij leefde in de woestijn tot de dag waarop hij openlijk onder het volk van Israël optrad.

Lucas 1:57-80

Jezus: 'de Heer redt'

In die tijd kondigde keizer Augustus het besluit af dat iedereen in zijn wereldrijk zich moest laten inschrijven. Deze eerste registratie vond plaats toen Quirinius gouverneur was in Syrië. Iedereen ging op weg naar de plaats waar hij vandaan kwam, om zich daar te laten inschrijven. Ook Jozef ging van Nazaret in Galilea naar Judea, naar de geboortestad van koning David, Betlehem geheten, want hij stamde uit het geslacht van David. In Betlehem liet hij zich inschrijven samen met Maria, zijn vrouw, die in verwachting was.
Toen ze daar waren, was het de tijd dat het kind geboren moest worden. Maria bracht een zoon ter wereld, haar eerste. Ze wikkelde hem in doeken en legde hem in een voederbak, want er was in de herberg geen plaats voor hen.
In de omgeving daar waren herders die buiten de nacht doorbrachten om de wacht te houden bij hun kudde. Opeens stond er een engel van de Heer voor hen, en de glorie van de Heer omstraalde hen. Ze werden verschrikkelijk bang, maar de engel zei: 'Wees niet bang! Want luister, ik breng u een blijde tijding, die voor het hele volk bestemd is. Vandaag is in de stad van David uw redder geboren: Christus, de Heer. Dit zal voor u het teken zijn: u zult een kind vinden dat in doeken gewikkeld is en in een voederbak ligt.'
En ineens was er bij de engel een hele menigte andere engelen uit de hemel, die allemaal God loofden: 'Eer aan God in de hoge hemel en vrede op aarde voor de mensen die hem lief zijn!'
Toen de engelen naar de hemel waren teruggekeerd, zeiden de herders tegen elkaar: 'Kom! Laten we naar Betlehem gaan. De Heer heeft ons bekendgemaakt wat er gebeurd is; laten we gaan kijken.' Ze gingen er haastig heen en vonden Maria en Jozef en het kind, dat in de voederbak lag. Toen ze dit alles gezien hadden, vertelden ze wat de engel hun over dit kind gezegd

had. Allen die ervan hoorden, verbaasden zich over wat de herders hun vertelden. Maria bewaarde al die woorden in haar hart en overdacht ze bij zichzelf. De herders gingen terug en prezen en loofden God om alles wat ze gehoord en gezien hadden; alles was zoals het hun gezegd was.
Toen het kind acht dagen oud was, werd het besneden en het kreeg de naam Jezus. Dat was de naam die de engel genoemd had nog vóór zijn moeder zwanger werd.

Lucas 2:1-21

Gods heil gezien

Toen de tijd aanbrak dat moeder en kind zich volgens de wet van Mozes rein moesten laten verklaren, brachten de ouders hun kind naar Jeruzalem. Ze gingen het aan de Heer aanbieden, zoals de wet van de Heer voorschrijft: Elke eerstgeborene van het mannelijk geslacht moet de Heer worden toegewijd. Ook gingen ze het offer brengen dat de wet van de Heer voorschrijft: Een paar tortelduiven of twee jonge duiven.
Nu woonde in Jeruzalem een zekere Simeon. Hij was een rechtvaardig en vroom man. Hij zag uit naar de dag waarop God zich over Israël zou ontfermen. De heilige Geest rustte op hem. En aan hem was door de heilige Geest voorspeld dat hij niet zou sterven vóór hij met eigen ogen de Messias had gezien die de Heer beloofd had. Door de Geest gedreven ging Simeon naar de tempel. Toen Jozef en Maria het kind Jezus binnendroegen om te doen wat volgens de wet moest gebeuren, nam hij Jezus in zijn armen en God dankend zei hij:
'Nu kunt u mij, uw dienaar, Heer, in vrede laten gaan,
zoals u hebt gezegd.
Want mijn ogen hebben uw heil gezien,
het heil dat u gereedhoudt voor het oog van alle volken:
een licht,
voor andere volken een openbaring,
voor uw volk Israël hun glorie.'
De vader en moeder waren verwonderd over wat er over hun kind gezegd werd. Simeon zegende hen en zei tegen Maria, de moeder: 'Weet dat dit kind de val of de redding zal betekenen voor velen in Israël. Hij zal een teken zijn dat verzet oproept. Zo zullen de geheime gedachten van velen aan het licht gebracht worden. En u: een zwaard zal door uw hart gaan.'
Er was daar ook een profetes; ze heette Hanna en was een dochter van Fanuël, die tot de stam van Aser behoorde. Het was een vrouw op hoge leeftijd die na haar meisjesjaren zeven jaar getrouwd was geweest. Een weduwe dus en nu vierentachtig jaar. Nooit had ze de tempel verlaten, dag en nacht had ze God ge-

diend met vasten en bidden. Ook zij kwam op dat moment bij hen staan; ze begon, God dankend, over het kind te spreken. Alle mensen die uitzagen naar de verlossing van Jeruzalem hoorden het.
Toen zijn ouders alles hadden gedaan wat de wet van de Heer voorschrijft, gingen ze met het kind naar huis terug, naar Nazaret in Galilea.
Het kind groeide voorspoedig op en werd vervuld van wijsheid en genoot de gunst van God.

Lucas 2:22-40

Daar waar de Vader is

Elk jaar reisden zijn ouders naar Jeruzalem om er het paasfeest te vieren. Toen Jezus twaalf jaar was, ging men, als gebruikelijk, ook weer naar het feest. Na afloop van de feestdagen keerde iedereen naar huis terug, maar de jongen bleef in Jeruzalem achter zonder dat zijn ouders het merkten. Ze dachten dat hij bij de andere reizigers was. Na een dag reizen gingen ze hem zoeken bij verwanten en kennissen. Toen ze hem niet vonden, keerden ze naar Jeruzalem terug, om hem daar te zoeken. Na drie dagen vonden ze hem in de tempel: hij zat tussen de schriftgeleerden, luisterde naar hen en stelde hun vragen. Iedereen die hem hoorde, stond verbaasd over zijn inzicht en over wat hij zei.
Toen zijn ouders hem zagen, waren ze verbijsterd. Zijn moeder zei tegen hem: 'Jongen, wat heb je ons aangedaan? Je vader en ik zaten in angst en hebben je overal gezocht.' Maar hij zei: 'Waarom hebt u naar mij gezocht? Wist u niet dat ik moet zijn waar mijn Vader is?' Maar zij begrepen niet wat hij tegen hen zei.
Hij ging met hen terug naar Nazaret en gehoorzaamde zijn ouders. Zijn moeder bewaarde al deze dingen in haar hart.
Met de jaren nam Jezus' wijsheid toe en hij kwam steeds meer in de gunst bij God en de mensen.

Lucas 2:41-52

Woestijn-proef

Vol van de heilige Geest ging Jezus van de Jordaan weg, de woestijn in. Hij bleef er veertig dagen, geleid door de Geest. Daar werd hij door de duivel op de proef gesteld. Al die dagen at hij niets, en toen ze voorbij waren, had hij honger. De duivel zei tegen hem: 'Als u de Zoon van God bent, zeg dan tegen deze steen hier dat hij in brood moet veranderen.' Maar Jezus antwoordde: 'Er staat geschreven: Een mens leeft niet van brood alleen.'

Toen nam hij Jezus mee naar een hoog punt en liet hem in één ogenblik alle koninkrijken van de wereld zien. 'Al die macht, al die pracht, zal ik u geven,' zei hij, 'want zij zijn mij in handen gegeven en ik kan ze geven aan wie ik wil. Kniel dus in aanbidding voor mij neer, en het is allemaal van u.' Jezus antwoordde hem: 'Er staat geschreven: Aanbid de Heer, uw God, en vereer hem alleen.'
Daarna bracht de duivel hem naar Jeruzalem, zette hem boven op het tempeldak en zei: 'Als u de Zoon van God bent, laat u dan van hier naar beneden vallen! Want er staat geschreven: God zal zijn engelen sturen om over u te waken. En ook: Zij zullen u dragen op hun handen, u zult zich aan geen steen stoten.' Jezus antwoordde hem: 'Er is ook gezegd: Stel de Heer, uw God, niet op de proef.'
Toen de duivel hem op alle mogelijke manieren op de proef had gesteld, ging hij van hem weg, tot een bepaalde tijd.

Lucas 4:1-13

Profetie in vervulling

In de kracht van de Geest keerde Jezus terug naar Galilea. Men sprak over hem, in het hele gebied. In hun synagogen onderwees hij de mensen en iedereen was vol lof over hem.
Hij kwam ook in Nazaret waar hij was grootgebracht, en ging zoals zijn gewoonte was op sabbat naar de synagoge. Toen hij was gaan staan om de voorlezing te doen, werd hem de boekrol van de profeet Jesaja overhandigd. Hij rolde hem open en vond de plaats waar geschreven staat:
De Geest van de Heer rust op mij,
omdat hij mij gezalfd heeft
om het goede nieuws te brengen aan armen.
Hij heeft mij gezonden
om gevangenen de vrijheid aan te zeggen
en blinden het licht te geven,
om onderdrukten vrij te maken,
om het jaar van Gods goedheid af te kondigen.
Hij rolde de boekrol op, gaf hem terug aan de dienaar en ging zitten. Alle ogen in de synagoge waren op hem gericht. Hij nam het woord en zei: 'Op deze dag zijn de woorden die u zojuist gehoord hebt, in vervulling gegaan.' Ze vielen hem allemaal bij en verwonderden zich erover dat er zo'n kracht lag in de woorden die uit zijn mond kwamen, en ze zeiden: 'Dat is toch de zoon van Jozef?' Jezus zei hun: 'Ongetwijfeld zult u me het gezegde voorhouden: Dokter, genees uzelf. En doe hier in uw eigen stad wat we allemaal gehoord hebben dat u in Kafarnaüm hebt gedaan. Maar ik zeg u: geen enkele profeet vindt waardering in zijn

eigen stad. Want dit is de waarheid: in de tijd van de profeet Elia waren er talloze weduwen in Israël. Het had drie en een half jaar niet geregend en in het hele land was er grote hongersnood. Toch stuurde God Elia niet naar Israël, maar naar een weduwe in Sarepta, in het gebied van Sidon. En in de tijd van de profeet Elisa waren er in Israël veel mensen die melaats waren. Toch werd geen van hen rein, behalve Naäman, die uit Syrië kwam.'
Toen ze dit hoorden, werd iedereen in de synagoge woedend. Ze stonden op, dreven hem de stad uit tot aan de rand van de berg waarop hun stad was gebouwd, met de bedoeling hem de afgrond in te stoten. Maar hij ging midden tussen hen door en vertrok.

Lucas 4:14-30

Niet weggestuurd met lege handen

Jezus riep zijn twaalf leerlingen bij zich en gaf hun de kracht en het gezag om alle demonen uit te drijven en om ziekten te genezen. Toen stuurde hij hen eropuit om het koninkrijk van God te verkondigen en mensen te genezen. 'Neem niets mee voor onderweg,' zei hij, 'geen staf, geen tas, geen brood of geld en ook geen extra hemd. Vind je ergens onderdak, blijf daar dan tot je weer verder trekt. Kom je in een plaats waar de mensen je niet willen ontvangen, ga er dan weg en sla het stof van je voeten als waarschuwing.' Zij gingen op weg, trokken van dorp tot dorp, maakten het evangelie bekend en brachten overal genezing.
Herodes, de vorst van Galilea, hoorde wat er allemaal gebeurde. Hij wist niet wat hij ervan denken moest, want sommigen beweerden dat Johannes uit de dood was opgewekt, anderen dat Elia was verschenen, en weer anderen dat een van de profeten van vroeger was opgestaan. Maar Herodes zei: 'Ik heb Johannes toch zelf laten onthoofden! Wie is die man over wie ik zulke dingen hoor?' En hij zocht naar een gelegenheid om hem te zien.
Toen de apostelen terug waren van hun tocht, vertelden ze Jezus alles wat ze hadden gedaan. Hij trok zich met hen terug in de omgeving van een stad die Betsaïda heette, want hij wilde met hen alleen zijn. Maar de mensen merkten het en volgden hem. Hij stuurde hen niet weg maar sprak hun over het koninkrijk van God en maakte iedereen beter die genezing nodig had.
Tegen het einde van de dag kwamen de twaalf hem zeggen: 'Stuur de mensen weg, dan kunnen ze voor onderdak en voedsel naar de dorpen en de boeren in de omgeving; want het is hier erg afgelegen.' 'Geven jullie hun te eten,' zei Jezus. 'Alles wat we hebben, is vijf broden en twee vissen,' zeiden ze. 'Of moeten we voor al die mensen voedsel gaan kopen?' Het waren er ongeveer vijfduizend. 'Laat ze gaan zitten in groepen van ongeveer vijftig,'

beval hij zijn leerlingen. Dat deden ze, ze lieten iedereen gaan zitten. Toen nam Jezus de vijf broden en de twee vissen, sloeg zijn ogen op naar de hemel en sprak er het zegengebed over uit. Hij brak het brood in stukken en gaf die aan de leerlingen om ze aan de mensen uit te delen. Ze aten allemaal tot ze genoeg hadden. En de leerlingen haalden op wat er over was: twaalf manden vol brokken.

Lucas 9:1-17

Wie ben ik?

Op een keer, toen hij alleen in gebed was en zijn leerlingen bij hem waren, vroeg hij hun: 'Wie denken de mensen dat ik ben?' Ze antwoordden: 'Sommigen zeggen Johannes de Doper, anderen Elia, en weer anderen zeggen dat u een van de profeten van vroeger bent die is opgestaan.' 'En jullie, wie denken jullie dat ik ben?' vroeg hij. Petrus antwoordde: 'De Christus van God!' Streng verbood hij hun er ook maar met iemand over te praten. Ook zei hij: 'De Mensenzoon moet veel lijden: hij zal verworpen worden door de oudsten, de opperpriesters en de schriftgeleerden. Hij zal gedood worden en op de derde dag door God worden opgewekt.'
En tegen allen zei hij: 'Wie mij wil volgen, moet zichzelf verloochenen, elke dag zijn kruis opnemen en mijn weg gaan. Want wie zijn leven wil redden, zal het verliezen, maar wie zijn leven om mij verliest, zal het redden. Want wat heeft een mens eraan als hij de hele wereld wint, maar zichzelf verliest of zichzelf schade toebrengt? Als iemand zich schaamt voor mij en mijn boodschap, zal ook de Mensenzoon zich schamen voor hem, wanneer hij komt in zijn glorie en in de glorie van de Vader en van de heilige engelen. Ik verzeker u: er staan hier mensen die niet zullen sterven voordat zij het koninkrijk van God gezien hebben.'

Lucas 9:18-27

Eindbestemming Jeruzalem

Ongeveer een week nadat deze woorden gesproken waren, ging Jezus met Petrus, Johannes en Jakobus de berg op om er te bidden. En daar, terwijl Jezus in gebed was, veranderde de aanblik van zijn gezicht en zijn kleren werden blinkend wit. Opeens waren er twee mannen met hem in gesprek. Het waren Mozes en Elia, die in hun hemelse glorie verschenen en met hem spraken over zijn heengaan, over de voltooiing van zijn leven in Jeruzalem. Petrus en de twee anderen waren in slaap gevallen. Wakker geworden, zagen zij Jezus in zijn glorie en de twee mannen die bij hem stonden. Toen Mozes en Elia van Jezus weg wilden gaan, zei Petrus tegen Jezus: 'Meester, het is goed dat wij hier zijn! We zullen drie tenten maken, één voor u, één voor Mozes en één voor Elia.' Want hij wist niet wat hij zei. Hij was nog aan het spreken, toen er een wolk kwam die hen helemaal omhulde. Zo omsloten door de wolk werden ze bang. En uit de wolk klonk een stem: 'Dit is mijn Zoon, mijn uitverkorene, luister naar hem.' En terwijl die woorden klonken, was alleen Jezus er weer. De leerlingen bewaarden het stilzwijgen hierover, ze vertelden in die tijd aan niemand iets van wat ze gezien hadden.

Lucas 9:28-36

Verloren en teruggevonden

Steeds weer kwamen er allemaal tollenaars en zondaars naar Jezus luisteren. De Farizeeën en de schriftgeleerden zeiden geërgerd: 'Die man gaat met zondaars om en eet met hen.'
Maar Jezus hield hun deze gelijkenis voor: 'Iemand van u heeft honderd schapen en één ervan is hij kwijtgeraakt. Zal hij dan niet die negenennegentig andere in de woestijn alleen laten en naar dat ene schaap op zoek gaan, net zolang tot hij het vindt? En als hij het vindt, neemt hij het blij op zijn schouders. En wanneer hij thuiskomt, roept hij zijn vrienden en buren om zijn blijdschap te delen. Want, zegt hij, het schaap dat ik kwijt was, heb ik teruggevonden. Ik zeg u: zo zal er in de hemel meer blijdschap zijn over één zondaar die tot inkeer komt dan over negenennegentig mensen die zo rechtvaardig zijn dat ze niet tot inkeer hoeven te komen.'
'Of veronderstel dat een vrouw, in het bezit van tien zilveren munten, er één verliest. Zal ze dan geen lamp aansteken, het hele huis aanvegen en zoeken tot ze hem vindt? En als ze hem vindt, roept ze haar vriendinnen en buurvrouwen om haar blijdschap te delen. Want, zegt zij, het zilverstuk dat ik kwijt was, heb ik teruggevonden. Zo ook, zeg ik u, zal er bij de engelen van God blijdschap zijn over één zondaar die tot inkeer komt.'
Jezus vervolgde: 'Er was een man die twee zonen had. Vader, zei de jongste tegen hem, geef mij het deel van uw bezit waarop ik recht heb. En de vader verdeelde zijn bezit over zijn twee zonen. Een paar dagen later verzilverde de jongste zoon zijn aandeel en ging op reis naar een ver land. Daar leidde hij een losbandig leven en verkwistte al zijn geld. Toen hij alles had opgemaakt, brak er in dat land een zware hongersnood uit. Ook hij begon daaronder te lijden. Toen trok hij eropuit en kreeg na lang aandringen werk bij een van de bewoners van dat gebied. Die stuurde hem zijn land op om varkens te hoeden. Graag had hij

zijn maag gevuld met het voer van de varkens, maar niemand gaf het hem. Toen kwam hij tot bezinning en dacht: Mijn vader heeft zoveel knechten en die hebben eten in overvloed! En ik kom hier om van de honger. Ik ga terug naar mijn vader en zal tegen hem zeggen: Vader, wat ik heb gedaan was tegen de wil van de hemel en tegen de uwe. Ik verdien het niet nog langer uw zoon genoemd te worden; behandel mij als een van uw knechten. En hij ging op weg, terug naar zijn vader.
Hij was nog ver van huis, toen zijn vader hem al zag. Omdat hij met hem begaan was, liep hij hem snel tegemoet, sloeg zijn armen om hem heen en kuste hem. Vader, zei de zoon, wat ik heb gedaan was tegen de wil van de hemel en tegen de uwe; ik verdien het niet nog langer uw zoon genoemd te worden. Maar zijn vader zei tegen zijn knechten: Vlug! Haal het beste gewaad en trek het hem aan; steek een ring aan zijn vinger en doe hem schoenen aan. Haal het mestkalf uit de stal en slacht het. We gaan eten en feestvieren. Want mijn zoon hier, hij was dood maar hij leeft weer, ik was hem kwijt maar hij is terug. En zij begonnen feest te vieren.
De oudste zoon was op het land. Toen hij terugkeerde en dicht bij huis kwam, hoorde hij muziek en dansen. Hij riep een van de knechten en vroeg hem wat er aan de hand was. Uw broer is terug, antwoordde die, en uw vader heeft het mestkalf laten slachten omdat hij hem weer gezond en wel terug heeft. De oudste zoon was woedend en wilde niet naar binnen. Zijn vader kwam naar buiten en probeerde hem over te halen. Maar hij zei tegen zijn vader: Hoeveel jaar dien ik u nu al niet, zonder ooit een van uw bevelen te overtreden? En wat hebt u mij gegeven? Nog geen bokje om eens feest te vieren met mijn vrienden. Maar nu die zoon van u gekomen is, die met hoeren uw vermogen heeft opgemaakt, slacht u het mestkalf voor hem! Jongen, antwoordde zijn vader, jij bent altijd bij me en alles wat van mij is, is van jou. Maar er moet feest zijn, er moet vreugde zijn! Je broer hier, hij was dood maar hij leeft weer, ik was hem kwijt maar hij is terug.'

Lucas 15:1-32

Dienstverband

Jezus zei ook tegen zijn leerlingen: 'Er was eens een rijke man. Hij had een rentmeester in dienst en men had hem laten weten dat die rentmeester het vermogen van zijn heer verkwistte. Hij liet de rentmeester bij zich komen en zei: Wat ik van u gehoord heb! Leg rekenschap af van uw beheer, want u kunt niet langer rentmeester blijven. De rentmeester dacht bij zichzelf: Wat moet ik doen? Want mijn heer ontslaat mij. Spitten kan ik niet, en be-

delen, daar schaam ik mij voor. Ik weet al wat ik zal doen! Dan zullen de mensen mij, als ik ontslagen ben, in huis nemen. Hij liet iedereen die bij zijn heer schulden had, één voor één bij zich roepen. Hoeveel bent u mijn heer schuldig? vroeg hij aan de eerste. Die zei: Honderd vaten olijfolie. En hij zei tegen hem: Hier is uw schuldbekentenis. Ga zitten en schrijf vlug vijftig op. En wat bent u schuldig? vroeg hij een tweede. Deze zei: Honderd zakken graan. En hij zei: Hier is uw schuldbekentenis; schrijf op: tachtig. En de heer prees de oneerlijke rentmeester, omdat hij het handig had aangepakt. Want de mensen van deze wereld gaan handiger met elkaar om dan de mensen van het licht.'
'Ja, ik zeg jullie: maak je vrienden met het onrechtvaardige geld. Dan zullen jullie, wanneer geld geen waarde meer heeft, in de hemelse woning ontvangen worden.
Wie in kleine zaken te vertrouwen is, is ook in grote zaken te vertrouwen; en wie in kleine zaken oneerlijk is, is dat ook in grote. Als het onrechtvaardige geld dus niet bij je in goede handen is, wie zal dan het ware bezit aan je toevertrouwen? En als wat een ander toebehoort, niet in goede handen bij je is, wie zal je dan geven wat je het jouwe kunt noemen?
Geen knecht kan twee heren dienen: of hij heeft een hekel aan de een en is op de ander zeer gesteld, of hij draagt die eerste op handen en minacht de tweede. Je kunt niet God én het geld dienen.'
Dit alles hoorden de Farizeeën, die zeer op geld gesteld waren. Ze vonden het bespottelijk wat hij zei. Toen zei Jezus tegen hen: 'U wilt voor rechtvaardig doorgaan bij de mensen. Maar God kent uw harten; wat de mensen hoog aanslaan, daar heeft God een afschuw van.
Tot Johannes waren er de wet van Mozes en de geschriften van de profeten; sindsdien wordt het goede nieuws verkondigd over het koninkrijk van God, en iedereen is ertegen gekant. Maar gemakkelijker kunnen hemel en aarde vergaan dan dat ook maar één letter uit de wet kan vervallen.
Elke man die scheidt van zijn vrouw en met een ander trouwt, pleegt echtbreuk, en wie een gescheiden vrouw trouwt, pleegt ook echtbreuk.'

Lucas 16:1-18

Luisteren naar Mozes en de profeten!

'Er was eens een rijke man. Hij ging gekleed in purper en in zuiver linnen. Elke dag gaf hij een schitterend feest. En er was een arme bedelaar, overdekt met zweren. Hij heette Lazarus. Hij lag altijd voor de deur van de rijke. Hij hoopte zijn honger te stillen met wat er van de tafel viel. De honden likten zelfs zijn

zweren. Op een dag stierf de arme man, en de engelen namen hem mee en legden hem in de schoot van Abraham. Ook de rijke stierf en hij werd begraven. En toen hij onder kwellende pijnen in het dodenrijk zijn ogen opsloeg, zag hij, ver weg, Abraham met Lazarus in zijn schoot.
Vader Abraham, riep hij, heb medelijden met me en stuur Lazarus; laat hem de top van zijn vinger in het water steken en mijn tong bevochtigen, want ik lijd veel pijn in deze vlammen. Maar Abraham zei: Zoon, bedenk dat u in uw leven de goede dingen hebt gehad, en Lazarus de slechte. Nu wordt hij hier getroost en lijdt u pijn. Bovendien: tussen u en ons gaapt een diepe afgrond. Zo is het onmogelijk, al zou men het willen, om van hieruit naar u te gaan, en ook kan men bij u vandaan niet hier komen. Maar de rijke zei: Dan smeek ik u, vader, stuur Lazarus naar mijn ouderlijk huis, want ik heb vijf broers. Dan kan hij ze waarschuwen, dat niet ook zij hier terechtkomen, in deze plaats van pijn. Maar Abraham antwoordde: Ze hebben de geschriften van Mozes en de profeten, laten ze naar hen luisteren. Maar de man zei: Dat doen ze niet, vader Abraham. Maar als iemand van de doden naar hen toegaat, dan zullen ze een nieuw leven beginnen. Maar Abraham zei: Als ze niet luisteren naar Mozes en de profeten, zullen ze zich ook niet laten gezeggen door iemand die uit de dood opstaat.'

Lucas 16:19-31

Manieren van bidden

Om zijn leerlingen duidelijk te maken dat ze moesten blijven bidden, dat ze het nooit moesten opgeven, vertelde Jezus hun deze gelijkenis: 'In een stad woonde eens een rechter die voor God geen ontzag had en zich van de mensen al helemaal niets aantrok. Nu woonde er in die stad ook een weduwe die steeds maar bij hem aanklopte en om haar recht vroeg tegenover haar tegenpartij. Lange tijd wilde hij niets doen, maar later dacht hij: Ik heb geen ontzag voor God en van mensen trek ik me ook niets aan, maar deze weduwe maakt het me zo lastig. Ik zal haar toch haar recht maar geven. Want anders komt ze me nog eens een klap in mijn gezicht geven.'
En de Heer vervolgde: 'Hoor, wat die onrechtvaardige rechter zegt. Zou God dan de mensen die hij zelf heeft uitgekozen en die dag en nacht tot hem roepen, hun recht niet geven? Zou hij hen laten wachten? Neem van mij aan: hij zal ze heel snel hun recht geven. Maar zal de Mensenzoon bij zijn komst wel geloof op aarde vinden?'
Jezus vertelde nog een gelijkenis. Deze was bedoeld voor mensen

die zichzelf voor rechtvaardig hielden en die op alle anderen neerkeken.
'Twee mensen gingen naar de tempel om te bidden; de een was een Farizeeër, de ander een tollenaar. De Farizeeër ging daar staan en bad bij zichzelf: O God, ik dank u dat ik niet ben zoals de andere mensen: hebzuchtig, oneerlijk en overspelig, of zoals die tollenaar daar! Ik vast tweemaal per week en sta het tiende deel af van al mijn inkomsten. Maar de tollenaar bleef achteraf staan en durfde zelfs zijn ogen niet naar de hemel op te slaan. Hij zei, terwijl hij zich op de borst sloeg: O God, ik ben een zondaar. Wees mij genadig!
En ik zeg u: deze man, en niet de Farizeeer, ging vrij van schuld naar huis. Want ieder die zichzelf verheft, zal vernederd worden, maar wie zichzelf vernedert, zal verheven worden.'

Lucas 18:1-14

Een (on)mogelijke toegang

De mensen brachten ook hun kleine kinderen bij hem; ze wilden dat hij ze zou aanraken. Toen de leerlingen dat zagen, zeiden ze de mensen dat ze dat moesten laten. Maar Jezus riep de kinderen bij zich: 'Laat ze bij me komen, hou ze niet tegen. Want het koninkrijk van God is voor wie zijn als zij. Ik zeg jullie: wie het koninkrijk van God niet aanvaardt zoals een kind dat doet, zal er zeker niet binnengaan.'
'Goede meester,' vroeg een voornaam man hem, 'wat moet ik doen om deel te krijgen aan het eeuwige leven?' 'Waarom noemt u mij goed?' antwoordde Jezus. 'Niemand is goed, alleen God. U kent de geboden: pleeg geen overspel, bega geen moord, steel niet, leg geen valse verklaringen af, heb eerbied voor je vader en je moeder.' 'Aan al die geboden heb ik me van jongs af gehouden,' zei de man. 'Dan is er nog één ding dat u ontbreekt,' hernam Jezus: 'verkoop alles wat u hebt, geef het geld aan de armen en u zult een schat hebben in de hemel. Kom dan terug en volg mij.' Toen de man dit hoorde, was hij geheel terneergeslagen. Want hij was erg rijk.
Toen Jezus dat zag, zei hij: 'Wat is het voor rijke mensen toch moeilijk het koninkrijk van God binnen te gaan! Het is voor een kameel gemakkelijker door het oog van een naald te kruipen dan voor een rijke om het koninkrijk van God binnen te gaan.'
De mensen die dit hoorden, vroegen: 'Wie kan dan nog gered worden?' Hij antwoordde: 'Wat bij mensen niet mogelijk is, is wel mogelijk bij God.'
Toen zei Petrus: 'Wij hebben alles wat we hadden, opgegeven om u te volgen!' Jezus zei: 'En ik zeg jullie: ieder die zijn huis, vrouw, broers, ouders of kinderen opgeeft om het koninkrijk van God,

krijgt het in deze wereld al vele malen vergoed, en in de wereld die komt ontvangt hij eeuwig leven.'
Hij nam de twaalf apart en zei: 'Zoals jullie weten zijn we op weg naar Jeruzalem, en daar zal alles in vervulling gaan wat de profeten over de Mensenzoon hebben geschreven. Hij zal worden uitgeleverd aan de heidenen en worden bespot, beledigd en bespuwd. Ze zullen hem geselen en doden, en op de derde dag zal hij opstaan.' De leerlingen begrepen er niets van; deze woorden bleven hun duister; ze wisten niet waar hij over sprak.

Lucas 18:15-34

Willen zien

Toen Jezus in de buurt van Jericho kwam, zat er een blinde langs de weg te bedelen. Toen hij hoorde dat er een menigte mensen voorbijging, vroeg hij wat er aan de hand was. 'Jezus van Nazaret gaat voorbij,' vertelden ze hem. Toen begon hij te roepen: 'Jezus, Zoon van David, heb medelijden met mij!' De mensen die voorop liepen, zeiden hem dat hij zijn mond moest houden. Maar hij riep nog harder: 'Zoon van David, heb medelijden met mij!' Jezus bleef staan en zei dat ze de blinde bij hem moesten brengen. Toen deze voor hem stond, vroeg hij: 'Wat kan ik voor u doen? Wat wilt u?' 'Weer zien, Heer!' zei de man. Jezus zei: 'Word ziende! Uw geloof heeft u gered!' Meteen kon hij weer zien. God lovend, volgde hij Jezus. De mensen zagen het en iedereen loofde God.
Jezus kwam in Jericho en trok door de stad. Er was daar een zekere Zacheüs. Hij was hoofd van de tollenaars en schatrijk. Hij wilde Jezus wel eens zien. Maar hij slaagde er niet in, want er was een massa mensen op de been en hij was maar klein van stuk. Om hem toch te zien rende hij vooruit en klom in een vijgenboom; want Jezus moest daar voorbijkomen. Toen Jezus op die plek aankwam, keek hij omhoog. 'Zacheüs,' zei hij, 'kom vlug naar beneden, want vandaag moet ik bij u te gast zijn.' Zacheüs klom er snel uit en ontving hem met vreugde in zijn huis. De mensen zagen het en spraken er schande van: 'Hij is te gast bij een zondaar.' Maar Zacheüs was gaan staan en zei tegen de Heer: 'Luister, Heer! De helft van mijn bezit zal ik weggeven aan de armen, en de mensen die ik heb afgeperst, zal ik viermaal zoveel teruggeven.' Jezus zei tegen hem: 'Dit huis is vandaag gered; ook deze man is een zoon van Abraham. De Mensenzoon is immers gekomen om te redden wat verloren was.'

Lucas 18:35-19:10

Een koning op een ezel

Toen Jezus dat gezegd had, ging hij weer verder, op weg naar Jeruzalem. Bij Betfage en Betanië, dorpen op de helling van de Olijfberg, stuurde hij twee van zijn leerlingen eropuit met de opdracht: 'Ga naar het dorp daar vóór je. Als je er binnenkomt, zul je een jonge ezel zien staan, vastgebonden. Nog nooit heeft iemand op dat dier gezeten. Maak hem los en breng hem hier. Mocht iemand jullie vragen waarom je hem losmaakt, antwoord dan: De Heer heeft hem nodig.' De twee gingen weg en zij vonden de ezel zoals Jezus gezegd had. Toen ze het dier losmaakten, vroegen de eigenaars: 'Waarom maken jullie die ezel los?' Zij antwoordden: 'De Heer heeft hem nodig.' En ze brachten de ezel naar Jezus toe, legden hun mantels over het dier en hielpen Jezus erop. En terwijl hij reed, spreidde iedereen zijn mantel voor hem op de weg uit. Toen hij al bij het punt was gekomen waar de weg naar beneden gaat, de Olijfberg af, begonnen al zijn volgelingen luid en vol blijdschap God te prijzen om al de wonderen die zij gezien hadden.
Zij riepen:
'Gezegend de koning,
hij die komt in naam van de Heer!
Vrede in de hemel;
aan God in de hoge de eer!'
Enkele Farizeeën die zich tussen de mensen bevonden, zeiden tegen hem: 'Meester, roep uw leerlingen tot de orde.' Maar hij antwoordde: 'Neem van mij aan: als zij zwijgen, zullen de stenen het uitroepen.'
Toen Jezus nog dichterbij was gekomen en de stad zag liggen, begon hij om haar te huilen. Hij zei: 'Ach Jeruzalem, begreep ook u vandaag maar wat vrede brengt, maar u bent er blind voor, zelfs nu! Weet dat er voor u dagen zullen komen dat uw vijanden u belegeren, insluiten, u van alle kanten bedreigen! Zij zullen u en allen die binnen uw muren zijn, vertrappen! Ze zullen van u geen steen op de andere laten! Omdat u het moment dat God naar u omzag, niet hebt herkend.'

Lucas 19:28-44

Aan tafel met brood en beker

De feesttijd naderde waarin de Joden ongegist brood eten en die Pasen wordt genoemd. De opperpriesters en de schriftgeleerden zochten nog steeds naar een mogelijkheid om Jezus te doden; want ze waren bang voor het volk.
Toen nam Satan bezit van Judas, die ook Iskariot wordt genoemd, en die behoorde tot de groep van twaalf. Hij ging naar de opper-

priesters en de tempelwacht en besprak met hen hoe hij Jezus aan hen wilde uitleveren. Zij waren er verheugd over en kwamen overeen hem ervoor te betalen. Hij stemde daarmee in en begon uit te zien naar een gunstige gelegenheid om hem aan hen uit te leveren, zonder dat er volk bij was.
De feesttijd van het Ongegiste Brood begon met de dag waarop het paaslam moest worden geslacht. Jezus stuurde Petrus en Johannes eropuit met de opdracht: 'Jullie moeten voor ons het paasmaal gaan klaarmaken.' 'Waar wilt u dat we het klaarmaken?' vroegen zij. 'Luister!' antwoordde hij. 'Ga de stad in; daar zul je een man tegenkomen die een kruik water draagt. Volg hem naar het huis waar hij binnengaat, en zeg tegen de heer des huizes: De meester vraagt: Waar is het vertrek waar ik met mijn leerlingen het paasmaal kan eten? En hij zal je boven een ruim, ingericht vertrek laten zien; daar kun je het klaarmaken.' Ze gingen weg en alles was zoals Jezus het hun gezegd had. En ze maakten het paasmaal klaar.
Toen de tijd voor de maaltijd gekomen was, ging hij met de apostelen aan tafel. Hij zei tegen hen: 'Wat heb ik ernaar verlangd dit paasmaal met jullie te eten vóór ik ga lijden! Want ik zeg jullie: ik zal het niet meer eten totdat het zijn vervulling heeft gekregen in het koninkrijk van God.' En hij nam een beker, dankte God en zei: 'Neem hem en geef hem aan elkaar door. Want ik zeg jullie: van nu af zal ik niet meer van de vrucht van de wijnstok drinken totdat het koninkrijk van God is gekomen.' En hij nam een brood, dankte God, brak het, gaf het hun en zei: 'Dit is mijn lichaam dat voor jullie wordt prijsgegeven. Doe dit om mij te gedenken.' Zo gaf hij hun na de maaltijd ook de beker, met de woorden: 'Deze beker is het nieuwe verbond, een verbond dat bekrachtigd wordt door mijn bloed, dat voor jullie wordt vergoten.
Maar weet dat de man die mij zal uitleveren, hier met mij aan tafel zit. Want de Mensenzoon gaat heen zoals het is bepaald, maar wee de mens door wie hij uitgeleverd wordt!' Toen begonnen ze zich onder elkaar af te vragen wie van hen het kon zijn die dat zou doen.
Onder de leerlingen ontstond ook onenigheid over de vraag wie van hen wel de belangrijkste was. Jezus zei tegen hen: 'Koningen zijn heersers over hun volk, en machthebbers noemt men weldoeners. Maar zo mag het bij jullie niet zijn. Nee, de oudste onder jullie moet zich gedragen als was hij de jongste en wie leiding geeft, moet zijn als iemand die dient. Wie is belangrijker: wie aan tafel zit of wie bedient? Wie aan tafel zit, is het niet? Maar ik ben in jullie midden als iemand die dient.
Jullie zijn het die steeds bij mij gebleven zijn in alle beproeving. En jullie geef ik het koninkrijk, zoals mijn Vader het mij heeft gegeven. In mijn koninkrijk zullen jullie bij mij aan tafel eten en

drinken, op tronen zullen jullie zitten om recht te spreken over de twaalf stammen van Israël.
Simon, Simon! Weet dat Satan heeft geeist jullie te ziften als koren in een zeef. Maar ik heb voor je gebeden dat je geloof je niet in de steek zou laten. En jij moet, als je eenmaal tot inkeer bent gekomen, je broeders moed inspreken.' Petrus zei tegen hem: 'Heer, met u ben ik bereid de gevangenis in te gaan of te sterven!' Maar hij zei: 'Ik zeg je, Petrus: vandaag nog, vóór de haan kraait, zul je drie keer zeggen dat je me niet kent.'
Ook vroeg Jezus zijn leerlingen: 'Toen ik jullie eropuit stuurde zonder geldbeurs, zonder tas en zonder schoenen, kwamen jullie toen iets tekort?' 'Niets,' antwoordden ze. 'Maar nu,' zei hij, 'moet wie een beurs heeft of een tas, die meenemen; en wie geen zwaard heeft, moet zijn jas verkopen om er een aan te schaffen. Want ik zeg jullie: de woorden uit de Schrift: Hij werd tot de misdadigers gerekend, moeten in mij hun vervulling krijgen. Wat over mij is beschikt, nadert zijn einde.' 'Heer, kijk, hier zijn twee zwaarden!' zeiden ze. 'Genoeg hierover,' antwoordde hij.

Lucas 22:1-38

De machten van dood en duisternis

Hij ging de stad uit naar de Olijfberg, zoals gewoonlijk. Zijn leerlingen volgden hem. Daar aangekomen, zei hij tegen hen: 'Bid dat je niet bezwijkt in de beproeving.' Hij liep van hen weg tot op een steenworp afstand, knielde neer en begon te bidden: 'Ik smeek u, Vader, neem deze beker van mij weg! Maar niet wat ik wil, maar wat u wilt, moet gebeuren.' En uit de hemel verscheen er een engel om hem kracht te geven. Hij raakte in doodsangst en hij begon nog vuriger te bidden. Zijn zweet viel als bloeddruppels op de grond. Na het gebed stond hij op, ging naar zijn leerlingen en vond hen in slaap, zo groot was hun verdriet. 'Jullie slapen?' zei hij. 'Word wakker en bid dat je niet bezwijkt in de beproeving.'
Hij was nog niet uitgesproken toen er een groep mannen aankwam; Judas, een van de twaalf, liep voor hen uit. Hij kwam op Jezus toe om hem te kussen. En Jezus zei tegen hem: 'Judas, lever je de Mensenzoon uit met een kus?' Toen zij die bij Jezus waren, begrepen wat er ging gebeuren, zeiden ze: 'Heer, zullen we er met het zwaard op in slaan?' En een van hen trof de dienaar van de hogepriester en sloeg hem het rechteroor af. 'Houd daarmee op!' zei Jezus. Hij raakte het oor van de man aan en genas hem. Daarop richtte Jezus zich tot de opperpriesters, de tempelwacht en de oudsten, die hem gevangen kwamen nemen, en zei tegen hen: 'Ben ik soms een misdadiger dat u met zwaarden en stokken eropuit bent getrokken? Dagelijks zat ik bij u in de tempel en

toen hebt u geen vinger naar mij uitgestoken. Maar dit is uw uur, het uur van de macht van de duisternis.'

Lucas 22:39-53

Tranen van berouw

Ze namen hem gevangen en voerden hem weg. Ze brachten hem naar het huis van de hogepriester. Petrus volgde op ruime afstand. Er werd midden op de binnenplaats een vuur aangelegd en men ging daar bij elkaar zitten. Petrus ging erbij zitten. Bij het schijnsel van het vuur zag een dienstmeisje hem zitten, ze keek hem scherp aan en zei: 'Die man was ook bij hem.' Maar Petrus ontkende het, hij zei: 'Ik ken hem niet.' Even later zag iemand anders hem. 'Jij bent ook een van hen,' zei hij. 'Welnee, man!' antwoordde Petrus. Ongeveer een uur later verklaarde een ander met nadruk: 'Het is waar, deze man was ook bij hem. En hij komt toch ook uit Galilea!' Maar Petrus zei: 'Ik weet niet waar je het over hebt.' Hij was nog niet uitgesproken of er kraaide een haan. En de Heer draaide zich om en keek Petrus aan. Toen herinnerde Petrus zich de woorden van de Heer, hoe hij tegen hem gezegd had: Vandaag nog, vóór de haan kraait, zul je drie keer beweren dat je mij niet kent. En hij ging naar buiten en huilde bitter.

Lucas 22:54-62

Vijanden van de vijand

De mannen die Jezus bewaakten, dreven de spot met hem en sloegen hem. Ze deden hem een blinddoek voor en vroegen: 'Zeg nu eens, profeet: wie heeft je geslagen?' En ze riepen nog veel meer grofheden.
Toen het dag was geworden, kwam de Raad van oudsten van het volk, zowel opperpriesters als schriftgeleerden, bijeen, en ze leidden hem voor de Raad. 'Als u de Christus bent, zeg het ons,' zeiden ze. 'Als ik het u zou zeggen, zou u het niet geloven,' antwoordde hij, 'en als ik iets zou vragen, zou u geen antwoord geven. Maar van nu af zal de Mensenzoon zitten aan de rechterzijde van de almachtige God.' Toen riepen allen: 'U bent dus de Zoon van God?' 'U zegt dat ik het ben,' antwoordde hij. Toen zeiden zij: 'Waarvoor hebben we nog getuigen nodig! We hebben het zelf uit zijn eigen mond gehoord!'
De hele vergadering stond op om hem voor Pilatus te brengen. Daar spraken ze de beschuldiging uit: 'Wij hebben vastgesteld dat deze man ons volk opruit: hij zegt dat ze geen belasting moeten betalen aan de keizer, en van zichzelf zegt hij dat hij

de Christus, de koning is.' 'Bent u de koning van de Joden?' vroeg Pilatus hem. 'U zegt het,' antwoordde hij. Pilatus zei tegen de opperpriesters en tegen de menigte: 'Ik vind niets waaraan deze man schuldig is.' Maar zij hielden vol: 'Hij brengt in heel het Joodse land het volk in opstand met wat hij leert! Eerst in Galilea, en nu hier.'
Toen Pilatus dit hoorde, vroeg hij: 'Komt hij uit Galilea?' En toen hij begreep dat Jezus uit het rechtsgebied van Herodes kwam, stuurde hij hem door naar Herodes. Die was op dat moment ook in Jeruzalem.
Herodes was zeer verheugd Jezus te zien. Hij had dat allang gewild, want hij had van hem gehoord. En nu hoopte hij Jezus een of ander teken te zien doen. Hij stelde hem allerlei vragen, maar Jezus gaf geen enkel antwoord. De opperpriesters en de schriftgeleerden beschuldigden hem heftig. Toen begonnen Herodes en zijn soldaten hem te vernederen en te bespotten. Herodes liet hem een staatsiemantel omdoen en stuurde hem zo terug naar Pilatus.
Op die dag werden Herodes en Pilatus vrienden; daarvóór waren ze altijd elkaars vijanden geweest.

Lucas 22:63-23:12

Een koning aan het kruis

Pilatus riep de opperpriesters, de leiders en het volk bij elkaar en zei: 'U hebt deze man bij mij gebracht onder beschuldiging van opruiing van het volk. Ik heb hem in uw bijzijn ondervraagd, maar ik heb geen enkele aanwijzing gevonden voor datgene waarvan u hem beschuldigt. Ook Herodes niet, want hij stuurde hem naar ons terug. Hij heeft niets gedaan waarop de doodstraf staat. Ik zal hem dus laten geselen en daarna vrijlaten.' Maar de hele menigte schreeuwde: 'Weg met hem! Laat Barabbas vrij!' Barabbas was in de gevangenis gezet vanwege een oproer in de stad, waarbij een dode was gevallen. Pilatus sprak hun opnieuw toe, want hij wilde Jezus vrijlaten. Maar zij riepen terug: 'Aan het kruis met hem, aan het kruis!' 'Wat heeft hij dan gedaan?' vroeg Pilatus hun voor de derde maal. 'Ik heb niets gevonden waarvoor hij de dood verdient. Ik zal hem dus laten geselen en dan vrijlaten.' Maar zij bleven schreeuwen om zijn kruisiging. Het geschreeuw was zo sterk dat Pilatus besliste dat aan hun verlangen moest worden voldaan. Hij liet, zoals zij wilden, de man vrij die gevangen was gezet vanwege een oproer waarbij een dode was gevallen. Maar Jezus leverde hij over aan hun willekeur.
Ze voerden hem weg. Onderweg hielden ze een zekere Simon uit Cyrene aan, die van het land kwam. Hem lieten ze de kruisbalk achter Jezus aan dragen.

Een hele menigte volgde hem; ook vrouwen die rouw om hem bedreven. Maar Jezus keerde zich naar hen om en zei: 'Vrouwen van Jeruzalem! Huil niet om mij, huil om uzelf en om uw kinderen. Want er komen dagen dat men roepen zal: Gelukkig de vrouwen die onvruchtbaar zijn, gelukkig zij die nooit een kind ter wereld hebben gebracht, zij die nooit een kind aan de borst hebben gehad! In die tijd zal men tegen de bergen zeggen: Val op ons neer, en tegen de heuvels: Bedek ons. Want als men dit al doet met het groene hout, wat zal er dan met het dorre hout gebeuren?'
Er werden ook nog twee misdadigers meegevoerd, die samen met hem terechtgesteld moesten worden. Toen zij waren aangekomen bij de plek die 'Schedel' genoemd wordt, sloegen ze hem aan het kruis, en ook de misdadigers, de ene rechts, de andere links van hem. En Jezus zei: 'Vader, vergeef het hun, want ze weten niet wat ze doen.' Zijn kleren verdeelden ze door erom te dobbelen.
Het volk stond toe te kijken. De leiders van het volk dreven de spot met hem. Ze zeiden: 'Anderen heeft hij gered; laat hij nu zichzelf redden, als hij de Christus is die door God is uitverkoren!' Ook de soldaten kwamen erbij om hem te bespotten. Ze boden hem water aan en zeiden: 'Als je de koning van de Joden bent, red dan jezelf.' Boven hem hing een opschrift: 'Dit is de koning van de Joden.'
Een van de misdadigers die aan het kruis hingen, begon hem te beledigen: 'Ben jij niet de Christus? Red dan jezelf en ons!' Maar de ander wees hem terecht: 'Zelfs jij vreest God niet, terwijl jou hetzelfde vonnis treft? En wij worden terecht gestraft, het is het loon voor onze daden, maar deze man heeft niets kwaads gedaan.' En tegen Jezus zei hij: 'Jezus, denk aan mij, wanneer u in uw koninkrijk komt.' En Jezus zei tegen hem: 'Ik zeg u: vandaag nog zult u bij mij zijn in het paradijs.'
Al tegen twaalf uur in de middag werd het donker over het hele land; de zon was verduisterd tot drie uur toe. Toen scheurde het tempelgordijn middendoor en Jezus riep uit: 'Vader, in uw handen leg ik mijn geest.' Toen hij dat gezegd had, stierf hij.
De officier die had gezien wat er gebeurd was, eerde God en zei: 'Ja, dit was een rechtvaardig mens.' De menigte die was samengestroomd om naar het schouwspel te kijken, keerde naar huis terug, toen ze hadden gezien wat er gebeurd was; en ze sloegen zich op de borst ten teken van rouw. Allen die hem gekend hadden, bleven op een afstand staan kijken, ook de vrouwen die van Galilea af met hem meegetrokken waren.
Een zekere Jozef, afkomstig uit de Joodse stad Arimatea en lid van de Hoge Raad, had niet ingestemd met de beslissing en de handelwijze van de anderen. Hij was een goed en rechtvaardig man, die gespannen uitzag naar het koninkrijk van God. Hij ging naar Pilatus en vroeg hem om het lichaam van Jezus. Hij haalde het

van het kruis af, wikkelde het in linnen en legde het in een graf dat in de rotsen was uitgehouwen en waarin nog niemand was neergelegd. Het was de dag waarop men zich voorbereidde op de sabbat, die al bijna begon.
De vrouwen die met Jezus waren meegetrokken vanaf Galilea, waren Jozef gevolgd. Ze zagen het graf en zagen ook hoe het lichaam werd neergelegd. Toen keerden ze naar huis terug en maakten kruiden en balsems klaar. Op sabbat namen ze de voorgeschreven rust in acht.

Lucas 23:13-56

Hij die leeft bij de doden

Op de eerste dag van de week gingen de vrouwen al heel vroeg naar het graf, met de kruiden die ze hadden klaargemaakt. Ze vonden de steen weggerold van het graf en gingen naar binnen, maar zagen het lichaam van de Heer Jezus niet. Ze wisten niet wat ze ervan denken moesten. Plotseling stonden er twee mannen bij hen in stralende gewaden. Hevig geschrokken bogen ze hun hoofd. 'Waarom zoekt u hem die leeft bij de doden?' vroegen de twee mannen. 'Hier is hij niet; hij is door God opgewekt. Denk aan wat hij heeft gezegd toen hij nog in Galilea was: De Mensenzoon zal uitgeleverd worden aan zondige mensen, gekruisigd worden en op de derde dag opstaan.' Toen herinnerden ze zich zijn woorden en toen ze teruggekeerd waren, vertelden ze dit allemaal aan de elf leerlingen en aan alle anderen. De vrouwen waren Maria van Magdala, Johanna en Maria, de moeder van Jakobus. Ook de andere vrouwen die bij hen waren, zeiden dat tegen de apostelen. Het leek de apostelen onzin wat de vrouwen zeiden, en ze geloofden hen niet. Maar Petrus stond op en liep snel naar het graf, en toen hij naar binnen keek, zag hij alleen de doeken liggen. Hij ging naar huis terug, verbaasd over wat er gebeurd was.

Lucas 24:1-12

De boeken open, de ogen open

Diezelfde dag gingen twee leerlingen op weg naar een dorp ongeveer twaalf kilometer van Jeruzalem. Het heette Emmaüs. Ze spraken met elkaar over alles wat er gebeurd was. Terwijl ze daar zo over aan het praten waren, kwam Jezus zelf bij hen en liep met hen mee. Maar ze herkenden hem niet, verblind als ze waren. 'Waarover lopen jullie te praten?' vroeg hij hun. Somber bleven ze staan. Een van hen, Kleopas, antwoordde: 'U woont

in Jeruzalem, en zou als enige niet weten wat daar de afgelopen dagen gebeurd is?' 'Wat dan?' vroeg hij. 'Wat er gebeurd is met Jezus van Nazaret,' zeiden zij. 'Die man was een profeet. Voor het oog van God en van het hele volk zei en deed hij dingen die van grote macht getuigden. Onze opperpriesters en leiders hebben hem uitgeleverd om hem ter dood te laten veroordelen en hebben hem aan het kruis laten slaan. En wij hoopten dat hij het was die Israël zou bevrijden! Maar inmiddels is het alweer de derde dag sinds dat gebeurd is. Wel hebben enkele vrouwen van onze groep ons in verwarring gebracht. Ze zijn vanmorgen vroeg naar het graf gegaan en hebben zijn lichaam niet gevonden. Ook zeiden ze dat er engelen aan hen waren verschenen die vertelden dat hij leeft. Een paar van ons zijn toen naar het graf gegaan; en het was zoals de vrouwen gezegd hadden. Maar hem hebben ze niet gezien.' Toen zei hij tegen hen: 'Wat zijn jullie toch dom, wat aarzelen jullie toch om te geloven wat de profeten allemaal gezegd hebben! Moest de Christus dat alles niet lijden om zijn glorie binnen te gaan?' En hij legde hun uit wat er over hem in de hele Schrift staat, te beginnen bij Mozes en al de profeten.
Intussen naderden ze het dorp waar ze heen wilden. Hij deed alsof hij verder wilde gaan, maar zij hielden hem tegen en zeiden: 'Blijf bij ons; de dag is bijna om en het wordt al donker.' Hij ging mee en bleef bij hen. Toen hij met hen aan tafel was, nam hij het brood, sprak het zegengebed uit, brak het brood in stukken en gaf het hun. Toen gingen hun ogen open en ze herkenden hem; en toen zagen ze hem niet meer. En ze zeiden tegen elkaar: 'Brandde ons hart niet in ons toen hij onderweg met ons praatte en de Schrift voor ons opende?' Ze stonden onmiddellijk van tafel op en keerden naar Jeruzalem terug. Daar vonden ze de elf en de anderen van hun groep bijeen. Die zeiden tegen hen: 'De Heer is werkelijk door God opgewekt en is aan Simon verschenen!' Toen vertelden zij wat hun onderweg was overkomen en hoe ze hem hadden herkend toen hij het brood brak.

Lucas 24:13-35

Johannes

Een andere wijn

Twee dagen later was er een bruiloft in Kana, een stad in Galilea. De moeder van Jezus was er, en ook Jezus zelf en zijn leerlingen waren op de bruiloft uitgenodigd. Toen de wijn bijna op was, zei zijn moeder tegen hem: 'Ze hebben geen wijn meer.' 'Is dat uw zaak of mijn zaak?' antwoordde hij haar. 'Mijn tijd is nog niet gekomen.' Zijn moeder zei tegen de bedienden: 'Doe maar wat hij je zegt.' Nu stonden daar zes stenen watervaten met het oog op het joodse reinigingsritueel, elk met een inhoud van tachtig tot honderdtwintig liter. 'Vul die vaten met water,' beval Jezus de bedienden. Zij vulden ze tot de rand. Toen zei hij: 'Schep er wat uit en breng dat naar de ceremoniemeester.' Dat deden ze, en hij proefde van het water dat wijn was geworden. De bedienden die het water uit de vaten geschept hadden, wisten waar die wijn vandaan kwam, maar de ceremoniemeester wist dat niet. Hij liet de bruidegom roepen en zei tegen hem: 'Iedereen schenkt eerst de beste wijn, en wanneer de gasten dronken zijn, de minder goede. Maar u hebt de beste wijn voor het laatst bewaard!'
Dit, in Kana in Galilea, was het begin van de wondertekenen, waarmee Jezus zijn glorie openbaarde, en zijn leerlingen geloofden in hem.
Daarna ging hij met zijn moeder, zijn broers en zijn leerlingen naar Kafarnaüm, waar ze enkele dagen bleven.

Johannes 2:1-12

Een andere tempel

Het joodse paasfeest naderde, en Jezus ging naar Jeruzalem. In de tempel trof hij de handelaars in runderen, schapen en duiven, en de geldwisselaars die daar zaten. Hij maakte van touwen een zweep en joeg hen allemaal de tempel uit met hun schapen en runderen. Het geld van de wisselaars gooide hij op de grond en hun tafeltjes wierp hij omver en tegen de duivenhandelaars zei hij: 'Weg hiermee! Maak van het huis van mijn Vader geen markt!' Zijn leerlingen herinnerden zich dat er in de Schrift staat: 'De ijver voor uw huis zal mij verteren.'
De Joden vroegen hem: 'Wat voor teken kunt u ons laten zien als bewijs dat u dit mag doen?' 'Breek deze tempel af en in drie dagen laat ik hem herrijzen,' antwoordde Jezus. 'Zesenveertig

jaar is aan deze tempel gebouwd,' zeiden de Joden, 'en u zult hem in drie dagen laten herrijzen?' Maar de tempel waarover hij sprak, was zijn lichaam. Na zijn opstanding uit de dood herinnerden zijn leerlingen zich dat hij dat gezegd had, en zij geloofden de Schrift en de woorden die Jezus had gesproken.

Johannes 2:13-22

Een andere geboorte

Tijdens het paasfeest was hij in Jeruzalem, en bij het zien van de wondertekenen die hij deed, gaven velen hem hun vertrouwen en kwamen tot geloof in hem. Maar Jezus gaf hun zijn vertrouwen niet, want hij kende hen allen. Niemand hoefde hem iets over de mens te vertellen, want hij wist wat er in een mens omgaat.
Zo was er iemand, een Farizeeër, die Nikodemus heette en lid was van de Hoge Raad. Hij ging op een nacht naar Jezus toe. 'Rabbi, wij weten dat u in opdracht van God de mensen onderricht. Want niemand kan die wondertekenen doen die u doet, als God niet met hem is.' 'Ik verzeker u,' zei Jezus, 'niemand kan het koninkrijk van God zien, als hij niet opnieuw geboren wordt.' Nikodemus vroeg: 'Hoe kan iemand die al oud is, opnieuw geboren worden? Hij kan toch niet terugkeren in de schoot van zijn moeder en dan weer geboren worden?' 'Ik verzeker u,' antwoordde Jezus, 'niemand kan het koninkrijk van God binnenkomen, als hij niet geboren wordt uit water en Geest. Wat uit de mens geboren wordt, is menselijk; wat uit de Geest geboren wordt, is geestelijk. Wees dus niet verbaasd dat ik tegen u zei: U moet opnieuw geboren worden. Net als de wind, waait de Geest waarheen hij wil. Je hoort hem wel, maar je weet niet waar hij vandaan komt of waar hij heen gaat. Zo is het ook met iedereen die geboren is uit de Geest.' 'Maar hoe kan dat?' vroeg Nikodemus. Jezus zei: 'Begrijpt u dat niet, u, een van de grootste geleerden in Israël? Ik verzeker u: wij weten waarover we spreken, en wij getuigen van wat we met eigen ogen hebben gezien; toch neemt niemand van u onze verklaring aan. Jullie geloven me niet eens als ik het heb over aardse zaken; hoe zullen jullie me dan geloven als ik het heb over goddelijke zaken? Er is nog nooit iemand naar de hemel opgestegen, alleen hij die van de hemel is neergedaald: de Mensenzoon.'
Zoals Mozes in de woestijn de bronzen slang omhooggeheven heeft, zo moet ook de Mensenzoon omhooggeheven worden; dan zal iedereen die gelooft, eeuwig leven hebben in hem. Want God had de wereld zo lief dat hij zijn enige Zoon gegeven heeft, opdat iedereen die in hem gelooft, niet verloren gaat maar eeuwig leven heeft. Want God heeft zijn Zoon niet naar de we-

reld gezonden om de wereld te oordelen maar om de wereld door hem te redden.
Wie in hem gelooft, wordt niet veroordeeld; wie niet gelooft, is al veroordeeld, omdat hij niet geloofd heeft in Gods enige Zoon. Hier valt de beslissing: het licht is in de wereld gekomen, maar de mensen hadden de duisternis meer lief dan het licht, want hun daden waren slecht. Iemand die het kwade doet, haat het licht en gaat het licht uit de weg; hij is bang dat zijn daden ontdekt worden. Een oprecht mens zoekt het licht op; dan blijkt dat hij gehandeld heeft in verbondenheid met God.

Johannes 2:23-3:21

Blind geboren

In het voorbijgaan zag hij een man die van zijn geboorte af blind was. 'Rabbi,' vroegen zijn leerlingen hem, 'waarom is die man blind geboren? Om zijn eigen zonden of om de zonden van zijn ouders?' Jezus antwoordde: 'Zijn blindheid heeft niets te maken met zijn zonden of die van zijn ouders. Hij is blind omdat men aan hem Gods daden moet kunnen zien. Zolang het dag is, moeten we de daden verrichten van hem die mij gezonden heeft; straks komt de nacht en dan kan niemand werken. Zolang ik in de wereld ben, ben ik het licht voor de wereld.'
Toen hij dat gezegd had, spuugde hij op de grond, maakte met het speeksel modder en deed dat op de ogen van de man. 'Ga u wassen in de vijver van Siloam,' zei hij. Siloam betekent 'Gezondene'. De man ging ernaartoe en waste zich, en toen hij terugkwam, kon hij zien. Zijn buren en de mensen die hem vroeger als bedelaar hadden gekend, vroegen: 'Is dat niet de man die altijd zat te bedelen?' 'Ja, hij is het,' zeiden sommigen. Maar anderen zeiden: 'Nee, hij is het niet, hij lijkt alleen maar op hem.' De man zelf zei echter: 'Ik ben het wel.' Ze vroegen: 'Hoe komt het dan dat je kunt zien?' Hij zei: 'Iemand die Jezus heet, maakte wat modder, deed het op mijn ogen en zei tegen me: Ga naar Siloam om u te wassen. Ik ging erheen, en toen ik me gewassen had, kon ik zien.' Ze vroegen: 'Waar is die man?' 'Dat weet ik niet,' antwoordde hij.
Toen brachten ze de man die blind was geweest naar de Farizeeën. Want het was sabbat toen Jezus modder had gemaakt en de man van zijn blindheid had genezen. Ook de Farizeeën vroegen hem hoe het kwam dat hij nu kon zien. 'Hij deed wat modder op mijn ogen, ik ben me gaan wassen en nu kan ik zien,' vertelde hij hun. Een paar Farizeeën zeiden: 'De man die dat deed, kan niet van God komen, want hij houdt zich niet aan de sabbat.' Maar anderen zeiden: 'Hoe zou een zondig mens zulke wondertekenen kunnen doen?' Ze waren het onderling niet eens.

'Wat vindt u van hem?' vroegen de Farizeeën de man opnieuw. 'Uw ogen heeft hij genezen.' 'Hij is een profeet,' antwoordde de man.
De Joden wilden niet geloven dat hij blind was geweest en nu pas kon zien, voordat ze zijn ouders hadden laten roepen en gevraagd hadden: 'Is dit uw zoon, en beweert u dat hij blind geboren is? Hoe kan hij dan nu zien?' Zijn ouders antwoordden: 'We weten dat dit onze zoon is, en dat hij blind is geboren. Maar hoe het komt dat hij nu kan zien of wie hem van zijn blindheid heeft genezen, dat weten we niet. Maar vraag het hemzelf, hij is oud genoeg om zelf te kunnen antwoorden!' Dat zeiden zijn ouders omdat ze bang waren voor de Joodse leiders; want die waren al overeengekomen ieder die erkende dat Jezus de Christus was, uit de synagoge te bannen. Daarom zeiden zijn ouders: 'Hij is oud genoeg; vraag het hemzelf.'
Toen lieten ze de man die blind was geweest, voor de tweede maal bij zich roepen. Ze zeiden: 'Zweer dat u de waarheid spreekt! Wij weten dat die man een zondaar is.' 'Of hij een zondaar is, weet ik niet,' antwoordde de man. 'Maar één ding weet ik wel: ik was blind en nu zie ik.' Toen zeiden ze: 'Wat heeft hij dan met u gedaan? Hoe heeft hij uw ogen genezen?' Hij zei: 'Dat heb ik u al verteld, maar u hebt niet geluisterd. Waarom wilt u het nog eens horen? Wilt u misschien ook leerlingen van hem worden?' Toen scholden ze hem uit. En ze zeiden: 'Jij bent een leerling van hem, maar wij zijn leerlingen van Mozes. Wij weten dat God tegen Mozes heeft gesproken; maar hij – we weten niet eens waar hij vandaan komt!' De man zei: 'Dat is vreemd, dat u niet weet waar hij vandaan komt! Hij heeft mijn ogen genezen. En we weten dat God zondaars niet verhoort, maar wel wie vroom is en zijn wil doet. Het is in der eeuwigheid niet gehoord dat iemand de ogen van een blindgeborene genas. Als die man niet van God kwam, had hij niets kunnen doen.' Toen zeiden ze tegen hem: 'Jij bent een en al zonde van je geboorte af, en jij wilt ons de les lezen?' En ze gooiden hem de synagoge uit.
Jezus hoorde dat ze hem de synagoge hadden uitgezet. Toen hij hem gevonden had, vroeg hij hem: 'Gelooft u in de Mensenzoon?' Hij antwoordde: 'Zeg me wie het is, meneer, zodat ik in hem kan geloven.' Jezus zei: 'U hebt hem al gezien; het is degene die met u spreekt.' 'Ik geloof, Heer,' zei de man en knielde voor hem neer.
Jezus zei: 'Ik ben naar deze wereld gekomen om een oordeel te vellen; de blinden zullen zien en de zienden zullen blind worden.' Enkele Farizeeën die bij hem waren, hoorden dit. 'Zijn wij soms ook blind?' vroegen zij. Jezus zei: 'Als u blind was, was u niet schuldig; maar nu u zegt: Wij kunnen zien, blijft u schuldig.'

Johannes 9:1-41

De herder en de schapen

'Ik verzeker u: wie niet door de deur de schaapskooi binnengaat maar op een andere plaats naar binnen klimt, is een dief en een rover. Maar wie door de deur naar binnen gaat, is de herder van de schapen. De man die bij de ingang de wacht houdt, doet de deur voor hem open: de schapen luisteren naar de stem van de herder, hij roept de schapen die van hem zijn bij hun naam en leidt ze naar buiten. En als hij ze allemaal naar buiten heeft gebracht, loopt hij voor ze uit en zij volgen hem, want zij kennen zijn stem. Een vreemde zullen ze niet volgen, voor hem lopen ze weg, want de stem van vreemden kennen ze niet.'
Ik ben de goede herder. De goede herder geeft zijn leven voor zijn schapen. Een gehuurde knecht is geen echte herder, de schapen zijn niet van hemzelf. Wanneer hij een wolf ziet komen, laat hij ze in de steek en rent weg; en de wolf rooft de schapen en jaagt ze uiteen. De knecht rent weg omdat hij is gehuurd en omdat hij geen hart heeft voor de schapen. Ik ben de goede herder. Ik ken mijn schapen en mijn schapen kennen mij, zoals de Vader mij kent en ik de Vader ken. Ik geef mijn leven voor de schapen. Ik heb ook nog andere schapen die in een andere schaapskooi thuishoren. Ook die moet ik hoeden; zij zullen luisteren naar mijn stem, en dan zal er één kudde zijn en één herder. De Vader heeft mij lief, omdat ik mijn leven geef – om het weer terug te nemen. Niemand neemt het mij af. Ik geef mijn leven uit eigen vrije wil. Ik heb de macht om het te geven en ik heb de macht om het terug te nemen. Dat is de opdracht die ik van mijn Vader ontvangen heb.'

Johannes 10:1-5, 11-18

Nooit meer sterven

Er was iemand ziek, Lazarus uit Betanië, het dorp van Maria en haar zuster Marta. Maria was de vrouw die de voeten van de Heer had gebalsemd en ze met haar haren had afgedroogd; de zieke Lazarus was haar broer. De zusters stuurden iemand naar Jezus toe met de boodschap: 'Heer, uw vriend is ziek.' Toen Jezus het hoorde, zei hij: 'Deze ziekte loopt niet uit op de dood, maar op de eer van God en Gods Zoon.' Jezus had Marta, haar zuster en Lazarus lief. Maar toen hij van Lazarus' ziekte gehoord had, bleef hij toch nog twee dagen in de plaats waar hij was. Toen zei hij tegen zijn leerlingen: 'Laten we weer naar Judea gaan.' 'Rabbi,' merkten zijn leerlingen op, 'het is nog maar kortgeleden dat de Joden u wilden stenigen, en nu wilt u naar Judea teruggaan?' 'Is het overdag geen twaalf uur licht?' antwoordde Jezus. 'Wie in het daglicht loopt, struikelt niet, omdat hij het licht van deze wereld

ziet. Maar wie in het donker van de nacht loopt, struikelt, omdat hij geen licht heeft.' En hij vervolgde: 'Onze vriend Lazarus is ingeslapen, maar ik ga hem wakker maken.' 'Heer, als hij slaapt, zal hij beter worden,' zeiden zijn leerlingen tegen hem. Maar Jezus bedoelde dat hij was gestorven; zij dachten echter dat hij het over de rust van de slaap had. Toen zei Jezus ronduit: 'Lazarus is dood. Om jullie ben ik blij dat ik er niet bij geweest ben, zo kunnen jullie geloven. Laten we nu naar hem toe gaan.' 'Laten wij ook gaan,' zei Tomas (dat betekent Tweeling) tegen de andere leerlingen, 'dan zullen we samen met hem sterven!'
Toen Jezus daar aankwam, hoorde hij dat Lazarus al vier dagen daarvoor was begraven. Betanië ligt dicht bij Jeruzalem, op een afstand van nog geen drie kilometer, en veel Joden waren bij Marta en Maria gekomen om hen te troosten bij het overlijden van hun broer. Toen Marta hoorde dat Jezus eraan kwam, ging ze hem tegemoet; Maria bleef thuis. 'Heer, als u hier was geweest, zou mijn broer niet gestorven zijn!' zei Marta tegen Jezus. 'Maar ook nu weet ik dat God u alles zal geven waar u hem om vraagt.' Jezus antwoordde haar: 'Je broer zal opstaan uit de dood.' 'Ik weet,' zei Marta, 'dat hij zal opstaan bij de opstanding op de laatste dag.' Jezus zei: 'Ik ben de opstanding en het leven. Wie in mij gelooft zal leven, ook al sterft hij; en ieder die leeft en in mij gelooft zal nooit meer sterven. Geloof je dat?' Zij zei: 'Ja, Heer! Ik geloof dat u de Christus bent, de Zoon van God, hij die in de wereld zou komen.' Toen ze dat gezegd had, ging ze haar zuster Maria roepen. Ze zei fluisterend: 'De meester is er; hij vraagt naar je.' Toen Maria dat hoorde, stond ze vlug op en ging naar hem toe. Jezus was het dorp nog niet ingegaan, maar stond nog op de plaats waar Marta hem tegemoet was gekomen. De Joden die bij Maria in huis waren om haar te troosten, zagen haar plotseling opstaan en het huis uitlopen. Ze gingen haar achterna omdat ze dachten dat ze naar het graf ging om er te huilen.
Maria kwam op de plek waar Jezus was. Toen ze hem zag, viel ze voor hem op de knieën: 'Heer, als u hier was geweest, zou mijn broer niet gestorven zijn!' Toen Jezus haar zag huilen, en ook de Joden die met haar waren meegekomen, vroeg hij boos en geergerd: 'Waar hebben jullie hem neergelegd?' 'Kom maar kijken, Heer,' antwoordden ze. Jezus begon te huilen. 'Kijk eens hoeveel hij van hem hield!' zeiden de Joden. Maar sommigen van hen merkten op: 'Hij heeft toch de ogen van de blinde genezen? Had hij dan ook niet de dood van Lazarus kunnen voorkomen?' Opnieuw ergerde Jezus zich en hij ging naar het graf, een spelonk in de rotsen, met een steen voor de ingang. 'Haal die steen weg!' zei Jezus. 'Heer, er hangt al een lijklucht,' zei Marta, de zuster van de dode, tegen hem. 'Het is al de vierde dag!' Jezus zei tegen haar: 'Heb ik je niet gezegd dat je de glorie van God zult zien als je gelooft?' Toen haalden ze de steen weg. Jezus sloeg zijn ogen op en zei: 'Vader, ik dank u dat u mij hebt verhoord. Ik

weet dat u mij altijd verhoort, maar ik zeg dit voor de mensen om mij heen: dan zullen zij geloven dat u mij gezonden hebt.' Na deze woorden riep hij luid: 'Lazarus, kom naar buiten!' De dode kwam naar buiten: zijn handen en voeten gewikkeld in linnen banden en om zijn hoofd een zweetdoek. 'Maak hem los en laat hem gaan,' zei Jezus.

Johannes 11:1-44

De wijnstok en de ranken

'Ik ben de ware wijnstok en mijn Vader is de wijnbouwer. Elke rank aan mij die geen vrucht draagt, snijdt hij af; de vruchtdragende ranken snoeit hij bij om ze nog meer vrucht te doen dragen. Jullie zijn al bijgesnoeid door de woorden die ik tot jullie gesproken heb. Blijf in mij, dan blijf ik in jullie. Een rank kan alleen maar vrucht dragen als hij aan de wijnstok zit – niet uit zichzelf. Zo kunnen ook jullie alleen maar vrucht dragen als je in mij blijft.
Ik ben de wijnstok, jullie zijn de ranken. Als iemand in mij blijft en ik in hem, draagt hij veel vrucht; los van mij zijn jullie tot niets in staat. Wie niet in mij blijft, wordt weggegooid als een rank en verdort. Zulke ranken worden bij elkaar geharkt en in het vuur gegooid en verbrand. Als jullie in mij blijven en mijn woorden in jullie blijven, kun je alles vragen wat je wilt, en je zult het krijgen. Het is de glorie van mijn Vader als je veel vrucht draagt en je zo mijn leerlingen toont. Ik heb jullie lief zoals de Vader mij liefheeft. Zorg dat jullie in mijn liefde blijven. Als jullie je aan mijn geboden houden, blijven jullie in mijn liefde, zoals ik mij aan de geboden van mijn Vader houd en blijf in zijn liefde.
Met wat ik jullie gezegd heb, wil ik mijn blijdschap op jullie overbrengen; dan zal jullie blijdschap volmaakt zijn. Mijn opdracht aan jullie is: heb elkaar lief zoals ik jullie heb liefgehad. Je liefde voor je vrienden kan niet groter zijn dan wanneer je je leven voor hen geeft. En jullie zijn mijn vrienden, als je doet wat ik je opdraag. Ik noem jullie niet langer knechten, want een knecht weet niet wat zijn heer doet. Nee, ik noem jullie vrienden, omdat ik jullie alles heb bekendgemaakt wat ik van mijn Vader gehoord heb. Jullie hebben mij niet uitgekozen, maar ik heb jullie uitgekozen. En ik heb jullie eropuit gestuurd om vrucht te dragen en om jullie vrucht blijvend te laten zijn. En de Vader zal jullie alles geven wat je hem met een beroep op mij vraagt. Dit is mijn opdracht aan jullie: heb elkaar lief.'

Johannes 15:1-17

Zien en geloven?

Op de eerste dag van de week ging Maria van Magdala vroeg in de morgen – het was nog donker – naar het graf en ze zag dat de steen voor de ingang was weggehaald. Vlug liep ze naar Simon Petrus en naar de andere leerling, van wie Jezus bijzonder veel hield. 'Ze hebben de Heer uit het graf weggehaald,' zei ze tegen hen, 'en we weten niet waar ze hem hebben neergelegd.' Petrus en de andere leerling gingen op weg naar het graf. Allebei liepen ze hard, maar de andere leerling was sneller dan Petrus. Hij kwam het eerst bij de grafkamer, en toen hij zich voorover boog, zag hij de linnen doeken liggen. Hij ging echter niet naar binnen. Simon Petrus kwam achter hem aan en ging het graf wel binnen. Hij zag de linnen doeken liggen en ook de doek die over Jezus' hoofd had gelegen. Die lag niet bij de andere, maar apart opgerold. Toen ging ook de andere leerling naar binnen, die het eerst bij het graf was aangekomen; hij zag en geloofde. Want zij hadden de Schrift nog niet begrepen, die zegt dat hij uit de dood moest opstaan. Toen gingen de leerlingen naar huis terug.
Maria was buiten bij het graf blijven staan en huilde. Huilend boog ze zich voorover naar het graf en ze zag twee engelen in het wit gekleed; ze zaten op de plaats waar het lichaam van Jezus had gelegen, de ene aan het hoofdeinde, de andere aan het voeteneinde. 'Waarom huilt u?' vroegen ze haar. 'Ze hebben mijn Heer weggehaald,' antwoordde ze, 'en ik weet niet waar ze hem hebben neergelegd.' Toen ze dat gezegd had, keerde ze zich om en zag Jezus staan, maar ze wist niet dat het Jezus was. 'Waarom huilt u?' vroeg Jezus haar. 'Wie zoekt u?' Zij dacht dat het de tuinman was en zei: 'Meneer, als u hem hebt weggehaald, vertel me dan waar u hem hebt neergelegd, dan haal ik hem daar weg.' 'Maria!' zei Jezus tegen haar. Zij draaide zich om en zei in het Aramees: 'Rabboeni!' Dat betekent: 'Meester!' 'Houd me niet vast,' zei Jezus. 'Ik ben nog niet naar de Vader opgestegen. Ga naar mijn broeders, en vertel hun: Ik stijg op naar mijn Vader die ook jullie Vader is, naar mijn God die ook jullie God is.' Maria van Magdala ging de leerlingen vertellen dat ze de Heer had gezien en wat hij tegen haar gezegd had.
Op de avond van die eerste dag van de week waren de leerlingen bij elkaar. Ze hadden de deuren op slot, omdat ze bang waren voor de Joden. Toen kwam Jezus bij hen; hij stond in hun midden en zei: 'Vrede!' Na die begroeting liet hij hun zijn handen zien en zijn zij. Blijdschap vervulde de leerlingen, toen ze de Heer zagen. 'Vrede,' zei Jezus opnieuw. 'Zoals de Vader mij gezonden heeft, zo zend ik jullie.' Na deze woorden blies hij over hen en zei: 'Ontvang de heilige Geest. Als jullie iemand zijn zonden vergeven, zijn ze vergeven; als jullie ze niet vergeven, zijn ze niet vergeven.'

Een van de twaalf, Tomas – dat betekent Tweeling –, was er niet bij toen Jezus bij hen kwam. 'We hebben de Heer gezien,' zeiden de andere leerlingen tegen hem. Maar hij antwoordde: 'Alleen als ik in zijn handen de littekens van de spijkers zie en mijn vinger erin kan steken en als ik mijn hand in zijn zij kan steken, zal ik het geloven.'
Een week later waren zijn leerlingen weer bijeen en nu was Tomas bij hen. Toen kwam Jezus bij hen, hoewel de deur op slot was. Hij stond in hun midden en zei: 'Vrede.' Toen richtte hij zich tot Tomas: 'Leg je vinger hier,' zei hij, 'en kijk naar mijn handen; kom met je hand en steek die in mijn zij. Wees niet langer ongelovig, maar geloof!' Tomas zei: 'Mijn Heer en mijn God!' Jezus antwoordde hem: 'Geloof je omdat je me gezien hebt? Hoe gelukkig zijn zij die geloven zonder te zien!'
Jezus heeft in het bijzijn van zijn leerlingen nog veel andere wondertekenen gedaan die niet in dit boek staan. Maar déze zijn opgeschreven met de bedoeling dat u gelooft dat Jezus de Christus is, de Zoon van God, en dat u door te geloven leven hebt in hem.

Johannes 20:1-31

Handelingen

Weggenomen naar de hemel

In mijn eerste boek, Teofilus, heb ik geschreven over alles wat Jezus gedaan en geleerd heeft, vanaf de tijd dat hij zijn werk begon tot de dag waarop hij werd opgenomen in de hemel. Eerst heeft hij door de heilige Geest nog aanwijzingen gegeven aan de apostelen die hij had uitgekozen.
Aan hen ook heeft hij zich na zijn dood vele malen laten zien, veertig dagen lang. Hij bewees hun overtuigend dat hij leefde en hij sprak met hen over het koninkrijk van God.
Toen hij zo bij hen was, beval hij hun Jeruzalem niet te verlaten. 'Jullie moeten wachten,' zei hij, 'op wat de Vader heeft beloofd, waarover ik jullie gesproken heb. Want Johannes heeft gedoopt met water, maar jullie zullen over een paar dagen worden gedoopt met heilige Geest.' Zij die daar bij hem waren, vroegen hem: 'Heer, gaat u nu het koningschap voor Israël herstellen?' 'Het komt jullie niet toe,' antwoordde hij, 'tijd en uur te kennen die de Vader in zijn macht heeft vastgesteld. Maar wanneer de heilige Geest over jullie komt, zul je kracht krijgen, en jullie zullen getuigenis van mij afleggen in Jeruzalem, in heel Judea en Samaria, ja, tot in de verste delen van de wereld.' Na deze woorden werd hij voor hun ogen omhooggeheven; een wolk onttrok hem aan het gezicht.
Toen hij zo heenging en zij naar de hemel staarden, stonden er plotseling twee mannen in witte kleren bij hen. Dezen zeiden: 'Mannen van Galilea, wat staan jullie naar de hemel te kijken? Jezus is van jullie weggenomen en naar de hemel gegaan, maar zoals jullie hem naar de hemel hebben zien opstijgen, zo zal hij terugkomen.'
Toen daalden ze de berg af en gingen terug naar Jeruzalem. Die berg heet de Olijfberg en ligt vlak bij Jeruzalem, op nog geen kilometer afstand. In de stad aangekomen, gingen ze naar het bovenvertrek, waar zij tijdelijk woonden: Petrus, Johannes, Jakobus en Andreas, Filippus en Tomas, Bartolomeüs en Matteüs, Jakobus, de zoon van Alfeüs, Simon de Strijdbare, en Judas, de zoon van Jakobus. Zij allen bleven voortdurend met elkaar bidden, samen met enkele vrouwen, onder wie Maria, de moeder van Jezus, en zijn broers.

Handelingen 1:1-14

Het oogstfeest van Pinksteren

Toen de pinksterdag aanbrak, waren ze allemaal bij elkaar. Plotseling kwam er uit de hemel een geluid alsof er een hevige wind opstak, het vulde het hele huis waar ze zaten. Toen zagen ze iets dat op tongen van vuur leek: het verdeelde zich en daalde op ieder van hen neer. Ze werden allemaal vervuld van de heilige Geest en begonnen te spreken in vreemde talen, zoals de Geest hun te spreken gaf.
Nu verbleven er in Jeruzalem vrome Joden uit alle delen van de wereld. Bij het horen van dat geluid waren de mensen te hoop gelopen en ze raakten geheel in verwarring, want iedereen hoorde hen in zijn eigen taal spreken. Ze waren buiten zichzelf van verbazing en zeiden: 'Dat zijn toch allemaal Galileeërs die daar spreken? Hoe kan ieder van ons hen dan horen in zijn moedertaal? Er zijn hier Parten, Meden en Elamieten, inwoners van Mesopotamië, Judea en Kappadocië, Pontus en Asia, Frygië en Pamfylië, Egypte en de streken van Libië bij Cyrene; er zijn hier mensen uit Rome, Joden en ook heidenen die tot het jodendom zijn toegetreden, Kretenzen en Arabieren. En wij horen hen in onze eigen taal spreken over de grote daden van God!' Ze waren buiten zichzelf van verbazing en wisten niet goed wat ervan te denken. Ze zeiden tegen elkaar: 'Wat zou dit betekenen?' Maar anderen zeiden spottend: 'Ze hebben te veel gedronken!'
Toen kwam Petrus met de elf andere apostelen naar voren en begon hen toe te spreken. Luid zei hij: 'Joden, en u allen die hier in Jeruzalem woont, dit wil ik u zeggen, luister goed. Deze mensen zijn niet dronken, zoals u denkt, want het is negen uur in de morgen. Nee, hier gebeurt wat de profeet Joël heeft gezegd:
Dit zal er gebeuren in de laatste dagen,
zegt God:
Ik zal over iedereen
mijn Geest uitstorten.

Israëlieten, luister naar mijn woorden. Jezus van Nazaret was een man die door God tot u was gezonden. Dat hebt u gezien aan de machtige daden en grootse en wonderlijke dingen die God door hem in uw midden heeft gedaan, zoals u zelf weet. Hij werd overeenkomstig het raadsbesluit en de voorkennis van God uitgeleverd, en u hebt hem door goddeloze mensen aan het kruis laten slaan, laten doden. Maar God heeft hem doen opstaan, de weeën van de dood beëindigd. Het was niet mogelijk dat de dood hem vast zou houden.
Deze Jezus is door God opgewekt en wij allen zijn daarvan getuigen. Hoog verheven, aan Gods rechterzijde, heeft hij van de Vader de heilige Geest ontvangen, zoals beloofd was. En deze

heeft hij nu over ons uitgestort. Dat is het wat u ziet en hoort.
Want David zelf is niet naar de hemel opgestegen; hij zegt:
De Heer heeft tegen mijn Heer gezegd:
Neem plaats aan mijn rechterzijde,
ik zal uw vijanden neerleggen
als een bank voor uw voeten.
Het hele volk van Israël moet dus weten: deze Jezus die u gekruisigd hebt, is door God tot Heer en Christus gemaakt!'
Toen ze dit alles gehoord hadden, waren ze verslagen en ze vroegen aan Petrus en de andere apostelen: 'Broeders, wat moeten we doen?' 'Begin een nieuw leven,' antwoordde Petrus, 'en laat u dopen, ieder van u, in de naam van Jezus Christus, om vergeving te krijgen van uw zonden; en u zult de heilige Geest als geschenk ontvangen. Want God heeft zijn belofte gedaan aan u en uw kinderen, en aan alle mensen, hoe ver ze ook wonen, aan zovelen als de Heer, onze God, roepen zal.'
Met nog veel andere woorden legde hij getuigenis af, en hij deed de dringende oproep: 'Laat u redden uit deze verdorven wereld!'
Zij die zijn woorden aanvaardden, lieten zich dopen; die dag sloten zich ongeveer drieduizend mensen bij hen aan.
En zij hielden vast aan de leer van de apostelen, de gemeenschap met elkaar, het breken van het brood en het zeggen van de gebeden. De apostelen deden veel indrukwekkende wonderen, wat iedereen met ontzag vervulde. Allen die geloofden, vormden een gemeenschap en deelden alles samen. Ze verkochten hun have en goed en het geld werd uitgedeeld; iedereen kreeg zoveel als hij nodig had. Trouw waren ze ook iedere dag in de tempel, eensgezind; ze braken het brood bij elkaar aan huis en gebruikten de maaltijden met vreugde en in eenvoud van hart. Ze prezen God en stonden in de gunst bij het hele volk. En iedere dag vergrootte de Heer de groep van hen die gered worden.

Handelingen 2:1-17a, 22-24, 32-47

In de naam van Jezus

Eens, tegen drie uur in de middag, het uur van het gebed, gingen Petrus en Johannes naar de tempel. Daar was een man die vanaf zijn geboorte verlamd was en gedragen moest worden. Elke dag werd hij bij de tempelpoort gezet, de Schone Poort, waar hij de bezoekers van de tempel om geld vroeg. Toen hij Petrus en Johannes zag die de tempel wilden binnengaan, vroeg hij om een aalmoes. Petrus keek naar hem en Johannes ook, en Petrus zei: 'Kijk ons aan.' Hij sloeg zijn ogen naar hen op, in de verwachting iets van hen te krijgen. Maar Petrus zei: 'Zilver of goud heb ik niet; maar wat ik heb, zal ik u geven: in de naam van Jezus Christus van Nazaret, sta op en loop!' Hij pakte hem bij de rech-

terhand en hielp hem opstaan. Onmiddellijk kwam er kracht in zijn voeten en enkels: hij sprong op, stond overeind en liep heen en weer. Hij ging met hen de tempel binnen, lopend en springend en God lovend. Al het volk zag hem lopen en God prijzen. Ze herkenden hem als de man die altijd bij de tempel, bij de Schone Poort, zat te bedelen, en ze waren buiten zichzelf van verbazing over wat er met hem gebeurd was.
De man bleef Petrus en Johannes vasthouden en al het volk kwam vol verbazing op hen toelopen in de zogeheten Zuilenhal van Salomo. Petrus zag het en zei tegen de mensen: 'Israëlieten, waarom bent u verbaasd? Waarom staat u ons zo aan te kijken? Alsof door onze kracht of vroomheid deze man weer loopt!
De God van Abraham, Isaak en Jakob, de God van onze voorouders, heeft aan zijn dienaar Jezus de hoogste eer bewezen. U hebt hem uitgeleverd en tegenover Pilatus verloochend, terwijl deze van oordeel was dat hij vrijgelaten moest worden. U hebt de rechtvaardige, die God was toegewijd, verloochend en om de vrijlating van een moordenaar gevraagd. U hebt hem, die ons naar het leven leidde, gedood, maar God heeft hem uit de dood opgewekt; daarvan getuigen wij. Deze man, die u ziet en kent, heeft geloofd in de naam van Jezus Christus, en daarom heeft die naam hem gezond gemaakt; het geloof dat door die naam gewekt is, heeft hem dit herstel gegeven, zoals u allemaal kunt zien.

Handelingen 3:1-16

We kunnen niet zwijgen

Petrus en Johannes waren het volk nog aan het toespreken, toen de priesters, de commandant van de tempelwacht en de Sadduceeën op hen afkwamen. Ze waren er zeer ontstemd over dat de apostelen het volk onderwezen en met de opstanding van Jezus de opstanding uit de dood verkondigden. Ze grepen hen vast en stelden hen tot de volgende dag in verzekerde bewaring, want het was al avond. Maar velen die de toespraak gehoord hadden, kwamen tot geloof; daarmee kwam het totale aantal op vijfduizend man.
De volgende dag kwamen de Joodse leiders, de oudsten en de schriftgeleerden in Jeruzalem bijeen; ook de hogepriester Annas, en verder Kajafas, Johannes en Alexander, en alle anderen die tot de familie van de hogepriester behoorden. Ze lieten de apostelen voorbrengen en vroegen: 'Door welke kracht of door wiens naam hebt u dit gedaan?' Vervuld van de heilige Geest, antwoordde Petrus hun: 'Leiders van het volk en oudsten! Wij worden vandaag verhoord in verband met een weldaad, bewezen aan een zieke man. Waardoor is hij genezen? Wat u allen en het hele volk

van Israël moet weten is dit: deze man staat gezond en wel voor u door de naam van Jezus Christus uit Nazaret. U hebt hem gekruisigd, maar God heeft hem uit de dood opgewekt. Hij is de steen die door u, de bouwers, werd veracht, maar de hoeksteen is geworden. In hem alleen is er redding, er is hier op aarde de mensen geen andere naam gegeven waardoor we gered zullen worden.'
Met verbazing zagen de leden van de Raad hoe vrijmoedig Petrus en Johannes spraken, terwijl het toch mensen zonder opleiding waren, heel eenvoudige lieden. Ze herkenden hen als metgezellen van Jezus. Maar ze konden niets tegen hen inbrengen, omdat ze de genezen man bij hen zagen staan. Ze gaven hun te kennen dat ze de zitting moesten verlaten en begonnen met elkaar te overleggen. Ze zeiden: 'Wat moeten we met die mensen doen? Dat ze een wonder gedaan hebben, staat vast en iedereen in Jeruzalem weet dat; we kunnen het niet ontkennen. Maar om te voorkomen dat het nog lang onder het volk de ronde blijft doen, moeten we hun verbieden ooit nog tot iemand te spreken met een beroep op die naam.'
Ze lieten hen binnenroepen en zeiden hun dat ze helemaal niet meer de naam van Jezus mochten gebruiken of onderricht over hem mochten geven. Maar Petrus en Johannes gaven ten antwoord: 'Oordeelt u zelf: is het voor God te verantwoorden u meer te gehoorzamen dan hem? Het is voor ons onmogelijk niet te spreken over wat we gezien en gehoord hebben.'
Nog eens zeiden ze hun dat niet te doen maar ze lieten hen vrij. Ze zagen geen kans hen te straffen vanwege het volk: iedereen prees God om wat er gebeurd was. Want de man die door dat wonder was genezen, was al meer dan veertig jaar oud.

Handelingen 4:1-22

Delen en helpen delen

De groep van gelovigen was één van hart en ziel. Niemand eiste iets van wat hij bezat voor zichzelf op, integendeel: alles was gemeenschappelijk bezit. Met grote kracht legden de apostelen getuigenis af van de opstanding van de Heer Jezus, en Gods zegen was over hen allen. Er was niemand onder hen die gebrek leed. Want wie landerijen of huizen bezaten, verkochten die. Het geld van de verkoop brachten ze naar de apostelen en ze legden het aan hun voeten neer. En iedereen kreeg zoveel toebedeeld als hij nodig had.
Zo was er een zekere Jozef die door de apostelen Barnabas werd genoemd, wat Man van troost betekent; hij was een leviet, afkomstig van Cyprus. De akker die hij bezat, verkocht hij en het geld bracht hij naar de apostelen en legde het aan hun voeten neer.

Toen het aantal leerlingen groeide, rezen er bij de Grieks-sprekende Joden bezwaren tegen de Hebreeuws-sprekende Joden. Ze klaagden dat hun weduwen bij de dagelijkse uitdeling van voedsel achtergesteld werden. De twaalf apostelen riepen alle volgelingen bij elkaar. 'Het is niet juist als wij de verkondiging van Gods woord zouden opgeven om het uitdelen van voedsel op ons te nemen,' zeiden ze. 'Dus, broeders, kies uit uw midden zeven mannen die goed aangeschreven staan, vol van de Geest en van wijsheid. Hen zullen wij met die taak belasten, maar wijzelf zullen ons wijden aan het gebed en aan de verkondiging.' Iedereen stemde met dat voorstel in, en men koos Stefanus, een man met een groot geloof en vol van de heilige Geest, verder Filippus, Prochorus, Nikanor, Timon, Parmenas en Nikolaüs van Antiochië, een heiden die tot het jodendom was overgegaan. Ze brachten hen voor de apostelen, die hun, na gebed, de handen oplegden. Gods woord vond steeds meer verbreiding: het aantal volgelingen in Jeruzalem groeide sterk en ook een groot aantal priesters kwam tot geloof.

Handelingen 4:32-37; 6:1-7

De oren dicht, de hemel open

Stefanus, vervuld van de kracht die hij van God ontvangen had, verrichtte grootse dingen en wonderen onder het volk. Maar sommigen kwamen tegen hem in verzet. Het waren leden van de zogenaamde synagoge van de Libertijnen, waartoe Joden behoorden uit Cyrene, Alexandrië, Cilicië en Asia. Zij begonnen met Stefanus een twistgesprek, maar ze konden niet op tegen zijn wijsheid en de Geest die door hem sprak. Toen kochten ze enkele mannen om. Die moesten zeggen: 'We hebben gehoord hoe hij Mozes en God lastert.' En zo wisten ze het volk en de oudsten en schriftgeleerden op te hitsen. Ze gingen op hem af, sleurden hem mee en brachten hem voor de Hoge Raad. Ze zorgden voor valse getuigen die zeiden: 'Deze man spreekt zich zonder ophouden uit tegen deze heilige plaats en tegen de wet. We hebben hem horen zeggen dat die Jezus van Nazaret deze plek zal afbreken en de voorschriften zal veranderen die Mozes ons heeft overgeleverd.' Alle leden van de Hoge Raad vestigden hun blik op Stefanus en ze zagen een gezicht als van een engel.

Handelingen 6:8-15

Stefanus houdt een lange toespraak over Abraham, Mozes en David, en over Jezus, de Rechtvaardige.

Toen ze dit hoorden, knarsetandden ze van woede, ze werden razend op hem. Maar vervuld van de heilige Geest sloeg Stefanus zijn ogen op naar de hemel, en hij aanschouwde de glorie van God en zag Jezus staan aan Gods rechterzijde. 'Zie, de hemel is open,' zei hij, 'en ik zie de Mensenzoon staan aan de rechterzijde van God.' Maar zij begonnen luid te schreeuwen, stopten hun oren dicht en stormden als één man op hem af. Ze sleurden hem de stad uit om hem te stenigen. De getuigen legden hun mantels af, aan de voeten van een jongeman die Saulus heette, en stenigden Stefanus, terwijl hij bad: 'Heer Jezus, ontvang mijn geest.' Hij viel op de knieën en riep luid: 'Heer, reken hun deze misdaad niet aan.' En met die woorden stierf hij.
En Saulus was het ermee eens dat Stefanus gedood werd.
Vanaf die dag werd de gemeente in Jeruzalem hevig vervolgd. De gelovigen raakten over heel Judea en Samaria verspreid, met uitzondering van de apostelen.
Vrome mannen begroeven Stefanus en rouwden over hem.
Saulus vernietigde de gemeente en liet geen huis ongemoeid: mannen en vrouwen werden meegesleurd en naar de gevangenis gebracht.

Handelingen 7:54-8:3

Wegwijs in de Schriften

Een engel van de Heer sprak tot Filippus: 'Maak u klaar en zorg dat u tegen de middag op de weg loopt die afdaalt van Jeruzalem naar Gaza.' Dat is de woestijnroute. Filippus maakte zich klaar en ging. Op een gegeven ogenblik kwam er daar op de weg een Nubiër aan. De man was kamerheer, een hoge ambtenaar in dienst van de kandake, de koningin van Nubië, en belast met haar financiën. Hij was naar Jeruzalem geweest om God te aanbidden en was nu op de terugweg. In zijn reiswagen las hij uit de profeet Jesaja. 'Ga vlak naast die wagen lopen,' zei de Geest tegen Filippus. Deze haalde de wagen vlug in en hoorde de Nubiër uit de profeet Jesaja lezen. 'Begrijpt u wat u daar leest?' vroeg Filippus hem. 'Hoe zou ik?' antwoordde de man, 'als niemand mij daarin de weg wijst?' Hij verzocht Filippus in te stappen en naast hem te komen zitten. Het schriftgedeelte dat hij las, luidde:
Als een lam werd hij naar de slachtbank gebracht
en geen woord kwam over zijn lippen;
hij hield zich stil als een schaap in de handen van de scheerder.
Hij werd vernederd
en het vonnis werd voltrokken.

Wie kan over zijn nakomelingen spreken?
Want hij werd uit het leven weggerukt.
'Vertel me,' vroeg de kamerheer aan Filippus, 'over wie zegt de profeet dit? Over zichzelf of over een ander?' En Filippus begon te spreken. Uitgaande van die woorden uit de Schrift verkondigde hij hem het goede nieuws over Jezus. Onderweg kwamen ze langs een water. 'Kijk, hier is water!' zei de kamerheer. 'Wat is ertegen dat ik gedoopt word?'
Hij liet de wagen stilhouden. Ze gingen beiden het water in, zowel Filippus als de kamerheer; en Filippus doopte de man. Toen ze uit het water kwamen, nam de Geest van de Heer Filippus weg. De kamerheer zag hem niet meer. Hij zette zijn tocht voort; het was hem blij te moede. Filippus bleek in Azotus te zijn; hij trok daar rond en verkondigde het evangelie in alle steden, tot hij in Caesarea kwam.

Handelingen 8:26-40

Vervolger wordt volgeling

Intussen was Saulus nog steeds een bedreiging voor de leerlingen van de Heer. Hij stond hun naar het leven. Hij ging naar de hogepriester en vroeg hem om brieven, bestemd voor de synagogen van Damascus, die hem de bevoegdheid gaven om mannen en vrouwen die van die richting waren, gevangen te nemen en naar Jeruzalem te brengen.
En onderweg daarheen, toen hij Damascus al naderde, was het dat hem plotseling een licht uit de hemel omstraalde. Hij liet zich op de grond vallen en hoorde een stem: 'Saul, Saul, waarom vervolg je mij?' Saulus zei: 'Wie bent u, Heer?' De stem zei: 'Ik ben Jezus, degene die jij vervolgt. Sta op en ga de stad binnen; daar zal je gezegd worden wat je doen moet.'
De mannen die met hem reisden, stonden sprakeloos, omdat ze wel de stem hoorden maar niemand zagen. Saulus stond weer op, maar hoewel hij zijn ogen open had, kon hij niets zien. Ze namen hem bij de hand en brachten hem naar Damascus. Drie dagen lang kon hij niet zien; ook at en dronk hij niet.
In Damascus was een leerling die Ananias heette. In een visioen zei de Heer tegen hem: 'Ananias!' Hij antwoordde: 'Ja, Heer.' En de Heer zei: 'Ga onmiddellijk naar de Rechtestraat, naar het huis van Judas, en vraag daar naar een zekere Saulus uit Tarsus. Hij is in gebed en heeft in een visioen een man, Ananias geheten, zien binnenkomen. Die heeft hem de handen opgelegd, zodat hij weer kon zien.'
'Heer,' zei Ananias, 'ik heb van velen gehoord hoeveel ellende deze man gebracht heeft over uw mensen in Jeruzalem. En nu is hij hier met een volmacht van de opperpriesters om iedereen

gevangen te nemen die uw naam aanroept.' Maar de Heer zei: 'Ga! Want ik heb hem uitgekozen om mijn naam uit te dragen onder volken en koningen, en onder Israëlieten. En ik zal hem laten zien hoeveel hij om mijn naam moet lijden.'
En Ananias ging; hij kwam het huis binnen, legde Saulus de handen op, en zei: 'Saul, broeder, de Heer heeft mij gestuurd, Jezus die je is verschenen op je weg hierheen. Hij wil dat je weer zult zien en vervuld wordt met de heilige Geest.' Meteen was het alsof er vliezen van zijn ogen vielen en hij kon weer zien. Hij stond op en liet zich dopen. Toen hij had gegeten, keerden zijn krachten terug.
Saulus bleef nog enkele dagen bij de leerlingen in Damascus en begon al meteen in de synagogen Jezus te verkondigen. 'Deze Jezus is de Zoon van God,' zei hij. Iedereen die het hoorde, stond stomverbaasd. 'Is dat niet de man die in Jeruzalem de mensen uitroeide die deze naam aanriepen? En is hij hier niet naartoe gekomen om ze gevangen te nemen en voor de opperpriesters te leiden?'
Maar Saulus trad met steeds meer overtuiging op en veroorzaakte grote onrust onder de Joden die in Damascus woonden, door aan te tonen dat Jezus de Christus is.
Toen er zo verscheidene dagen voorbij waren gegaan, beraamden de Joden een aanslag op zijn leven, maar Saulus kwam dat te weten. Maar overdag en 's nachts stonden er Joden bij de stadspoorten naar hem uit te kijken om hem te vermoorden. En de leerlingen namen hem mee en lieten hem 's nachts over de stadsmuur in een mand naar beneden zakken.
In Jeruzalem aangekomen, wilde Saulus zich bij de leerlingen daar voegen. Maar ze gingen hem allemaal uit de weg, omdat ze niet konden geloven dat hij een leerling van Jezus was geworden. Maar Barnabas ontfermde zich over hem en bracht hem bij de apostelen. Hij vertelde hun hoe Saulus op weg naar Damascus de Heer had gezien en dat deze met hem had gesproken en hoe hij in Damascus vrijmoedig was opgetreden in de naam van Jezus. Zo leefde Saulus daar bij hen in Jeruzalem en sprak er vrijmoedig in de naam van de Heer. Hij ging gesprekken aan met de Grieks-sprekende Joden, maar zij wilden hem uit de weg ruimen. Toen de broeders dit te weten kwamen, brachten ze hem naar Caesarea om hem vandaar naar Tarsus te laten vertrekken.
Voor de geloofsgemeenschap brak in heel Judea, Galilea en Samaria een periode van rust aan. De opbouw voltrok zich, en men leefde in ontzag voor de Heer. Het ledental nam toe door de werking van de heilige Geest.

Handelingen 9:1-31

Arts zonder grenzen

Op een rondreis langs vele plaatsen bezocht Petrus ook de gelovigen in Lydda. Hij trof daar een zekere Eneas aan die al acht jaar verlamd op bed lag. Petrus zei tegen hem: 'Eneas, Jezus Christus geneest u. Sta op en maak uw bed maar op.' Meteen stond de man op. Alle bewoners van Lydda en de Saronvlakte zagen hem zo en ze bekeerden zich tot de Heer.
In Joppe was een gelovige die Tabita heette. In het Grieks is dat Dorkas. Ze deed veel voor de mensen en gaf ook veel weg. Deze vrouw nu werd ziek en stierf. Ze werd gewassen en in een bovenkamer opgebaard. Lydda ligt niet ver van Joppe, en toen de leerlingen hoorden dat Petrus daar was, stuurden ze twee mannen naar hem toe met het verzoek: 'Kom zo gauw mogelijk naar ons toe.' Petrus ging meteen met hen mee. Toen hij in Joppe aankwam, brachten ze hem naar de bovenkamer. Al de weduwen die daar waren, kwamen naar hem toe. Onder tranen lieten ze hem de kleren zien die Tabita gemaakt had, toen ze nog onder hen was. Petrus stuurde iedereen de kamer uit, knielde neer en bad. Hij keerde zich naar het lichaam en zei: 'Tabita, sta op!' Ze opende haar ogen en zag Petrus en ze ging rechtop zitten. Hij gaf haar een hand en hielp haar opstaan. Toen riep hij de gelovigen met de weduwen, en daar stond Tabita in levenden lijve voor hen. Het werd in heel Joppe bekend en velen kwamen tot geloof in de Heer.

Handelingen 9:32-42

Een gevangene bevrijd I

Omstreeks die tijd begon koning Herodes leden van de christengemeente te vervolgen. Jakobus, de broer van Johannes, liet hij met het zwaard onthoofden. Toen hij merkte, hoe dat de Joden genoegen deed, liet hij ook Petrus gevangen nemen. Het gebeurde tijdens het feest van het Ongegiste Brood, het paasfeest. Omdat Herodes hem pas na het feest voor het volk wilde brengen, liet hij hem na zijn arrestatie vastzetten onder bewaking van vier groepen soldaten van elk vier man. Zo bevond Petrus zich dus in verzekerde bewaring. Maar door de christengemeente werd voortdurend voor hem tot God gebeden.
In de nacht voorafgaande aan de dag dat Herodes hem voor wilde laten komen, lag Petrus aan twee kettingen te slapen tussen twee soldaten. Ook voor de deur hielden soldaten de wacht. Opeens stond er een engel van de Heer en was de cel hel verlicht. Hij stootte Petrus in de zij om hem te wekken. 'Sta vlug op,' zei hij. Meteen vielen de kettingen van Petrus' handen. De engel vervolgde: 'Doe uw riem om en trek uw sandalen aan.' Toen

Petrus dat gedaan had, zei de engel: 'Sla uw mantel om en volg mij.' Petrus liep achter hem aan naar buiten, zonder te beseffen dat wat de engel deed, werkelijkheid was. Hij dacht dat hij een visioen had. Ze liepen de eerste en de tweede wacht voorbij en kwamen bij de ijzeren poort naar de stad. De poort ging vanzelf voor hen open. Buitengekomen liepen ze een straat uit, en toen was de engel ineens verdwenen.
Toen Petrus tot zichzelf was gekomen, zei hij: 'De Heer heeft zijn engel gestuurd, om mij te bevrijden uit de macht van Herodes en mij alles waar het Joodse volk op hoopte, te besparen.' Toen dit tot hem doorgedrongen was, ging hij naar het huis van Maria, de moeder van Johannes die ook Marcus wordt genoemd. Daar waren veel mensen bij elkaar om te bidden. Hij klopte op de deur van de poort en Rhode, een dienstmeisje, kwam kijken wie er was. Toen ze Petrus' stem herkende, vergat ze van blijdschap open te doen. Ze liep terug naar binnen om te vertellen dat Petrus voor de deur stond. 'Praat geen onzin,' zeiden ze tegen haar. Maar zij hield vol dat het zo was. Toen zeiden ze: 'Het is zijn beschermengel.' Maar Petrus bleef kloppen. Toen ze open hadden gedaan, zagen ze hem. Ze waren een en al verbazing. Petrus vroeg met een handgebaar om stilte en vertelde hoe de Heer hem buiten de gevangenis gebracht had. Hij zei ook: 'Laat dit weten aan Jakobus en de andere broeders.' Daarna vertrok hij en ging naar een andere plaats.
De volgende dag heerste onder de soldaten grote opschudding: wat kon er met Petrus gebeurd zijn? Herodes liet hem zoeken, en toen ze hem niet vonden, nam hij de bewakers een verhoor af en liet hen terechtstellen. Daarna vertrok Herodes uit Judea naar Caesarea, waar hij enige tijd doorbracht.

Handelingen 12:1-19

De oversteek naar Europa

Saulus, ook Paulus geheten, onderneemt met Barnabas een reis naar Cyprus en Klein-Azië om daar van Jezus te getuigen. Ze worden teruggeroepen om in Jeruzalem verantwoording af te leggen. De apostelen en de oudsten steunen Paulus. Hij gaat naar Klein-Azië terug, ditmaal met Silas.

Paulus kwam in Derbe en Lystra. Daar was een leerling, een zekere Timoteüs. Zijn moeder was een Jodin die christen geworden was; maar zijn vader was een Griek. Timoteüs stond goed aangeschreven bij de gelovigen in Lystra en Ikonium. Paulus wilde graag dat deze Timoteüs hem op zijn reis zou vergezellen en liet hem besnijden ter wille van de Joden die in dat gebied woon-

den. Want iedereen wist dat zijn vader een Griek was. Op hun tocht langs de steden daar maakten zij aan de gelovigen de besluiten bekend die door de apostelen en de oudsten in Jeruzalem genomen waren en droegen hun op, zich daaraan te houden. Zo werden de christengemeenten versterkt in het geloof en iedere dag weer kwamen er mensen bij.
Ze trokken verder door Frygië en het gebied van Galatië, omdat de heilige Geest hen ervan weerhield de boodschap te prediken in de landstreek Asia. In Mysië gekomen, probeerden ze door te reizen naar Bitynië, maar de Geest van Jezus belette hen ook dat. Ze zetten hun tocht door Mysië voort tot ze de kustplaats Troas bereikten. Daar had Paulus 's nachts een visioen. Hij zag een Macedoniër staan die hem smeekte: 'Steek naar Macedonië over en help ons!'
Na dit visioen probeerden we meteen naar Macedonië te vertrekken. Want we maakten uit dit visioen op, dat God ons geroepen had om het volk daar het goede nieuws te verkondigen.
We voeren van Troas weg, zetten eerst koers naar Samotrake, en de volgende dag naar Neapolis. Vandaar gingen we landinwaarts naar Filippi, een stad in het eerste district van Macedonië en een Romeinse vestiging. Daar bleven we enkele dagen. Op sabbat gingen we de stadspoort uit naar de rivier, omdat we vermoedden dat daar een joodse gebedsplaats zou zijn. We gingen bij de vrouwen zitten, die daar waren samengekomen en spraken hen toe. Een van hen heette Lydia. Ze was een purperverkoopster uit Tyatira en vereerde God. Toen ze zat te luisteren, zorgde de Heer dat haar hart zich opende: ze was vol aandacht voor wat Paulus zei. Ze werd gedoopt samen met haar huisgenoten. Daarop nodigde ze ons uit. 'Als u van mening bent dat ik trouw ben aan de Heer,' zei ze, 'kom dan mee naar mijn huis en logeer bij mij.' En ze wist ons over te halen.

Handelingen 16:1-15

Een gevangene bevrijd II

Op weg naar de gebedsplaats kwamen we een slavin tegen die een toekomstvoorspellende geest had. Haar waarzeggerij leverde haar bazen veel winst op. Ze liep Paulus en ons achterna en riep: 'Deze mannen zijn dienaren van de allerhoogste God. Zij maken u de weg bekend die tot redding leidt!' Zij deed dat dagen achtereen. Toen het Paulus te veel werd, keerde hij zich om en zei tegen de geest: 'In de naam van Jezus Christus beveel ik je: ga uit haar weg!' Op hetzelfde ogenblik verliet de geest haar. Toen haar bazen zagen dat hun kans op winst was verkeken, grepen ze Paulus en Silas vast en sleurden hen naar het marktplein, waar het stadsbestuur zitting hield. Ze brachten hen voor de oversten

van de stad en zeiden: 'Deze mannen brengen onze stad in opschudding. Het zijn Joden! Ze verkondigen gebruiken die wij Romeinen niet mogen overnemen of invoeren.' Ook het te hoop gelopen volk keerde zich tegen hen. Daarop lieten de stadsoversten hun stokslagen geven, waarbij hun eerst de kleren van het lijf werden gerukt. Na een flink aantal slagen werden ze in de gevangenis gegooid. De cipier kreeg opdracht, hen streng te bewaken. Hij voerde dat bevel uit door hen in de binnenste kerker te brengen en hun voeten in het blok te sluiten.
Omstreeks middernacht waren Paulus en Silas aan het bidden en ook zongen zij, tot eer van God. De andere gevangenen luisterden toe. Plotseling voelden ze de aarde schokken, zo hevig, dat de gevangenis op haar grondvesten schudde. Meteen sprongen alle deuren open en vielen de boeien van alle gevangenen af. De cipier werd wakker en zag de deuren van de gevangenis openstaan. Hij trok zijn zwaard om zelfmoord te plegen, want hij was in de veronderstelling dat de gevangenen ontvlucht waren. Maar Paulus riep luid: 'Sla de hand niet aan uzelf! We zijn nog allemaal hier!' De cipier vroeg om licht, rende naar binnen en viel bevend neer aan de voeten van Paulus en Silas. Hij bracht hen naar buiten en vroeg: 'Alstublieft, zeg mij, wat moet ik doen om gered te worden?' 'Geloof in de Heer Jezus,' antwoordden ze, 'en u zult gered worden, u en de uwen.' En ze verkondigden hem en al zijn huisgenoten de boodschap van de Heer. Nog in dat nachtelijk uur nam hij hen mee om hun wonden uit te wassen. Meteen daarna liet hij zich dopen met allen die bij hem hoorden. Toen nam hij ze mee naar binnen om hun een maaltijd voor te zetten en met al zijn huisgenoten vierde hij vol blijdschap dat zij nu geloofden in God.
De volgende ochtend stuurden de stadsoversten de gerechtsdienaars naar de gevangenis met het bevel: 'Stel deze mannen in vrijheid!' De cipier bracht dat nieuws aan Paulus over. 'De oversten hebben bericht gestuurd dat we u moeten vrijlaten. U kunt nu gaan. Ik wens u een goede reis!' Maar Paulus zei: 'Zonder vorm van proces hebben zij ons, Romeinse burgers, in het openbaar laten afranselen en in de gevangenis laten werpen. En nu willen ze ons in stilte laten gaan? Geen denken aan! Laten ze ons zelf maar hieruit komen halen!' De gerechtsdienaars brachten deze woorden over aan de stadsoversten. Toen die hoorden dat het Romeinse burgers waren, sloeg de schrik hun om het hart. Ze gingen erheen en spraken vriendelijke woorden. Daarna brachten ze hen naar buiten en verzochten hen de stad te verlaten. Van de gevangenis gingen ze naar het huis van Lydia, waar ze de andere gelovigen zagen en moed inspraken. Toen vertrokken ze.

Handelingen 16:16-40

Tweeërlei val

Hierna reist Paulus door naar Tessalonica, Athene en Korinte, en keert dan naar Antiochië in Syrië terug. Opnieuw gaat hij naar Klein-Azië en Griekenland, waar hij per boot van Filippi naar Troas reist.

Op de eerste dag van de week waren we bij elkaar voor het breken van het brood. Paulus sprak de gelovigen toe. En omdat hij de volgende dag wilde vertrekken, sprak hij tot diep in de nacht. In de bovenzaal waar we bijeen waren, brandden nogal wat lampen. Een jongeman, Eutychus, zat in de vensterbank. Doordat Paulus zo lang sprak, had hij zijn ogen niet kunnen openhouden en nu, diep in slaap, viel hij van de derde verdieping naar beneden. Toen men hem optilde, was hij dood. Paulus ging naar beneden, liet zich over hem heen vallen en sloeg zijn armen om hem heen. Hij zei: 'Maak jullie niet ongerust, hij leeft!' Eenmaal weer boven brak hij het brood en at. Hij sprak nog lang, tot de zon opging; toen vertrok hij. Ze brachten de jongeman gezond en wel naar huis en voelden zich buitengewoon gesterkt.

Handelingen 20:7-12

Afscheid in tranen

Wij scheepten ons in en voeren alvast naar Assus; daar zouden we Paulus aan boord nemen. Zo had hij het geregeld. Zelf wilde hij daar namelijk te voet naartoe. Toen hij zich in Assus bij ons voegde, namen we hem aan boord en gingen we naar Mitylene. Daar zeilden we de volgende dag weg en we kwamen ter hoogte van Chios. De dag daarop staken we over naar Samos en weer een dag later bereikten we Milete. Paulus had namelijk besloten Efeze voorbij te varen om in Asia geen tijd te verliezen. Hij maakte haast, omdat hij, als het kon, met Pinksteren in Jeruzalem wilde zijn.

Maar in Milete stuurde hij een bode naar Efeze om de oudsten van de gemeente te vragen bij hem te komen. Toen ze er waren, zei hij tegen hen: 'U weet hoe ik geleefd heb vanaf de eerste dag dat ik in Asia aankwam. Al de tijd dat ik bij u was, heb ik de Heer in alle eenvoud gediend, en verdriet en beproevingen zijn mij niet bespaard gebleven door de aanslagen van de Joden. Zonder iets achter te houden van wat u van nut kon zijn, heb ik u het evangelie verkondigd en onderricht gegeven, zowel in het openbaar als bij u aan huis. Joden èn niet-Joden heb ik bezworen zich tot God te keren en te geloven in onze Heer Jezus. En nu ben ik op weg naar Jeruzalem. De Geest drijft mij daarheen. Wat me daar zal overkomen, weet ik niet. Alleen zegt de heilige Geest mij

van stad tot stad dat gevangenschap en verdrukking mij staan te wachten. Aan mijn leven hecht ik niet de minste waarde, als ik maar mijn weg kan afleggen en de taak volbrengen die de Heer Jezus mij heeft opgelegd: te getuigen van het goede nieuws over Gods goedheid, zijn genade.
Ik ben onder u allen rondgetrokken om Gods koninkrijk te verkondigen, en ik weet dat u mij niet zult weerzien. Daarom verklaar ik u op deze dag: Als iemand ten onder gaat, ik heb er geen schuld aan. Ik heb niets nagelaten om u het heilsplan van God in zijn volle omvang bekend te maken.
Pas nu goed op uzelf en op de hele kudde die de heilige Geest aan uw leiding heeft toevertrouwd. Hoed de gemeenschap, die God zich verworven heeft door het bloed van zijn eigen Zoon. Want ik weet dat na mijn heengaan woeste wolven bij u zullen binnendringen en de kudde niet zullen sparen. Ja, uit uw eigen kring zullen lieden voortkomen die de waarheid zullen verdraaien, om de leerlingen achter zich te krijgen. Wees daarom waakzaam en vergeet niet dat ik drie jaar lang dag en nacht zonder ophouden ieder van u onder tranen heb terechtgewezen.
En nu vertrouw ik u toe aan God en aan zijn zegenrijk woord. Hij heeft de macht om op te bouwen en het erfdeel te geven aan allen die hem toebehoren.
Ik heb van niemand zilver, goud of kleren verlangd. U weet dat ik met deze handen voorzien heb in mijn levensonderhoud en in dat van mijn metgezellen. Door mijn hele gedrag heb ik u ook laten zien dat het onze plicht is zo hard te werken om de armen te kunnen helpen, gedachtig aan de woorden van de Heer Jezus: Geven maakt gelukkiger dan ontvangen.'
Na deze woorden knielde hij neer en bad met alle aanwezigen. Iedereen barstte in tranen uit. Ze vielen Paulus om de hals en kusten hem. Ze waren het meest bedroefd over zijn woorden: 'U zult me niet meer terugzien.' En ze deden hem uitgeleide naar het schip.

Handelingen 20:13-38

Beroep op de keizer

Terug in Jeruzalem gaat Paulus op bezoek bij Jakobus. In de tempel wordt hij gevangengenomen en aangeklaagd bij de Hoge Raad. De Romeinse gouverneur Felix laat Paulus naar Caesarea overbrengen. Felix wordt als gouverneur opgevolgd door Festus.

Drie dagen na aankomst in zijn provincie ging Festus, vanuit Caesarea, naar Jeruzalem. De opperpriesters en de leiders van het Joodse volk dienden bij hem een aanklacht tegen Paulus in.

Zij vroegen hem hun ter wille te zijn en Paulus naar Jeruzalem te laten komen. Dat verzoek had een kwalijke bedoeling, want zij hadden een plan beraamd om hem onderweg te vermoorden. Maar Festus antwoordde dat Paulus in Caesarea gevangen bleef en dat hijzelf van plan was er binnenkort naar terug te keren. 'Laten uw leiders maar met mij meegaan,' zei hij, 'en daar de man aanklagen als hij iets verkeerds heeft gedaan.'
Na een verblijf van niet meer dan een dag of tien vertrok hij naar Caesarea. De volgende dag hield hij rechtszitting en liet Paulus voorkomen. Toen hij verschenen was, gingen de Joden die uit Jeruzalem waren meegekomen, om hem heen staan en brachten een groot aantal zware beschuldigingen tegen hem in, die ze niet konden bewijzen. Paulus verdedigde zich: 'Ik heb niets gedaan dat tegen de Joodse wet, de tempel of de keizer ingaat.' Maar Festus wilde de Joden een gunst bewijzen en vroeg aan Paulus: 'Wilt u naar Jeruzalem gaan om daar door mij in deze zaak berecht te worden?' Paulus antwoordde: 'Ik sta hier voor de keizerlijke rechtbank, en daar hoor ik terecht te staan. Tegen de Joden heb ik niets misdaan, zoals ook u heel goed weet. Als ik werkelijk schuldig ben en iets gedaan heb waar de doodstraf op staat, ben ik bereid te sterven. Maar als er niets waar is van alles waar zij mij van beschuldigen, dan kan niemand mij bij wijze van gunst aan hen uitleveren. Ik teken beroep aan bij de keizer.' Na overleg met zijn raadgevers verklaarde Festus: 'Op de keizer hebt u zich beroepen, naar de keizer zult u gaan.'

Handelingen 25:1-12

Zeereis naar Rome

Toen de beslissing gevallen was dat wij naar Italië zouden gaan, gaf men Paulus en enkele andere gevangenen over aan de bewaking van Julius, een officier van het keizerlijke garnizoen. We gingen aan boord van een schip uit Adramyttium dat de havens van Asia zou aandoen, en kozen zee. Aristarchus, een Macedoniër uit Tessalonica, vergezelde ons. De volgende dag legden we in Sidon aan. Julius behandelde Paulus vriendelijk en stond hem ook toe daar zijn vrienden op te zoeken, die hem met alle zorg omringden. Vandaar voeren we Cyprus aan de lijzijde voorbij, omdat de wind tegen was. We staken de zee over bij Cilicië en Pamfylië en bereikten Myra in Lycië. Daar vond de officier een schip uit Alexandrië dat naar Italië ging, en hij bracht ons daarop over.
Dagenlang vorderden we maar weinig en met veel moeite kwamen we ter hoogte van Knidus. Omdat we de wind niet mee hadden, zeilden we onder Kreta door langs Kaap Salmone. Toen we die met moeite gepasseerd waren, bereikten we een plek die Goede Havens heet, niet ver van de stad Lasea.

We hadden veel tijd verloren en verder varen werd nu gevaarlijk want Grote Verzoendag was al voorbij. Paulus waarschuwde dan ook: 'Mannen, ik zie dat het een tocht vol rampen wordt. Er dreigt niet alleen verlies van schip en lading, maar ook van levens.' Maar de officier stelde meer vertrouwen in de kapitein en de reder dan in Paulus' woorden. Omdat de haven ongeschikt was om er de winter door te brengen, was de meerderheid van mening dat men verder moest varen om zo mogelijk Feniks te bereiken, een haven op Kreta die naar het zuid- en noordwesten openligt, en daar te overwinteren. Toen er een zachte zuidenwind opstak, meenden ze van het slagen van hun plan zeker te zijn. Ze lichtten het anker en zeilden zo dicht mogelijk onder de kust van Kreta. Maar kort daarop kwam van het eiland een stormwind opzetten, de zogenaamde noordooster. Het schip werd meegesleurd, en omdat we het niet met de kop in de wind konden brengen, gaven we het op en lieten ons meedrijven. Toen we aan de windvrije kant van het eilandje Kauda kwamen, slaagden we er met moeite in de sloep in veiligheid te brengen. Ze hesen hem aan boord en verstevigden het schip door er touwen onderdoor te halen. Uit angst op de zandbanken van de Syrte geworpen te worden, streken ze de zeilen en lieten zich drijven. Aangezien we hevige storm hadden, zette de bemanning de volgende dag een deel van de lading overboord, en de dag daarop gooiden ze met hun eigen handen het scheepstuig in zee. Zon en sterren waren dagenlang niet te zien en de storm woedde maar voort. Tenslotte hadden we geen enkele hoop op redding meer.
Toen niemand meer wilde eten, stond Paulus op en begon de mensen toe te spreken. Hij zei: 'Mannen, had men maar naar mij geluisterd, waren we maar niet van Kreta weggevaren. Dan waren ons deze rampen bespaard gebleven, dan was er niets verloren gegaan. Maar zelfs nu vraag ik jullie moed te houden. Want niemand van u zal zijn leven verliezen, alleen het schip gaat verloren. Vannacht verscheen mij een engel van de God aan wie ik toebehoor en die ik dien. Paulus, zei hij, wees niet bang, want je zult voor de keizer verschijnen. En weet dit: allen die met jou op dit schip zijn, heeft God je geschonken. Daarom, mannen, houd moed. Want ik vertrouw op God: alles zal gaan zoals het mij gezegd is. We zullen op een of ander eiland stranden.'
Het was de veertiende nacht dat wij op de Adriatische Zee rondzwalkten, toen tegen middernacht de scheepslui dachten in de buurt van land te komen. Ze wierpen het lood en peilden zesendertig meter. Even verder deden ze hetzelfde en kwamen ze op zevenentwintig meter. Omdat ze bang waren dat we op de klippen zouden lopen, wierpen ze van de achtersteven vier ankers uit en baden dat het dag mocht worden. Intussen probeerden de scheepslui het schip te verlaten. Ze lieten de sloep in zee neer, met de bewering dat ze aan de voorsteven ankers wilden uitwer-

pen. Toen zei Paulus tegen de officier en de soldaten: 'Als zij niet aan boord blijven, zult u niet gered worden.' De soldaten kapten daarop de touwen van de sloep en lieten hem in zee vallen.
Tegen het aanbreken van de dag spoorde Paulus allen aan wat te eten. 'U zit nu veertien dagen in spanning zonder ook maar enig voedsel te gebruiken. Ik raad u aan wat te eten. Uw redding is ermee gediend. Van niemand van u zal een haar worden gekrenkt.' Hij nam brood, dankte God in aanwezigheid van allen, brak het en begon te eten. Allen vatten moed en begonnen evenals Paulus te eten. Aan boord van het schip bevonden zich in totaal tweehonderdzesenzeventig mensen.
Nadat iedereen genoeg had gegeten, maakten ze het schip lichter door het graan in zee te werpen. Toen het dag was geworden, herkenden ze het land niet. Wel kregen ze een inham met een strand in het oog. Ze besloten het schip, zo mogelijk, daar aan de grond te laten lopen. Ze kapten de ankers en lieten ze in zee achter; tegelijk maakten ze de touwen los waarmee de stuurriemen vastgebonden zaten, hesen het voorzeil en hielden voor de wind op het strand aan. Maar ze kwamen op een zandbank terecht en het schip liep vast. Met een schok bleef de voorsteven onwrikbaar vastzitten, de achtersteven echter werd door het geweld van de golven stukgeslagen. De soldaten wilden de gevangenen doden om te voorkomen dat iemand zwemmend zou ontsnappen. Maar de officier, die Paulus' leven wilde sparen, verhinderde hun dat. Hij gaf degenen die konden zwemmen, bevel het eerst overboord te springen om aan land te komen. De rest moest op planken of wrakhout volgen. Zo kwamen allen veilig aan wal.

Handelingen 27:1-44

Een leerhuis in Rome

Het was drie maanden later dat we op een schip uit Alexandrië wegvoeren. Het had op het eiland overwinterd en droeg als boegbeeld de tweeling Castor en Pollux. In Syracuse aangekomen, bleven we er drie dagen liggen. Vandaar voeren we langs de kust naar Regium. Omdat er de volgende dag een zuidenwind opstak, kwamen we in twee dagen in Puteoli. Daar troffen we christenen aan die ons voor een week uitnodigden. En zo trokken we naar Rome. De christenen daar hadden van onze komst gehoord. Ze kwamen ons tot aan Forum Appii en Tres Tabernae tegemoet, en toen Paulus hen zag, dankte hij God en vond nieuwe moed.
Na onze aankomst in Rome kreeg Paulus toestemming op zichzelf te wonen met de soldaat die hem bewaakte.
Drie dagen later nodigde hij de voornaamste Joden van de stad

uit. Toen ze er waren, zei hij: 'Broeders, ik heb niets gedaan dat tegen ons volk is of tegen de gebruiken van onze voorvaderen. Toch werd ik in Jeruzalem gevangengenomen en daar uitgeleverd aan de Romeinen. Na verhoor wilden die me vrijlaten, omdat ik niets had gedaan waarop de doodstraf stond. Maar de Joden verzetten zich ertegen en zo werd ik gedwongen mij te beroepen op de keizer. Het was dus niet zo dat ik mijn volk van iets wilde beschuldigen. Dat is de reden waarom ik u wilde ontmoeten en spreken. Om de verwachting die Israël koestert, draag ik deze boeien.' Ze antwoordden: 'Wij hebben uit Judea geen brieven over u ontvangen, en ook is geen enkele Jood bij zijn aankomst hier ons iets slechts over u komen vertellen of komen doorgeven. Maar we zouden graag uw opvattingen horen, want we weten wel dat deze sekte overal weerstand oproept.'
Ze maakten een afspraak en op de vastgestelde dag kwamen ze hem met nog meer personen dan eerst opzoeken in zijn woning. Hij gaf hun uitleg, getuigde van het koninkrijk van God en probeerde hen, met de Wet en de Profeten als uitgangspunt, voor Jezus te winnen. Dit deed hij van de vroege morgen tot de avond. Sommigen lieten zich overtuigen, maar anderen bleven ongelovig.
Twee volle jaren woonde Paulus in de door hemzelf gehuurde woning. Iedereen die bij hem aankwam, ontving hij gastvrij. Hij verkondigde het koninkrijk van God en leerde de mensen vrijmoedig alles over de Heer Jezus Christus, zonder dat hem iets in de weg werd gelegd.

Handelingen 28:11-24, 29-31

Filippenzen

Evangelist achter tralies

Paulus en Timoteüs, dienaars van Christus Jezus: aan allen in Filippi die God toebehoren in verbondenheid met Christus Jezus, samen met hen die leiding geven aan de gemeente en die haar dienen.
Ik wens u de genade en de vrede van God, onze Vader, en van de Heer Jezus Christus.
Ik dank mijn God iedere keer als ik aan u denk; en telkens wanneer ik voor u allen bid, doe ik het met blijdschap, vanwege uw aandeel in de verbreiding van het evangelie van de eerste dag af tot nu toe. Van één ding ben ik zeker: hij die dit goede werk door u begonnen is, zal het ook tot een goed einde brengen op de dag van Christus Jezus.
Het is eigenlijk vanzelfsprekend dat ik zo over u denk, want ik draag u allen een warm hart toe. U deelt immers allen in de genade die God mij gegeven heeft, in mijn gevangenschap en bij mijn verdediging en bekrachtiging van het evangelie. God is mijn getuige: hij weet hoe ik naar u allen verlang met de genegenheid van Christus Jezus zelf.
Ik vraag in mijn gebed, dat uw liefde steeds groter wordt en gepaard mag gaan met kennis en volledig inzicht, zodat u kunt beoordelen waar het op aankomt. Dan zult u op de dag van Christus zuiver en onberispelijk zijn, en rijk aan vruchten van de gerechtigheid, die u dankt aan Jezus Christus, tot lof en eer van God.
U moet weten, broeders en zusters, dat mijn situatie juist veel heeft bijgedragen tot de verbreiding van het evangelie. Het hele personeel van de gouverneur en alle anderen is het nu duidelijk geworden, dat ik gevangen zit om mijn geloof in Christus. En het merendeel van mijn broeders heeft vertrouwen gekregen in de Heer en uit mijn gevangenschap nog meer moed geput om onbevreesd de boodschap van God te verkondigen. Natuurlijk, er zijn er die Christus verkondigen uit afgunst en wedijver, maar er zijn er ook die het met eerlijke bedoelingen doen. Die doen het uit liefde, omdat ze weten dat het eigenlijk mijn taak is het evangelie te verdedigen. Maar die anderen maken Christus bekend met onzuivere bedoelingen en uit eigenbelang; ze hopen daardoor mijn gevangenschap te verzwaren. Maar wat geeft het? Want of het nu uit eerlijke of oneerlijke motieven gebeurt, in elk geval wordt Christus bekendgemaakt, en daar ben ik blij om. En dat zal ik ook blijven, want ik weet, dat dit alles mijn redding

betekent, omdat u voor mij bidt en de Geest van Jezus Christus mij bijstaat. Ik hoop en verwacht stellig dat ik niets zal doen waarvoor ik mij later tegenover hem zal hoeven schamen, maar dat ik vrijmoedig zal spreken. Dan zal ik zoals altijd ook nu met mijn hele wezen Christus verheerlijken, of ik nu in leven blijf of sterf. Want voor mij is leven Christus en is sterven winst. Maar als ik blijf leven kan ik vruchtbaar werk doen. Ik weet niet wat ik moet kiezen. Ik word naar twee kanten getrokken: enerzijds verlang ik heen te gaan en bij Christus te zijn, wat verreweg het beste is, anderzijds is het voor u nodig dat ik in leven blijf. En omdat ik hiervan overtuigd ben, weet ik, dat ik in leven zal blijven en voor u allen behouden zal blijven om uw geloof groter en blijer te maken. Dan hebt u, wanneer ik weer bij u kom, een reden temeer om u op mij te beroemen in Christus Jezus.
Alleen, zorg er wel voor dat uw levenswandel in overeenstemming is met het evangelie van Christus. Dan zal ik bij mijn komst met eigen ogen zien, of bij verhindering in ieder geval horen, dat u sterk staat en eensgezind strijdt voor trouw aan het evangelie. Daarbij moet u zich niet in het minst laten afschrikken door de tegenstanders. Voor hen is uw trouw een bewijs dat ze ten onder gaan, maar voor u is het een bewijs dat God u redt. Want u hebt het voorrecht gekregen, niet alleen in Christus te geloven, maar ook voor hem te lijden. U en ik strijden voor hetzelfde; vroeger hebt u al gezien hoe ik gestreden heb, en ik strijd nog steeds, zoals u nu hoort.

Filippenzen 1:1-30

Andere belangen, andere gezindheid

Als dus in onze verbondenheid in Christus vermaning en liefdevolle bemoediging, gemeenschap van Geest en gevoelens van genegenheid en meeleven u iets zeggen, maak mij dan volmaakt blij door eensgezind te zijn, door één te zijn in liefde, gelijkgezind en één in streven. Doe niets uit eigenbelang of ijdelheid maar wees bescheiden en acht anderen belangrijker dan uzelf. Laat ieder niet alleen de belangen van zichzelf in het oog houden, maar ook die van anderen. U moet die gezindheid hebben die ook Christus Jezus had.
Hij had de gestalte van God,
maar heeft zich niet willen vastklampen
aan zijn gelijkheid met God.
Hij heeft zijn grootheid opgegeven
door de gestalte van een slaaf te aanvaarden
en aan mensen gelijk te worden.
Hij leefde als een mens
en hij vernederde zich

door gehoorzaam te worden tot in de dood,
de dood aan een kruis.
Daarom heeft God hem hoog verheven
en hem de allerhoogste titel geschonken,
zodat iedereen in de hemel, op de aarde en onder de aarde,
de knieën zou buigen voor hem die Jezus heet
en allen openlijk zouden uitroepen,
tot eer van God, de Vader:
Jezus Christus is de Heer.

Mijn dierbare vrienden, u bent altijd gehoorzaam geweest. Wees het niet alleen wanneer ik aanwezig ben, maar ook en des te meer nu ik afwezig ben. Werk aan uw heil in diep ontzag voor God, want hij is het, die in u werkzaam is en u in staat stelt te willen en te doen wat in overeenstemming is met zijn plan.
Doe wat u doen moet zonder te mopperen of tegen te spreken. Zorg ervoor dat u onberispelijk en onkreukbaar bent. Wees smetteloos als kinderen van God. U moet als sterren aan de hemel schitteren te midden van verdorven en ontaarde mensen. Houd daarbij vast aan de boodschap die leven brengt. Dan heb ik reden om trots te zijn op de dag van Christus en heb ik niet voor niets zo hard gewerkt en mij zo ingespannen. Ik wil uw geloof als een offer opdragen en ook al zou mijn bloed daarbij vloeien, dan nog ben ik blij, samen met u allen. Zo moet ook u blij zijn, samen met mij.
In vertrouwen op de Heer Jezus hoop ik Timoteüs spoedig naar u toe te sturen; het zal mij goed doen te horen hoe het met u gaat. Ik heb niemand die zo met me meevoelt en die zo oprecht belangstelt in uw omstandigheden als hij. Iedereen jaagt zijn eigen belangen na in plaats van die van Jezus Christus. U weet hoe betrouwbaar Timoteüs is; hij heeft samen met mij, als een kind naast zijn vader, de zaak van het evangelie gediend. Ik hoop hem dus naar u toe te sturen, zo gauw ik weet hoe mijn zaken ervoor staan. In vertrouwen op de Heer hoop ik ook zelf gauw te kunnen komen.
Het lijkt mij nodig Epafroditus nu al naar u terug te sturen, mijn broeder, medewerker en strijdmakker, die u gezonden hebt om mij bij te staan in mijn nood. Hij mist u allen; hij maakt zich zorgen, omdat u van zijn ziekte hebt gehoord. Hij is inderdaad doodziek geweest, maar God heeft medelijden met hem gehad; niet alleen met hem, maar ook met mij, door mij te sparen voor een nog groter leed. Ik stuur hem met de grootste spoed: u zult blij zijn hem weer te zien en ik zal niet langer in zorgen zitten. Ontvang hem dus met open armen, als een broeder in de Heer, en houd zulke mensen in ere, want door zijn werk voor Christus heeft hij oog in oog gestaan met de dood. Zijn leven heeft hij gewaagd om mij de hulp te bieden die u niet kon geven.
Tenslotte, mijn broeders en zusters, wees blij in uw verbonden-

heid met de Heer. Herhalen wat ik al geschreven heb, is mij niet te veel en u geeft het zekerheid.
Pas op voor die honden met hun ondermijnende praktijken, pas op voor de versnedenen! Want wij zijn de ware besnedenen, onze eredienst is geestelijk, wij beroemen ons op Christus Jezus en vertrouwen niet op uiterlijke ceremonies. Ik heb zelf overigens alle reden om op zoiets menselijks te vertrouwen, ja meer dan wie ook: ik werd besneden toen ik acht dagen oud was, ik ben een geboren Israëliet uit de stam van Benjamin, een echte Hebreeër, in wetsopvatting een Farizeeër; in mijn ijver ging ik zover, dat ik de kerk vervolgde, en volgens de norm die de wet aan gerechtigheid stelt, ben ik volmaakt. Maar wat winst voor mij betekende, ben ik als verlies gaan zien omwille van Christus. Ja, sterker nog: alles beschouw ik als verlies, omdat het kennen van Christus Jezus, mijn Heer, alles te boven gaat. Om hem heb ik alles prijsgegeven; voor mij is alles vuilnis, omdat het mij erom gaat Christus te winnen en met hem één te zijn. Ik ben gerechtvaardigd, niet door de wet na te leven maar door te geloven in Christus, ik ben gerechtvaardigd door God op grond van het geloof. Al wat ik wens is Christus te kennen en de kracht te ondervinden van zijn opstanding; te delen in zijn lijden en aan hem gelijk te worden in zijn dood, in het verlangen eens de opstanding uit de dood te bereiken.
Ik beweer niet dat ik er al ben of dat ik al volmaakt ben. Maar ik zet wel door, om eens te grijpen waarvoor Christus Jezus mij gegrepen heeft. Nee, broeders en zusters, ik verbeeld me niet het al gegrepen te hebben. Alleen dit: ik vergeet wat achter mij ligt en doe mijn best om te bereiken wat voor mij ligt; ik ga recht op mijn doel af om de hemelse prijs te behalen waartoe God mij geroepen heeft in Christus Jezus.
Dat moet de gezindheid zijn van ons allen die volmaakt zijn. En mocht iemand van u er iets anders over denken, dan zal God u ook dat wel duidelijk maken. Laten we in ieder geval op de ingeslagen weg voortgaan.
Volg mij na, broeders en zusters, en kijk naar hen die leven naar het voorbeeld dat ik u gegeven heb. Want er zijn er velen met een andere levenswandel: vaak heb ik hen – en ik herhaal het nu voor u met tranen in mijn ogen – vaak heb ik hen de vijanden van het kruis van Christus genoemd. De ondergang zal hun einde zijn, hun buik is hun god, hun eer stellen zij in hun schande en hun zinnen zijn gericht op het aardse. Maar ons vaderland is in de hemel, vanwaar wij ook de Heer Jezus Christus als onze redder verwachten. Hij zal ons armzalig lichaam herscheppen en het gelijkvormig maken aan zijn verheerlijkt lichaam, met de kracht die hem in staat stelt het heelal aan zich te onderwerpen.

Filippenzen 2:1-3:21

Hulp van vrienden

Mijn dierbare broeders en zusters, naar wie ik zo verlang, van wie ik zoveel houd, mijn vreugde en mijn kroon, dat is dus de manier om sterk te staan en vast te houden aan de Heer.
Euodia en Syntyche, ik smeek u, word het met elkaar eens als zusters in de Heer. En u, mijn trouwe kameraad, vraag ik: help deze vrouwen. Want zij hebben mij bijgestaan in de strijd voor het evangelie, evenals Clemens en mijn overige medewerkers van wie de namen staan geschreven op de lijst van de levenden.
Wees altijd blij in de Heer. Nog eens: wees blij!
Laat iedereen u kennen als vriendelijke mensen. De Heer is dichtbij. Maak u geen zorgen, maar laat aan God in al uw bidden en smeken dankbaar weten wat uw wensen zijn. En God zal met zijn vrede die alle begrip te boven gaat, waken over uw hart en uw gedachten, in Christus Jezus.
Tenslotte, broeders en zusters, overweeg steeds wat waar en verheven is, rechtvaardig en zuiver, beminnelijk en eervol, alles wat deugdzaam is en lof verdient. Breng in praktijk wat ik u geleerd en overgeleverd heb door mijn woorden en mijn daden. Dan zal God, die de vrede geeft, met u zijn.
Ik ben er, in de Heer, bijzonder blij om, dat u uw zorg voor mij nu eindelijk hebt kunnen tonen. U was altijd al bezorgd voor me, maar u kreeg nooit de kans dat te uiten. Ik zeg dat niet, omdat ik gebrek geleden heb, want ik heb intussen wel geleerd voor mezelf te zorgen. Ik weet wat het is om sober te leven, maar ook om overvloed te hebben. Geen enkele situatie is mij vreemd: verzadigd zijn en honger lijden, overvloed hebben en tekortkomen. Alles kan ik aan, dankzij hem die mij kracht geeft.
Toch hebt u er goed aan gedaan mij bij te staan in mijn moeilijkheden. U in Filippi weet zelf ook dat bij mijn vertrek uit Macedonië, in het begin van mijn verkondiging van het evangelie, u de enige gemeente was waarbij ik een rekening had lopen. Al in Tessalonica hebt u mij tot tweemaal toe de hulp gestuurd die ik nodig had. Denk niet, dat ik iets van u wil krijgen, ik wil alleen maar dat het tegoed op uw rekening toeneemt! Al wat u mij schuldig was, heb ik ontvangen en nog veel meer. Ik heb volop, nu Epafroditus mij al uw gaven heeft overhandigd. Ze zijn voor God een heerlijke geur, een aangenaam offer dat hij graag aanvaardt. Mijn God zal vanuit zijn rijkdom aan heerlijkheid volop in al uw noden voorzien in Christus Jezus. Aan God, onze Vader, de eer voor altijd en eeuwig. Amen.
Groet ieder die Christus Jezus toebehoort. Ook de broeders hier bij me doen u de groeten. Allen die God toebehoren, in het bijzonder die in dienst zijn bij de keizer, groeten u.
De Heer Jezus Christus zij u genadig.

Filippenzen 4:1-23

1 Tessalonicenzen

Gods boodschap in menselijke woorden

Paulus, Silvanus en Timoteüs:
aan de gemeente van Tessalonica, die toebehoort aan God, de Vader, en aan de Heer Jezus Christus.
Wij wensen u Gods genade en vrede.
Wij danken God altijd voor u allen, wanneer we u in onze gebeden gedenken. Ten overstaan van onze God en Vader gaan onze gedachten dan voortdurend uit naar uw geloof dat uit uw daden blijkt, naar uw onvermoeibare liefde en uw onwrikbare hoop op onze Heer Jezus Christus. Wij weten, broeders en zusters, dat God u in zijn liefde heeft uitgekozen. Want de boodschap die wij u brachten, bestond niet uit louter woorden, nee, ze was geladen met de kracht van de heilige Geest en gebaseerd op een vaste overtuiging. Trouwens, u weet zelf hoe wij bij u optraden en hoe we uw belang op het oog hadden.
En u op uw beurt bent in het voetspoor getreden van ons en van de Heer. Hoewel u veel tegenwerking ondervond, hebt u de boodschap aanvaard met een vreugde die van de heilige Geest komt. Zo bent u een voorbeeld geworden voor alle gelovigen in Macedonië en Achaje. Van u uit plantte de boodschap van de Heer zich voort; niet alleen in Macedonië en Achaje, nee, overal is uw geloof in God de mensen ter ore gekomen. Wij hoeven daarover niemand iets te vertellen. De mensen beginnen er zelf over, hoe wij bij u ontvangen zijn. Ze vertellen dat u zich van de afgoden gekeerd hebt naar de levende en ware God, om hem te dienen en om uit te zien naar de terugkomst uit de hemel van zijn Zoon, die hij uit de dood heeft opgewekt, naar Jezus, die ons redt van het komende oordeel.
Broeders en zusters, u weet zelf wel, dat ons bezoek aan u niet voor niets is geweest. Integendeel! Na de mishandelingen en beledigingen in Filippi – u weet ervan – hebben we met de hulp van onze God de moed gevonden om u zijn boodschap te brengen, ondanks zware tegenstand. Onze verkondiging komt niet voort uit dwaling of onoprechtheid. We hebben er ook geen bijbedoelingen mee. Nee, we spreken alleen omdat God ons geschikt heeft bevonden en ons het evangelie heeft toevertrouwd. We zoeken niet de gunst van mensen; we willen alleen maar God behagen, die onze beweegredenen doorziet.
Met vleierij hadden onze woorden niets van doen, dat weet u. Ook waren ze geen dekmantel voor hebzucht, daarvan is God getuige. We waren niet uit op eer van mensen, van u niet en

van anderen niet. Toch hadden we ons als apostelen van Christus kunnen laten gelden. Maar we zijn met u omgegaan zonder pretenties, als een moeder die haar kinderen voedt en verzorgt. We waren zo op u gesteld, dat we u behalve het evangelie van God ook graag ons eigen leven hadden geschonken; zo na lag u ons aan het hart. U herinnert zich wel, broeders en zusters, hoe we hebben gezwoegd en geploeterd. Dag en nacht hebben we gewerkt om in ons onderhoud te voorzien, zodat we bij de verkondiging van Gods boodschap niemand van u ten laste hoefden te zijn. Met God kunt u getuigen hoe toegewijd, hoe eerlijk en hoe onberispelijk wij ons hebben gedragen tegenover u, die gelooft. Hebben we u niet ieder persoonlijk aangespoord en bemoedigd zoals een vader zijn kinderen? En hebben we u niet op het hart gedrukt, een leven te leiden dat de goedkeuring heeft van God, die u roept om zijn glorievolle koninkrijk binnen te gaan?
Wij danken God dan ook zonder ophouden. Want de boodschap die u van ons te horen kreeg, hebt u aanvaard in de overtuiging dat het hier niet ging om een boodschap van mensen maar om het woord van God. Dat het dit inderdaad is, bewijst wel de uitwerking die het heeft op u, die gelooft. Want u, broeders en zusters, bent in het voetspoor getreden van Gods gemeenten in Judea, die verbonden zijn met Christus Jezus. U hebt immers van uw eigen landgenoten hetzelfde te lijden gehad als zij van de Joden, die de Heer Jezus en de profeten hebben gedood en ons hebben verjaagd, die God niet behagen en alle mensen vijandig zijn door ons te verhinderen aan de heidenvolken bekend te maken hoe ze gered kunnen worden. Zo zijn ze voortdurend bezig de maat van hun zonden vol te maken. Maar God heeft voorgoed over hen geoordeeld.

1 Tessalonicenzen 1:1-2:16

Verhoopt weerzien

We hebben u een tijdlang moeten missen, broeders en zusters. U was uit het oog, maar niet uit het hart. We hebben ons uiterste best gedaan om u weer te zien, zo vurig verlangden we naar u terug. Wij, of liever ik, Paulus, stond tot twee keer toe op het punt naar u toe te gaan, maar Satan heeft het ons belet. Wie anders dan u is onze hoop en onze vreugde, de roemrijke kroon op ons werk wanneer we voor onze Heer Jezus moeten verschijnen bij zijn komst? Ja, onze eer en vreugde, dat bent u.
Omdat we het niet langer uithielden, besloten we alleen in Athene achter te blijven, en Timoteüs te sturen, onze broeder en Gods medewerker bij de verkondiging van Christus. Hij kreeg de opdracht u in uw geloof te sterken en aan te moedigen, zodat niemand zich door de moeilijke omstandigheden aan het wankelen

zou laten brengen – want die omstandigheden staan ons nu eenmaal te wachten, dat weet u. Toen we nog bij u waren, hebben we u er immers van tevoren op gewezen: we zullen veel te verduren krijgen, en dat is ook uitgekomen, zoals u weet. Ik hield het dus niet meer uit en liet daarom navraag doen naar uw geloof. Satan kon u wel hebben verleid en dan zou al onze moeite vergeefs zijn geweest.
Timoteüs is nu weer bij ons terug. Hij had niet anders dan goede berichten over uw geloof en uw liefde. Hij vertelde, dat u nog steeds goede herinneringen aan ons hebt en even vurig verlangt ons terug te zien als wij u. Daarom is uw geloof, broeders en zusters, een grote troost voor ons in onze benarde en moeilijke omstandigheden. Wij leven weer op, nu blijkt dat u pal staat door vast te houden aan de Heer. Hoe kunnen we God genoeg bedanken voor alle vreugde die u ons bezorgt ten overstaan van God? Dag en nacht bidden we met grote vurigheid, dat wij u mogen weerzien en de tekorten in uw geloof mogen aanvullen.
Wij smeken onze God en Vader en onze Heer Jezus, de weg naar u voor ons vrij te maken. En we vragen de Heer dat hij uw liefde voor elkaar en voor allen steeds groter maakt, even groot als onze liefde voor u. Hij zal u in uw overtuiging sterken, zodat u bij de komst van onze Heer Jezus heilig en onberispelijk zult staan voor onze God en Vader met allen die hem toebehoren.

1 Tessalonicenzen 2:17-3:13

Leven zoals God het graag ziet

En nu het volgende, broeders en zusters. U hebt van ons geleerd hoe u moet leven als u God wilt behagen. Zo leeft u ook, maar in naam van de Heer Jezus vragen wij u dringend, dit nog meer te doen. U kent de voorschriften die we u op gezag van de Heer Jezus hebben gegeven. God wil dat u een leven leidt dat hem is toegewijd. Ga ontucht uit de weg. Ieder van u moet met zijn eigen vrouw omgaan met toewijding en respect. Laat u niet leiden door uw driften zoals de heidenen die God niet kennen. Benadeel en bedrieg uw medemens op dit gebied niet. We hebben u er vroeger al nadrukkelijk op gewezen dat de Heer al dat soort praktijken straft. God heeft ons niet tot losbandigheid geroepen maar tot een leven dat hem is toegewijd. Wie deze voorschriften naast zich neerlegt, wijst dus niet een mens af, maar God, God die u zijn heilige Geest geeft.
Ik hoef u niet te schrijven over de onderlinge liefde. God zelf heeft u geleerd elkaar lief te hebben. Die liefde brengt u ook in praktijk tegenover alle gelovigen in heel Macedonië. Maar we drukken u op het hart, broeders en zusters, dit nog meer te doen. Stel er een eer in in stilte te leven, u met uw eigen zaken

bezig te houden en door handenarbeid in uw levensonderhoud te voorzien, zoals we u hebben gezegd. Dan wint u het respect van de niet-gelovige mensen en hoeft u bij niemand om steun aan te kloppen.

1 Tessalonicenzen 4:1-12

Totdat hij komt

Over het lot van de overledenen willen we u niet in het onzekere laten, broeders en zusters. Er is geen reden voor u om te treuren, zoals voor de rest van de mensen. Want die hebben geen hoop. Maar wij geloven toch dat Jezus gestorven is en uit de dood opgestaan? Dan volgt daaruit dat God degenen die als christenen zijn gestorven, samen met Jezus bij zich zal halen.
We houden ons aan een woord van de Heer als we u zeggen: Wij die nog in leven blijven tot de komst van de Heer, hebben geen voorrang op de gestorvenen. Want wanneer het teken wordt gegeven, de aartsengel zijn stem verheft en Gods bazuin klinkt, zal de Heer zelf afdalen uit de hemel. Eerst staan dan de gestorven christenen op; daarna worden wij die nog in leven zijn, samen met de verrezenen weggevoerd op de wolken in de lucht om de Heer te ontmoeten. Dan zullen we voor altijd bij de Heer zijn. Troost elkaar dus hiermee.
Broeders en zusters, ik hoef u niet te schrijven over het precieze tijdstip waarop de dag van de Heer zal komen. U weet zelf maar al te goed dat die dag komt als een dief in de nacht. Wanneer de mensen zeggen: 'Alles is rustig en veilig,' juist dan overvalt hun plotseling de ondergang, zoals de weeën een zwangere vrouw, en is er voor hen geen ontkomen meer aan. Maar u, broeders en zusters, leeft niet in het donker, zodat die dag u zou overvallen als een dief. Want u behoort allen tot het licht van de dag. We hebben niets van doen met het duister van de nacht. We moeten dan ook niet slapen zoals de rest van de mensen, maar waken en nuchter blijven. Want wie slaapt doet dat 's nachts, en wie zich be-drinkt evenzo. Maar laten wij, die behoren tot de dag, nuchter zijn. We moeten ons met het geloof en de liefde uitrusten als met een pantser, en met de hoop op redding als met een helm. We zijn door God niet bestemd om veroordeeld te worden, maar om deel te krijgen aan de redding dankzij onze Heer Jezus Christus. Hij is voor ons gestorven, opdat wij samen met hem zullen leven, ongeacht of we nog in deze wereld verkeren of al gestorven zijn. Blijf elkaar hiermee troosten en steunen, zoals u trouwens ook al doet.

1 Tessalonicenzen 4:13-5:11

Dringende vragen

Wij vragen u, broeders en zusters, waardering te hebben voor degenen onder u die zich voor u inzetten en u uit naam van de Heer leiding geven en terechtwijzen. Om het werk dat zij doen, moet u hun meer dan gewone liefde toedragen. Leef met elkaar in vrede.
Broeders en zusters, wij dringen er bij u op aan: wijs terecht wie niet werken wil, spreek de angstigen moed in, neem het op voor de zwakken, wees met iedereen geduldig. Laat niemand kwaad met kwaad vergelden, maar wees steeds uit op wat goed is voor ieder van u en voor alle anderen.
Wees altijd blij. Bid zonder ophouden. Wees onder alle omstandigheden dankbaar; dat wil God van u in Christus Jezus. Doof het vuur van de Geest niet. Minacht profetische woorden niet. Onderzoek alles op zijn waarde en houd vast wat goed is. Ga elk soort kwaad uit de weg.
Wij vragen dat God, die een God van vrede is, u in alle opzichten heiligt, en dat heel uw persoon, naar geest, ziel en lichaam, onberispelijk bewaard blijft tot de komst van onze Heer Jezus Christus. Hij die u roept, is trouw. Hij houdt zijn woord.
Broeders en zusters, bid ook voor ons.
Groet alle gelovigen met een heilige kus.
Ik bezweer u bij de Heer: laat deze brief voorlezen aan alle gelovigen.
Onze Heer Jezus Christus zij u genadig.

1 Tessalonicenzen 5:12-28

1 Petrus

Onthulling van een groot geheim

Petrus, apostel van Jezus Christus:
aan hen die door God zijn uitgekozen en als vreemdeling verspreid wonen over Pontus, Galatië, Kappadocië, Asia en Bitynië.
U bent door God, de Vader, voorbestemd om, geheiligd door de Geest, te gehoorzamen aan Jezus Christus en u schoon te laten wassen in zijn bloed.
Ik wens u genade en vrede in overvloed.
Dank aan God, de Vader van onze Heer Jezus Christus. Hij heeft ons in zijn grote barmhartigheid herboren doen worden tot een leven vol hoop door Jezus Christus uit de dood op te wekken. Nu wacht u in de hemel een erfenis die onvergankelijk en onaantastbaar is, en die zijn waarde nooit verliest. Want God heeft u onder zijn machtige bescherming genomen. Hij wil u langs de weg van het geloof brengen naar het heil, dat klaar ligt om aan het einde van de tijd te worden geopenbaard.
Daarom juicht u van vreugde! Zeker, in dit kortstondig heden overkomen u tot uw verdriet allerlei beproevingen. Maar zo moet blijken dat uw geloof echt is. Het is zoveel kostbaarder dan het vergankelijke goud, dat toch ook op zijn echtheid wordt getest in het vuur. En het zal u tot lof, roem en eer strekken, wanneer Jezus Christus zich zal openbaren. U hebt hem lief zonder hem ooit te hebben gezien; u gelooft in hem zonder hem nu te aanschouwen. Maar u juicht van onuitsprekelijke, hemelse vreugde, omdat u wordt gered. Dat is immers het doel van uw geloof.
Aan deze redding hebben de profeten veel onderzoek en studie gewijd. Ze voorspelden dat deze genade u te beurt zou vallen. Want de Geest van Christus, die in hen werkte, legde van tevoren in hen getuigenis af over het lijden van Christus en de verheerlijking die daarop zou volgen. Ze onderzochten wanneer en in welke omstandigheden dat zou gebeuren. En het werd hun geopenbaard dat deze boodschap niet voor henzelf was bestemd maar voor u. Nu is de heilige Geest uit de hemel gezonden, en uit zijn kracht hebben de verkondigers van het grote nieuws u geheimen bekendgemaakt waar zelfs de engelen graag in zouden doordringen.
Zorg dus dat u gereedstaat, houd uw hoofd koel en blijf nuchter. Stel uw hoop volledig op de gave die u ten deel zal vallen wanneer Jezus Christus zich openbaart. Wees gehoorzame kinderen en laat u niet meeslepen door uw verlangens van vroeger, toen u

niet beter wist. God, die u heeft geroepen, is heilig. Leid dan ook zelf een heilig leven. Er staat immers geschreven: Wees heilig, omdat ik heilig ben.
U roept God aan als uw Vader. Hij maakt geen onderscheid en oordeelt iedereen op grond van zijn daden. Heb dus ontzag voor hem zolang u hier als vreemdelingen woont. U weet het: uit dit zinloze bestaan, dat u van uw voorouders hebt gekregen, bent u niet vrijgekocht met iets dat vergaat, met zilver of goud, maar met het kostbare bloed van Christus, het Lam zonder smet of gebrek. Al voor de schepping van de wereld had God hem in gedachten, maar eerst nu, aan het einde van de tijd, is hij verschenen, omwille van u. En door hem gelooft u in God, die hem uit de dood heeft opgewekt en hem heeft verheerlijkt. Dat betekent dat uw geloof in God tevens hoop is op God.
Door aan de waarheid gehoor te geven hebt u uw hart gereinigd en is oprechte onderlinge liefde mogelijk geworden. Heb elkaar dan ook met hart en ziel lief, als mensen die herboren zijn, niet uit vergankelijke ouders, maar uit een onvergankelijke bron, door het woord van de levende en eeuwige God. Want:
De mens is als gras
en zijn luister als een bloem in het veld.
Het gras verdort en de bloem valt af.
Maar het woord van de Heer blijft van kracht, voor altijd.

Dat woord is het grote nieuws dat u werd verkondigd.

1 Petrus 1:1-25

Een vrij volk in dienstbaarheid

Weg dus met elke vorm van slechtheid en bedrog, huichelarij, afgunst en laster. Verlang als pasgeboren kinderen naar pure, geestelijke melk. U zult erdoor groeien en gered worden, als u tenminste geproefd hebt hoe goed de Heer is.
Sluit u aan bij hem. Hij is de levende steen, afgekeurd door de mensen, maar voor God zo kostbaar dat hij hem uitkoos. U moet zelf de levende stenen zijn waarmee de geestelijke tempel wordt gebouwd. Vorm een heilig priesterschap dat geestelijke offers brengt die God aangenaam zijn door Jezus Christus. Daarom staat er in de Schrift:
Ik leg in Sion een kostbare hoeksteen
die ikzelf heb uitgekozen.
Wie in hem gelooft,
wordt niet teleurgesteld!

Voor u, die gelooft, is hij waardevol. Maar voor wie niet geloven geldt:
De steen door de bouwers afgekeurd,
is de hoeksteen geworden,
een struikelblok,
een steen waaraan men zich stoot.

Ze struikelen door de boodschap niet te aanvaarden. Dat is hun lot.
Maar u bent een uitverkoren geslacht, een koninklijk priesterschap, een heilige natie, Gods eigen volk, gekozen om de heilsdaden te verkondigen van hem die u uit de duisternis geroepen heeft naar zijn wonderbaar licht. Vroeger was u Gods volk niet, nu wel; vroeger heeft God u zijn barmhartigheid onthouden, nu heeft hij u zijn barmhartigheid getoond.
Vrienden, u bent hier vreemdelingen, tijdelijke bewoners. Daarom druk ik u op het hart, geef niet toe aan uw zelfzuchtige verlangens. Ze belagen uw geestelijk leven. Leid te midden van de ongelovige volken een voorbeeldig leven. Ze mogen u dan al voor misdadigers uitmaken; als ze letten op uw goede daden, zullen ze reden hebben om God eer te bewijzen op de dag dat hij ons komt bezoeken.
Onderwerp u, ter wille van de Heer, aan het bestuur van mensen: aan de koning, omdat hij het hoogste gezag is; aan de gouverneurs, omdat zij door hem zijn aangesteld om hen die het slechte doen te straffen en hen die het goede doen te prijzen. God wil dat u door uw goed gedrag het zwijgen oplegt aan de domme praat van onwetende lieden. Leef als vrije mensen, zonder de vrijheid te misbruiken als dekmantel voor zondige praktijken. Met uw vrijheid moet u God dienen. Eer alle mensen, heb de gemeenteleden lief, heb ontzag voor God en eer de koning.
Slaven, eerbiedig uw meesters en wees hun onderdanig, niet alleen als ze goed en vriendelijk, maar ook als ze slecht zijn. Het is een gave van God als u, met hem voor ogen, onverdiend leed weet te verduren. Als u de slagen verdraagt voor het verkeerde dat u doet, is dat eervol? Maar als u verdraagt wat u te lijden hebt voor het goede dat u doet, dan staat u bij God in de gunst. Lijden is uw roeping. Christus zelf heeft voor u geleden en u daarmee een voorbeeld nagelaten. Volg dus zijn voetspoor. Een zonde heeft hij nooit begaan, aan bedrog heeft hij zich niet schuldig gemaakt. Schold men hem uit, dan schold hij niet terug. Deed men hem leed, dan uitte hij geen bedreigingen, maar vestigde hij zijn hoop op God, die rechtvaardig oordeelt. Hij heeft onze zonden gedragen, lijfelijk op het kruishout. Daardoor zijn wij bevrijd van de zonden en mogen we leven in een goede verstandhouding met God. Door zijn wonden bent u genezen. Eens dwaalde u als schapen, maar nu bent u teruggekeerd naar de herder en behoeder van uw leven.

Zo moet u, vrouwen, uw man onderdanig zijn. Sommigen van u hebben misschien een echtgenoot die het woord van God niet aanvaardt. Maar als hij bemerkt hoe zuiver het gedrag van zijn vrouw is en hoe vol ontzag voor God, zal hij erdoor gewonnen worden, zonder dat er een woord aan te pas is gekomen. U moet het niet zoeken in uw uiterlijke verzorging: uw kapsel, uw gouden sieraden, uw modieuze kleren, maar in de innerlijke schoonheid die onvergankelijk is: een zacht en kalm gemoed. Dat is in de ogen van God een kostbaar sieraad. Daarmee sierden zich vroeger ook de heilige vrouwen, die hun hoop stelden op God en hun man onderdanig waren. Zo was Sara gehoorzaam aan Abraham en ze noemde hem haar heer. U bent haar dochters, als u het goede doet en geen enkel gevaar vreest.
Van uw kant, mannen, moet u in het huwelijksleven begrip tonen voor uw vrouw, want zij behoort tot het zwakkere geslacht. U moet eerbied voor haar hebben, omdat zij met u zal delen in de gave van het leven. Zo zal niets uw gebed in de weg staan.

1 Petrus 2:1-3:7

Lijden met Christus

Kortom, wees allen eensgezind, leef met elkaar mee, heb elkaar lief als broeders en zusters, wees hartelijk en bescheiden. Vergeld geen kwaad met kwaad; wordt u uitgescholden, scheld dan niet terug. Nee, wens de mensen liever het goede; dan zult u zelf het goede ontvangen waartoe God u geroepen heeft. Want:
Wie van het leven houdt
en gelukkig wil zijn,
moet niet kwaadspreken
en geen leugens vertellen.
Laat hij het kwaad uit de weg gaan
en doen wat goed is,
naar vrede streven
en zich ervoor inzetten.
Want de Heer waakt over eerlijke mensen,
als zij roepen, is hij een en al oor;
maar hij keert zich tegen hen die kwaad doen.

Wie zal u kwaad doen, als u zich inzet voor het goede? Maar ook al zou u moeten lijden, omdat u de wil van God doet, toch bent u gelukkig te prijzen. Vrees niet wat zij vrezen en raak niet in verwarring. Erken in uw hart alleen Christus, de Heer, als heilig. Wees steeds bereid iedereen te antwoorden die rekenschap vraagt van de hoop die in u leeft. Maar doe het zachtmoedig, met respect en vanuit een zuiver geweten. Dan zullen zij die uw christelijke levenswandel hekelen, beschaamd staan met hun las-

terpraat. Het is beter te lijden voor het goede dat men doet – als God het wil – dan voor het kwade dat men doet.
Ook Christus heeft eens voor al geleden voor de zonden; de onschuldige heeft geleden ter wille van de schuldigen om u bij God te brengen. Hij is lichamelijk gestorven, maar tot leven gewekt door de Geest. En zo is hij zijn overwinning gaan bekendmaken aan de zielen die in de onderwereld gevangen zaten. Zij hadden destijds gehoorzaamheid geweigerd aan God, toen hij een groot geduld aan de dag legde, ten tijde van Noach, toen de ark werd gebouwd. Slechts enkele mensen, in totaal acht, gingen de ark in en vonden redding door het water. Dat is een beeld dat vooruitwijst naar de doop waardoor u nu wordt gered. Deze doop wast niet het vuil van het lichaam, maar is een verzoek aan God om een zuiver geweten. De doop redt u dankzij de opstanding van Christus, die engelen en geestelijke krachten aan zich heeft onderworpen, de hemel is binnengegaan en nu gezeten is aan de rechterhand van God.
Christus heeft in zijn aards bestaan geleden. Stelt u zich daar dan ook op in en zoek daarin uw kracht. Want wie in dit bestaan geleden heeft, heeft afgerekend met de zonde. In de hem nog resterende levenstijd moet hij zich niet langer laten leiden door menselijke verlangens maar door de wil van God. Er is al genoeg tijd verspild met doen wat de heidenen graag doen: losbandigheid, zingenot, dronkenschap, zwelgpartijen, drinkgelagen en verwerpelijke afgodische praktijken. De ongelovigen vinden het vreemd dat u niet meer met deze uitspattingen meedoet en spreken kwaad van u. Maar ze zullen zich moeten verantwoorden voor hem die zich gereed houdt om recht te spreken over levenden en doden. Met dat doel is het evangelie ook aan de doden verkondigd. Want naar het inzicht van de mensen is over hun aards bestaan het vonnis al geveld, maar voor God mogen zij leven door de Geest.
Het einde van alle dingen is nabij. Bezin u dus en blijf nuchter om vrij te zijn voor gebed. In de eerste plaats moet u elkaar met hart en ziel liefhebben. De liefde bedekt immers tal van zonden. Wees gastvrij, zonder te mopperen. Stel uw gaven, zoals ieder die gekregen heeft, in elkaars dienst. Zo toont u zich goede beheerders van de vele soorten genadegaven van God. Voert iemand het woord, laat God het dan zijn die door hem spreekt. Bewijst iemand een dienst, laat het zijn uit de kracht die God hem daartoe geeft. Dan zal in alles God worden verheerlijkt door Jezus Christus, aan wie de glorie en de macht toebehoort, voor altijd en eeuwig! Amen.
Vrienden, sta niet verbaasd over de vuurproef die u ondergaat. Wat u overkomt, is niets uitzonderlijks. Hoe meer u deel hebt aan het lijden van Christus, des te meer verheugd moet u zijn. Want u zult van vreugde juichen op de dag dat hij zijn glorie openbaart. Als men u uitscheldt omdat u Christus volgt, prijs u dan gelukkig.

Want het betekent dat de Geest van de glorie, de Geest van God, op u rust. Zorg ervoor dat u niet hoeft te lijden omdat u een moordenaar of een dief, een boef of een verrader bent. Maar als u lijdt omdat u christen bent, schaam u dan niet: u mag die naam dragen tot eer van God.
De tijd van het oordeel is aangebroken; het huisgezin van God is het eerst aan de beurt. Maar als het bij ons begint, hoe zal het dan aflopen met hen die het evangelie van God weigeren te aanvaarden? De rechtvaardige wordt al ternauwernood gered; waar blijft dan de mens die zich stoort aan God noch gebod? Maar de Schepper is trouw. Daarom moeten zij die naar Gods wil te lijden hebben, hun leven in zijn hand leggen en het goede blijven doen.
Nu de bestuurders onder u. Als uw ambtgenoot, als ooggetuige van het lijden van Christus, en deelgenoot van de glorie die geopenbaard zal worden, vraag ik u: hoed de kudde die God u heeft toevertrouwd, zoals hij het graag ziet: niet gedwongen, maar vrijwillig, niet uit winstbejag, maar belangeloos. Overheers degenen niet voor wie u te zorgen hebt, maar wees een voorbeeld voor uw kudde. Dan zult u bij het verschijnen van de grote herder de altijdgroene krans van de glorie ontvangen.
De jongeren van hun kant moeten het gezag van de ouderen aanvaarden. Trouwens, in de omgang met elkaar siert een bescheiden houding u allen. Want God keert zich tegen de hoogmoedigen, maar hij is genadig voor wie zich voor hem buigen. Buig u dus onder de machtige hand van God. Dan zal hij u te zijner tijd verheffen. Werp al uw zorgen op hem. Hij zorgt voor u. Wees nuchter en waakzaam! Uw tegenstander, de duivel, loopt rond als een brullende leeuw, op zoek naar iemand die hij kan verslinden. Verdedig u tegen hem, sterk door het geloof. Vergeet niet dat uw broeders en zusters over de hele wereld hetzelfde leed ten deel valt. Maar God, de bron van alle goedheid, heeft u geroepen om door uw verbondenheid met Christus te delen in zijn eeuwige glorie. Na het lijden, dat maar van korte duur is, zal hij uw krachten herstellen en u onwankelbaar oprichten. Van hem is de macht voor altijd en eeuwig! Amen.
Met de hulp van Silvanus, die ik een betrouwbaar christen acht, heb ik u deze korte brief geschreven. Ik wil u een hart onder de riem steken, en u ervan overtuigen dat wat ik geschreven heb, de ware genade van God inhoudt. Houd daaraan vast.
De groeten van de gemeente in Babylon, die samen met u door God is uitgekozen. Ook mijn zoon Marcus groet u. Groet elkaar liefdevol met een kus.
Vrede voor u allen die met Christus verbonden zijn.

1 Petrus 3:8-5:14

Openbaring

Horen, zien en schrijven

De openbaring van Jezus Christus, die hem door God gegeven is om zijn dienaars te laten zien wat er spoedig gebeuren moet. Deze openbaring heeft hij aan zijn dienaar Johannes bekendgemaakt door hem zijn engel te sturen. En Johannes getuigt hier van de boodschap van God en van het getuigenis van Jezus Christus, van alles wat hij gezien heeft.
Gelukkig hij die deze profetische boodschap voorleest, en gelukkig zij die ernaar luisteren en vasthouden aan wat daar geschreven staat. Want de tijd is nabij.
Johannes aan de zeven christengemeenten in Asia:
De genade zij u en de vrede van hem die is, die was en die komt, van de zeven geesten die voor zijn troon staan, en van Jezus Christus, de betrouwbare getuige, de eerste van de doden die tot nieuw leven is gekomen, de hoogste koning der aarde.
Aan hem die ons liefheeft, ons bevrijd heeft van onze zonden door zijn bloed, ons tot koningen gemaakt heeft, tot priesters voor God, zijn Vader, aan hem de eer en de macht voor altijd! Amen.
Zie, hij komt met de wolken! Iedereen zal hem zien, ook zij die hem doorstoken hebben, en alle volken der aarde zullen om hem treuren. Amen.
'Ik ben de alfa en de omega,' zegt God, de Heer, die is, die was en die komt, de Almachtige.
Ik, Johannes, ben uw broeder en lotgenoot; ook ik word verdrukt, en net als u heb ik deel aan het koninkrijk en blijf ik standvastig in verbondenheid met Jezus. Ik was op het eiland Patmos vanwege de boodschap van God en het getuigenis van Jezus. Op de dag van de Heer kwam de Geest over mij. Ik hoorde achter me een luide stem, als een bazuin: 'Schrijf wat je ziet in een boek op en stuur het naar de zeven gemeenten, naar Efeze, Smyrna, Pergamum, Tyatira, Sardes, Filadelfia en Laodicea.'
Ik draaide me om, om te zien wie tegen me sprak. En toen ik me omdraaide, zag ik zeven gouden kandelaars en te midden van de kandelaars iemand die de gestalte had van een mens. Hij had een gewaad aan dat tot op zijn voeten hing en om zijn borst droeg hij een gouden band. Zijn hoofdhaar was wit als wol, blank als sneeuw, zijn ogen vlamden als vuur, zijn voeten gloeiden als brons in een smeltoven en zijn stem klonk als een machtige waterval. In zijn rechterhand hield hij zeven sterren; een scherp tweesnijdend zwaard kwam uit zijn mond en zijn gezicht straalde

als de middagzon. Toen ik hem zag, viel ik als dood aan zijn voeten. Maar hij legde zijn rechterhand op mij en zei: 'Wees niet bang! Ik ben de eerste en de laatste. Ik ben de levende! Ik was dood, maar nu leef ik voor altijd, voor eeuwig. Ik heb de sleutels van de dood en het dodenrijk. Schrijf op wat je gezien hebt, wat er nu is en wat er nog komen gaat. De geheime betekenis van de zeven sterren die je in mijn rechterhand ziet, en de zeven gouden kandelaars is deze: de zeven sterren zijn de engelen van de zeven gemeenten, en de zeven kandelaars de zeven gemeenten zelf.'

Openbaring 1:1-20

Het visioen van Gods troon

Toen kreeg ik een ander visioen. Een deur in de hemel stond open, en de stem die al eerder tot mij had gesproken en die had geklonken als een bazuin, zei: 'Kom hierboven, dan zal ik u laten zien wat hierna gebeuren moet.' Meteen kwam de Geest over mij, en zie: er stond een troon in de hemel en er zat iemand op die troon. En degene die op die troon zat, straalde als jaspis en kornalijn. Over zijn troon stond de regenboog, schitterend als smaragd, en in een kring eromheen stonden vierentwintig andere tronen waarop vierentwintig oudsten zaten, gehuld in witte kleren en met gouden kronen op het hoofd. Uit de troon kwamen bliksemflitsen, gerommel en donderslagen; vóór de troon brandden zeven vurige fakkels, de zeven geesten van God. En voor de troon strekte zich iets uit dat leek op een zee van glas, van kristal. Midden voor de troon en er rond omheen waren vier levende wezens, van voren en van achteren vol ogen. Het eerste wezen leek op een leeuw, het tweede op een jonge stier, het derde zag eruit als een mens en het vierde leek op een vliegende arend. Ze hadden elk zes vleugels en waren overdekt met ogen, zowel van binnen als van buiten. Zonder ophouden, dag en nacht, zeiden ze:
'Heilig, heilig, heilig
is God, de Heer, de Almachtige,
die was, die is en die komt.'
En iedere keer als de vier levende wezens lof, eer en dank brengen aan hem die op de troon is gezeten en die leeft voor altijd, voor eeuwig, vallen de vierentwintig oudsten op hun knieën neer voor hem die op de troon zit, en aanbidden ze hem die leeft voor altijd, voor eeuwig. Zij leggen hun kronen voor de troon neer, terwijl ze zeggen:
'Heer, onze God, u komt de eer toe glorie, eer en macht te ontvangen.
Want u hebt alles geschapen.
Aan uw wil dankt alles zijn bestaan.'

En ik zag in de rechterhand van hem die op de troon was gezeten, een boekrol, van binnen en van buiten beschreven, en verzegeld met zeven zegels. Ook zag ik een machtige engel. Hij riep luid: 'Wie komt de eer toe de zegels te verbreken en de boekrol te openen?' Maar niemand in de hemel, op aarde of onder de aarde was in staat de boekrol te openen en te lezen. Ik brak in tranen uit, omdat niemand de eer bleek toe te komen de boekrol te openen of te lezen. Maar een van de oudsten zei tegen me: 'Huil niet! De leeuw uit de stam Juda, de telg van David, heeft overwonnen: hij kan de zeven zegels verbreken en de boekrol openen.'
Toen zag ik midden voor de troon en omgeven door de vier wezens en de oudsten een lam staan. Het Lam leek geslacht. Het had zeven hoorns en zeven ogen: dat zijn de zeven geesten van God die over de hele wereld zijn uitgestuurd. Het Lam kwam naar voren en nam de boekrol aan uit de rechterhand van hem die op de troon was gezeten. Toen het de boekrol nam, vielen de vier wezens en de vierentwintig oudsten voor het Lam neer. De oudsten hadden ieder een harp en een gouden schaal vol reukwerk, dat zijn de gebeden van hen die God toebehoren. En ze zongen een nieuw lied:
'U komt de eer toe de boekrol te nemen en haar zegels te verbreken.
Want u bent geslacht en met uw bloed hebt u voor God mensen gekocht uit elke stam en taal, uit elk volk en ras.
U hebt hen tot koningen gemaakt, tot priesters voor onze God en zij zullen heersen op aarde.'
Toen hoorde en zag ik vele engelen rondom de troon, met de vier wezens en de oudsten. Zij waren met duizenden en duizenden, ja met miljoenen. En zij riepen luid:
'Het Lam dat geslacht werd, komt de eer toe om de macht te ontvangen, de rijkdom, de wijsheid en de kracht, de eer, de glorie, de lof.'
En ik hoorde elk schepsel in de hemel en op de aarde, onder de aarde en in de zee, ja alle wezens in het heelal zingen:
'Aan hem die op de troon is gezeten, en aan het Lam komen toe: lof en eer, glorie en kracht voor altijd, voor eeuwig!'
En de vier levende wezens antwoordden: 'Amen!' en de oudsten vielen in aanbidding neer.

Openbaring 4:1-11; 5:1-14

Het visioen van Gods stad

Toen zag ik een nieuwe hemel en een nieuwe aarde. De eerste hemel en de eerste aarde waren verdwenen en ook de zee bestond niet meer. Ik zag een nieuw Jeruzalem, een nieuwe heilige

stad, neerdalen vanuit God uit de hemel. Ze was als bruid getooid, mooi gemaakt voor haar man. En uit de richting van de troon hoorde ik luid een stem zeggen: 'Nu heeft God zijn tent onder de mensen opgeslagen! Hij zal bij hen wonen en zij zullen zijn volk zijn. God zelf zal bij hen zijn en hij zal elke traan uit hun ogen wissen. De dood zal er niet meer zijn; geen rouw, geen weeklacht, geen pijn zal er zijn, want de eerste dingen zijn voorbij.'
Hij die op de troon was gezeten, zei: 'Ik maak alles nieuw.' Tegen mij zei hij: 'Schrijf! Want deze woorden zijn geloofwaardig en waarachtig.' En dit waren zijn woorden: 'Alles is voltrokken! Ik ben de alfa en de omega, het begin en het einde. Wie dorst heeft, zal ik te drinken geven uit de bron met water dat leven geeft, om niet. Dit zal het deel zijn van wie overwint: ik zal zijn God zijn en hij mijn zoon. Maar wie laf is en ontrouw, en zij die alles doen wat verwerpelijk is, moorden, ontucht plegen, magie bedrijven, beelden aanbidden, ja, allen die de leugen dienen: hun deel zal de zee van vuur en zwavel zijn, de tweede dood.'
Een van de zeven engelen met de zeven schalen gevuld met de laatste zeven plagen, kwam mij zeggen: 'Kom! Ik zal u de bruid laten zien, de vrouw van het Lam.' De Geest kwam over mij, en de engel bracht me op de top van een zeer hoge berg. Hij liet me Jeruzalem zien, de heilige stad die vanuit God uit de hemel neerdaalde. Ze had de glorie van God; ze schitterde als een edelsteen, als een kristalheldere jaspis. Een grote hoge muur met twaalf poorten omgaf haar en bij elke poort stond een engel. Op de poorten waren de namen geschreven van de twaalf stammen van Israël. De stad had drie poorten aan de oostkant, drie aan de noordkant, drie aan de zuidkant en drie aan de westkant. De stadsmuur rustte op twaalf fundamenten, twaalf stenen, waarop de namen stonden van de twaalf apostelen van het Lam.
In de stad zag ik geen tempel, omdat de Heer, God, de Almachtige, en het Lam haar tempel zijn. Het licht van zon en maan heeft ze niet nodig, want de glorie van God verlicht haar en het Lam is haar lamp. De volken zullen bij haar licht hun weg gaan, en de koningen der aarde zullen er hun rijkdommen binnenbrengen. De poorten van de stad zullen de hele dag openstaan en niet meer worden gesloten, omdat er geen nacht meer heerst. De schatten en de kostbaarheden van de volken zullen er binnengebracht worden. En niets wat onrein is, zal de stad binnenkomen, en niemand die misdaad en leugen aanhangt. Alleen zij die opgetekend staan in het boek van de levenden, gaan er binnen.

De engel liet me ook de rivier zien met het water dat leven geeft. De rivier was helder als kristal; hij ontsprong uit de troon van God en het Lam, en stroomde midden door het plein van de stad. Aan beide zijden van de rivier stonden levensbomen die twaalf keer per jaar vrucht droegen, elke maand één keer. Hun bladeren brengen de volken genezing. Niets waarop een vloek rust, zal er meer zijn. Nee, in deze stad zal de troon van God en het Lam staan, en de dienaars van God zullen hem vereren. Ze zullen zijn gelaat zien en zijn naam op hun voorhoofd dragen. Er zal geen nacht meer zijn, zij hebben het licht van een lamp of van de zon niet nodig, want God, de Heer, zal hun licht zijn, en als koningen zullen zij heersen, voor altijd, voor eeuwig.

Openbaring 21:1-14, 22-27; 22:1-5

Register

Aantekeningen

Aantekeningen

Aantekeningen

Aantekeningen

Aantekeningen

Aantekeningen

Aantekeningen

Aantekeningen

Aantekeningen

Aantekeningen

Aantekeningen

Aantekeningen

Aantekeningen

Aantekeningen

Aantekeningen

Aantekeningen